W9-CYN-027

CONTEMPORÁNEA

Orhan Pamuk nació en 1952 en Estambul, Turquía. Estudió arquitectura y periodismo en su país, y pasó largas temporadas en las universidades de Iowa y de Columbia. Pamuk publicó su primera novela en 1982, si bien desde los 70 ya escribía. Es autor de ocho novelas, entre ellas *La casa del silencio* (1983), *El libro negro* (1990), *La vida nueva* (1994), *Me llamo Rojo* (2002) y *Nieve* (2005). Su éxito mundial se desencadenó a partir de los elogios que John Updike dedicó a su novela *El astrólogo y el sultán* (1991). A pesar de que Pamuk se considera un escritor de literatura, alejado de las disputas políticas, en su país se le conoce como promotor de las causas sociales y los derechos humanos. Internacionalmente es considerado como un vínculo intelectual entre oriente y occidente.

Por su obra literaria y ensayística, Pamuk ha recibido reconocimientos y premios internacionales. Su obra se ha traducido a más de 30 lenguas. Ahora su brillante trayectoria culmina al ser galardonado por la Academia Sueca con el Premio Nobel de Literatura 2006.

ORHAN PAMUK

La casa del silencio

⊡ DeBOLS!LLO

La casa del silencio

Título original: *Sessiv Ev*

Primera edición: mayo, 2006
Primera impresión en México, 2006

D.R. © 1996, Illetisim Yayincilik A. S Kasim
D.R. © 2000, Rafael Carpintero Ortega, por la traducción

Diseño de la portada: Departamento de diseño de Random House Mondadori
Fotografía de la portada: © Pete Turner/Getty Images

D.R. © 2006 Grupo Editorial Random House Mondadori, S. L.
Travessera de Grácia, 47-49, 08021 Barcelona
(De la presente edición para todo el mundo)

D.R. © 2006 Random House Mondadori, S.A. de C.V.
Av. Homero 544, Col. Chapultepec Morales,
Del. Miguel Hidalgo, C.P. 11570, México, D.F.

www.randomhousemondadori.com.mx

ISBN-13: 978-970-780-175-2
ISBN-10: 970-780-175-1

Impreso en México / *Printed in Mexico*

I

—La comida está lista, señora —le anuncié—. Puede sentarse.

No me contestó. Permanecía de pie apoyada en su bastón. Fui hasta ella, la cogí del brazo y la senté a la mesa. Solo susurró algo. Bajé a la cocina, tomé la bandeja, se la llevé y la dejé ante ella. La miró pero no tocó la comida. Caí en la cuenta cuando alargó el cuello refunfuñando. Saqué la servilleta y se la anudé pasándola por debajo de sus enormes orejas.

—¿Qué has preparado esta noche? ¿Qué te has sacado de la manga, vamos a ver?

—Berenjenas guisadas. ¡Como ayer me las pidió...!

—¿Las de mediodía?

Empujé el plato hacia ella. Tomó el tenedor y removió las berenjenas protestando. Después de machacarlas un rato comenzó a comer.

—Señora, aquí tiene su ensalada.

Salí de nuevo, serví berenjenas también para mí, me senté y comencé a comer.

Poco después gritó:

—¡Sal! Recep, ¿dónde está la sal?

Me levanté y subí a ver. La tenía a mano.

—¡Ahí tiene su sal!

—Esto es nuevo. ¿Por qué te vas mientras estoy comiendo?

No respondí.

—¿No vienen mañana?

—Sí, señora. Mañana. ¿Va a echarse sal?

—¡Y a ti qué te importa! ¿Vienen...?

—Mañana a mediodía. Han telefoneado, ya lo sabe...

—¿Qué más hay?

Me llevé de vuelta las berenjenas a medias, serví en un plato limpio una buena cantidad de judías y se las llevé. Cuando comenzó a remover con asco las judías, entré y me senté, ahora yo también estoy comiendo. Poco después me gritó de nuevo, esta vez pedía pimienta, pero aparenté no haber oído. Luego pidió fruta, así que empujé ante ella el frutero. Comenzó a pasear lentamente su huesuda y delicada mano sobre los melocotones como una araña cansada. Por fin los dejó.

—¡Todos podridos! ¿Dónde los has encontrado? ¿Los has recogido de debajo del árbol?

—No están podridos, señora. Están maduros. Son los mejores melocotones. Los he comprado en la frutería. Sabe tan bien como yo que ya no tenemos el melocotonero.

Hizo como si no me hubiera oído y escogió uno de los melocotones. Yo salí otra vez y cuando estaba acabándome las judías:

—¡Quítamela! —gritó—. Recep, ¿dónde estás? ¡Quítamela!

Fui corriendo y mientras me estiraba hacia la servilleta vi que se había dejado la mitad del melocotón.

—Permítame que le dé yo el melocotón, señora. Luego me despierta por la noche diciendo que tiene hambre.

—No, muchas gracias. Por suerte todavía no he caído tan bajo como para comerme los desperdicios del árbol. ¡Quítamela!

Me estiré y le desaté la servilleta. Mientras le limpiaba los labios arrugó el gesto e hizo como si rezara. Se puso en pie.

—¡Súbeme!

Se apoyó en mí, subimos un poco pero nos detuvimos en el noveno escalón. Nos dimos un respiro.

—¿Has preparado las habitaciones? —me preguntó sin aliento.

—Sí.

—Bien, vamos. —Y cargó su peso un poco más sobre mí.

Seguimos subiendo y, al llegar al último escalón, dijo: «Diecinueve, ¡gracias a Dios!», y entró en su habitación.

—¡Encienda la lámpara! Yo me voy al cine.

—¡Al cine! —contestó—. El muy grandullón. Pues no vuelvas tarde.

—No.

Bajé, me acabé las judías y lavé los platos. Me quité el delantal, tenía la corbata bien puesta, cogí la chaqueta, la cartera, todo bien. Subí.

Soplaba una fresca brisa del mar que me agradó; las hojas de la higuera crujían. Cerré la puerta del jardín y eché a andar hacia la playa. Al terminar el muro de nuestro jardín comenzaban las aceras y las casas nuevas de cemento. La gente estaba sentada en las terrazas, en sus minúsculos y estrechos jardines, con los televisores encendidos, viendo y oyendo las noticias; las mujeres estaban junto a las barbacoas pero tampoco ellas me veían. Carne a la parrilla y humo: familias, vidas; siento curiosidad. Pero cuando llega el invierno no queda nadie y entonces noto un estremecimiento al oír el ruido de mis pasos en las calles vacías. Sentí frío, me puse la chaqueta y me desvié por las calles laterales.

¡Qué raro resulta pensar que todos se sientan a comer viendo la televisión a la misma hora! Paseo por los callejones. Un coche se acercó al fondo de una de las calles que daban a una pequeña plaza, de él saltó un marido cansado que acababa de llegar de Estambul, entró en la casa con el maletín en la mano; parecía preocupado por llegar tarde a la cena que pensaba tomar viendo las noticias. Cuando llegué de nuevo a la orilla oí la voz de İsmail.

—Lotería. Quedan seis días.

No me vio. Yo tampoco le llamé. Pasaba entre las mesas del restaurante subiendo y bajando la cabeza. Luego fue a

9

una mesa desde la que le llamaban, se inclinó y le alargó el fajo de billetes a una niña con vestido blanco y el pelo recogido con una cinta. La niña escogía muy seria y sus padres sonreían orgullosos. Me di media vuelta. No miro más. Si le hubiera llamado, si İsmail me hubiera visto, habría venido cojeando rápidamente a mi lado. «¿Por qué no te pasas nunca por casa?», me habría dicho. «Vuestra casa está muy lejos, İsmail, y en lo alto de una cuesta.» «Sí, tienes razón. Si cuando el señor Doğan nos dio aquel dinero, me hubiera comprado un terreno aquí en lugar de en la cuesta, si entonces lo hubiera comprado a la orilla del mar en lugar de allí porque estaba cerca de la estación, hoy sería millonario, Recep.» Sí, sí: las mismas palabras. Y su hermosa mujer mirando en silencio. ¿Para qué voy a ir? Pero a veces me apetece, me apetece en las noches de invierno cuando no encuentro una sola persona con la que hablar, y voy, pero son siempre las mismas palabras.

Los locales de la playa estaban completamente vacíos. Los televisores encendidos. Los encargados del té alineaban cientos de vasos que brillaban limpísimos bajo grandes y potentes bombillas. Esperaban que las noticias terminaran y la multitud se echara a la calle. Había gatos por debajo de las mesas vacías. Seguí caminando.

Las barcas habían sido retiradas al otro lado del espigón. No había nadie en la pequeña y sucia playa. Algas secas que se habían quedado en la orilla, botellas, pedazos de plástico... Decían que iban a derribar la casa de İbrahim el barquero y el café. Al ver las iluminadas ventanas del café me emocioné de repente. Quizá haya alguien, alguien que no esté jugando a las cartas, hablaremos, me preguntará cómo estoy, le contaré, me escuchará, «¿Y tú cómo estás?», me contará y le escucharé. Gritándonos para aplastar el ruido del televisor y el alboroto. La amistad. Quizá incluso vayamos juntos al cine.

Pero toda mi alegría desapareció en cuanto entré en el café porque aquellos dos jóvenes volvían a estar allí. En efecto: al verme se alegraron y se rieron mirándose el uno al otro.

Pero yo no os he visto, miro mi reloj, busco un amigo. Allí, a la izquierda, estaba sentado Nevzat observando a los jugadores. Fui junto a él, me subí a la silla y me senté. Me sentía feliz, me volví hacia Nevzat y le sonreí.

—Hola, ¿cómo estás?

No abrió la boca.

Vi un poco la televisión, estaban dando el final de las noticias. Luego miré las cartas que giraban por la mesa y a Nevzat que las observaba. Esperé a que terminara la mano, terminó pero rieron y hablaron entre ellos y no conmigo. Luego comenzó otra vez, otra vez se entregaron al juego y otra vez terminó. Mientras repartían de nuevo me decidí a decir algo:

—Nevzat, la leche que nos has traído esta mañana era muy buena.

Sacudió la cabeza sin apartar la mirada de las cartas.

—¿Sabes? La leche cremosa siempre es buena.

Otra vez sacudió la cabeza. Miré la hora, las nueve menos cinco. Luego vi la televisión; estaba absorto y solo mucho después me di cuenta de las risitas de los jóvenes. Al ver el periódico que tenían entre las manos pensé con pánico: «Dios mío, ¿es que vuelve a haber otra fotografía?». Porque me miraban a mí, luego al periódico y se reían de una manera bastante fea. ¡No les hagas caso, Recep! Pero volvía a pensar: «A veces publican una fotografía en el periódico: no tienen compasión. Y escriben un pie estúpido e injusto de la misma forma que lo escriben cuando publican la foto de alguna mujer desnuda o de las osas recién paridas en el zoo». Me volví de repente hacia Nevzat.

—¿Cómo estás? —le pregunté sin pensar.

Se giró hacia mí por un momento murmurando algo, pero como tenía la mente en la fotografía no encontré nada que decir y perdí la oportunidad de hablar. Además, me despisté y volví a mirar en dirección a los jóvenes. Sonrieron descaradamente cuando nuestras miradas se cruzaron. Desvié la cabeza. Cayó un rey sobre la mesa. Los jugadores soltaron palabrotas, se alegraron y se entristecieron. Luego comenzó una nueva partida; las cartas y las alegrías cambiaron de lugar. ¿Había una foto? De improviso se me ocurrió algo.

—¡Cemil! —llamé—. ¡Tráeme un té!

Así encontré algo en lo que entretenerme para poder olvidar aunque solo fuera un poco. Pero aquello no duró demasiado: mi mente volvió a obsesionarse con el periódico que los jóvenes contemplaban riéndose. Cuando por fin me giré a observar le habían dado el periódico a Cemil que miraba allí donde le estaban señalando. Luego Cemil se sintió incómodo al ver que yo me sentía mal y, de repente, les gritó a los jóvenes con tono de reprimenda:

—¡Sinvergüenzas!

Bueno, la flecha ya había salido del arco. Ahora no puedo aparentar no haberme dado cuenta. Debería haberme marchado hace mucho. Los jóvenes lanzaron una carcajada.

—¿Qué pasa, Cemil? —le pregunté—. ¿Qué hay en ese periódico?

—¡Nada! —respondió—. ¡Qué cosas!

La curiosidad era insoportable. Intenté contenerme pero no tengo la suficiente fuerza de voluntad. Me bajé de la silla como hechizado y avancé lentamente hacia Cemil pasando junto a los jóvenes, ahora callados.

—¡Dame ese periódico!

Hizo un movimiento como si quisiera ocultarlo y luego dijo culpable:

—¡Qué cosas! ¿Cómo puede ser posible? ¿Será verdad? —Después se volvió a los jóvenes—. ¡Sinvergüenzas!

Por fin, gracias a Dios, me pasó el periódico.

Se lo arrebaté de las manos como un lobo hambriento y lo abrí; mi corazón latía a toda velocidad. Ahogándome, miraba nervioso donde me señalaba, pero no, no había ninguna fotografía.

—¿Dónde?

—Ahí —respondió Cemil y tocó inquieto con la punta del dedo.

Leí rápidamente lo que me señalaba: «Rincón de la historia...» «Tesoros históricos de Üsküdar...» «El poeta Yahya Kemal y Üsküdar...».

Y más abajo pequeños titulares: «La mezquita de Mehmet bajá el Rumí...» «La mezquita de Ahmed y su fuente...» «La mezquita de Şemsi bajá y su biblioteca...».

Luego el dedo de Cemil fue bajando indeciso y lo vi: «¡La Casa de los Enanos en Üsküdar!».

Se me subió la sangre a la cara. Lo leí sin respirar:

> Aparte de todo lo anterior, también existía tiempo atrás en Üsküdar una casa de los enanos. A esta casa, construida no para gente normal, sino para enanos, no le faltaba de nada. Simplemente, las dimensiones de las habitaciones, las puertas, las ventanas y las escaleras, habían sido construidas atendiendo a la altura de los enanos y para que una persona de estatura normal pudiera entrar en ella debía doblarse en dos. Según las investigaciones de nuestro maestro, el historiador del arte Prof. Dr. Süheyl Enver, la sultana Handan, consorte del sultán Mehmet II y madre de Ahmet I, gran aficionada a los enanos, ordenó edificar esa casa. La extrema afición a los enanos de esta mujer tiene un importante lugar en la historia del Harén. La sultana Handan deseaba que tras su muerte aquellos simpáticos amigos suyos pudieran seguir viviendo juntos en paz y sin que nadie les molestara, así que movilizó al jefe de los carpinteros de palacio, el maestro Ramazan, quien, según se cuenta, logró realizar una pequeña obra maestra de la carpintería y la ebanistería... No obstante, debemos añadir que no sabemos con seguridad si existió tan extraña y curiosa casa habida cuenta de que Evliya Çelebi, que pasó por Üsküdar en aquellos años, no la menciona. Incluso aunque existiera en realidad, tan rara vivienda debió de ser destruida por el famoso incendio que en 1642 arrasó Üsküdar.

Me sentía desconcertado. Me temblaban las piernas y el sudor me empapaba la espalda.

—¡Olvídalo, Recep! —me dijo Cemil—. ¿Para qué le haces caso a esos sinvergüenzas?

Me poseía un terrible deseo de volver a leer el periódico

pero no tenía fuerzas. Apenas podía respirar. El periódico se me cayó de las manos.

—Siéntate aquí. Tranquilízate. Te ha ofendido, te ha apenado. —Luego se volvió hacia los jóvenes y repitió—: ¡Sinvergüenzas!

Yo también les miré tambaleándome sobre las piernas. Vi que me observaban con una curiosidad furtiva.

—Sí —le contesté—. Me ha apenado.

Guardé silencio y descansé por un momento y luego hablé de nuevo reuniendo todas mis fuerzas.

—Pero no me apena ser enano. Lo que me entristece en realidad es que la gente sea tan mala como para burlarse de un enano de cincuenta y cinco años.

Se produjo un silencio. Probablemente los jugadores de cartas también me habían oído. Mi mirada se cruzó con la de Nevzat, ¿lo habría entendido? Los jóvenes tenían la cabeza gacha, quizá se habrían avergonzado aunque solo fuera un poco. Me daba vueltas la cabeza, el televisor zumbaba.

—¡Sinvergüenzas! —insistió Cemil en vano—. Espera, Recep, hombre. ¿Adónde vas?

No le respondí. Di algunos pasos cortos tambaleándome y dejé atrás las vivas ventanas del café. Estoy fuera de nuevo, en la fresca y oscura noche.

No me sentía con ánimos como para andar pero, esforzándome, di algunos pasos más y luego me senté en uno de los norays que había en el espigón. Aspiré profundamente el aire fresco, mi corazón aún latía a toda velocidad. ¿Qué podía hacer? A lo lejos brillaban las luces de los locales nocturnos y los restaurantes; habían colgado bombillas de colores de los árboles, y debajo de ellas había personas que comían y que hablaban unas con otras: ¡Dios mío!

Se abrió la puerta del café y oí que Cemil me llamaba:

—¡Recep, Recep! ¿Dónde estás?

No dije una palabra. No me vio y volvió a entrar.

Poco después me levanté al oír el retumbar del tren que iba a Ankara. Debían de ser las nueve y diez. Pensé: «¿No son solo palabras? ¿No es acaso una nube sonora que se desvanece en cuanto se extiende por el vacío?». Me tranquilicé un poco, pero no quiero regresar a casa, no hay otro remedio: iré al cine. Se me ha secado el sudor, mi corazón late más despacio, ahora me siento mejor. Respiré profundamente y eché a andar.

El café quedó atrás. Ya se habrían olvidado de mí y de sus palabras, el televisor seguía zumbando, los jóvenes estarían buscando a alguien nuevo de quien burlarse si Cemil no les había echado. Otra vez estoy en la calle, hay mucha gente, han cenado y antes de regresar frente al televisor o de sentarse en alguna terraza dan un paseo para hacer la digestión. Las mujeres, sus maridos, que vuelven por la tarde de Estambul, y sus hijos, que están mascando chucherías, toman helados, hablan, se saludan, se reconocen unos a otros y vuelven a saludarse. Pasé ante los restaurantes pero İsmail ya no estaba. Quizá se le habrían acabado los billetes de lotería y subía la cuesta de su casa. Si fuera a su casa en lugar de ir al cine hablaríamos. Pero serían las mismas palabras.

La calle se había llenado bastante. Los coches que esperaban ante las heladerías y los grupos de tres o cuatro personas caminando juntas entorpecían el tráfico. Llevaba la corbata y la chaqueta bien puestas, pero soy incapaz de aguantar semejante multitud. Me desvié por las calles laterales. Los niños jugaban al escondite entre los coches aparcados en aquellas calles estrechas iluminadas por la luz azul de las pantallas de los televisores. Cuando era pequeño creía que podría jugar bien al escondite pero entonces, al contrario que İsmail, no tenía el suficiente valor como para mezclarme con los demás niños. Pero, si hubiera podido jugar, habría sido el que mejor me escondiera, aquí quizá entre los restos de la hospedería, donde mi madre decía que vivía la peste, y en la aldea en el establo, por ejemplo, y ya veríamos de quién se burlarían si nunca saliera, pero mi madre me buscaría: «İsmail, ¿dónde está tu hermano mayor?». İsmail se pondría farruco: «¿Y qué sé yo?». Y mientras, yo les escucharía y diría: «Madre, voy a vivir aquí, solo y escondido, sin que nadie pueda verme». Pero mi única madre lloraría tanto que acabaría por ceder: «Bueno, bueno, ya salgo. Mira, aquí estoy, ya no me escondo». Y mi madre me preguntaría: «¿Por qué te escondes, hijo?». Y quizá yo pensara que tenía razón. ¿Qué es lo que tendría que esconder, que ocultar? En un momento se me había olvidado.

Les vi mientras cruzaba a toda prisa la calle principal: el señor Sitki había crecido, se había casado, iba con su mujer e incluso tenía ya un hijo tan alto como yo. Me reconoció, sonrió y se detuvo:

—Hola, Recep efendi. ¿Cómo estás?

Siempre espero a que hablen ellos en primer lugar.

—Hola, Sitki bey. Bien, gracias.

Le estreché la mano. No a su mujer. El niño me miraba con temor y curiosidad.

—Cariño, Recep efendi es uno de los más antiguos de Cennethisar.[1]

La mujer sacudió la cabeza sonriente. Me alegró oír aquello, me enorgullece ser de los más antiguos.

—¿Está bien la abuela?

—Psché. La señora siempre se está quejando.

—¡Cuántos años hace! ¿Por dónde anda Faruk?

—Mañana vienen.

Se volvió hacia su mujer y comenzó a explicarle que Faruk bey y él eran amigos de la infancia. Luego nos despedimos sin darnos la mano, solo con una inclinación de cabeza, y nos separamos. Ahora le estará hablando a su mujer de su infancia, y de mí, cómo de pequeños les llevaba al pozo y les enseñaba a pescar mújoles, y entonces el niño preguntaría: «Papá, ¿por qué ese hombre es tan pequeño?». «Porque su madre lo tuvo sin estar casada», me respondía yo antiguamente. Sitki se ha casado. Faruk bey también pero no ha tenido hijos, y la señora nos envió a nosotros y a mi madre a la al-

1. La «Fortaleza Paradisíaca». *(N. del T.)*

dea porque mi madre había hecho justo lo contrario. Antes de enviarnos allí, mientras nos torturaba, primero de palabra y luego con el bastón, mi madre le imploraba: «No lo haga, señora, ¿qué culpa tienen los niños?». A veces me parece oír aquellas palabras, recuerdo aquel terrible día...

Entré en la calle del cine y oí la música que tocan antes de la película. Está muy bien iluminada. Miré las fotografías: *Nos reuniremos en el cielo*. Una película antigua: en una de las fotografías Hülya Koçyiğit y Ediz Hun se abrazaban, luego Ediz aparecía en la cárcel y después Hülya cantaba, pero sin ver la película nadie puede entender en qué orden van. Tal vez porque lo saben cuelgan fuera las fotografías, uno siente curiosidad. Fui a la taquilla, una, por favor, la taquillera me cortó la entrada y me la alargó, muchas gracias.

—¿Es buena la película? —le pregunté.

No la había visto. A veces me apetece hablar así, de repente. Fui a sentarme en mi sitio y esperé. Poco después comenzó la película.

Primero se conocían, la muchacha era cantante y él no le gustaba, pero un día el muchacho la salva de ellos y le gusta y comprende que le ama, pero su padre se opone a aquel matrimonio. Luego metían al muchacho en la cárcel. Descanso. No me levanté a mezclarme con la multitud. Después comenzó de nuevo y la muchacha se casaba con el dueño de la sala de fiestas pero no tenían hijos y no hacían nada por tenerlos. Cuando su marido se encaprichó de aquella mala mujer, Ediz se escapó de la cárcel, se encontraban en una casa cerca del puente del Bósforo y Hülya cantaba una canción. Me sentí extraño al escucharla. Por fin le pide que la libere de su malvado marido pero este ya ha encontrado su castigo y se entiende que ya pueden casarse. Su padre les mira feliz y ellos caminan del brazo, siguen caminando, van empequeñeciéndose y FIN.

Encendieron las luces, salimos del cine, todos comentaban la película entre susurros. También a mí me gustaría comentarla con alguien. Son las once y diez. La señora me espera, pero no quiero volver a casa.

Caminé hacia la cuesta que baja a la playa. Quizá el farmacéutico Kemal bey esté de guardia, quizá no tenga sueño. Aunque le moleste, le contaré la película y él me escuchará distraído mirando a los jóvenes que se gritan a la luz del puesto de bebidas y bocadillos de enfrente y que se dedican a hacer carreras con sus coches. Me alegró ver que las luces de la farmacia estaban encendidas: no se había acostado. Abrí la puerta y sonó la campanilla. ¡Ay, por Dios! No es Kemal bey sino su mujer.

—Hola. —Dudé un momento—. Quiero aspirinas.

—¿Caja o sueltas? —me preguntó ella.

—Solo dos. Me duele la cabeza. Estoy un poco preocupado... Kemal bey...

Ni me escuchaba. Agarró las tijeras, cortó dos aspirinas y me las dio.

—¿Ha ido Kemal bey esta mañana a pescar? —le pregunté mientras pagaba.

—Kemal está arriba, durmiendo.

Miré un momento al techo. Está durmiendo dos palmos más arriba. Si se despertara le contaría y quizá dijera algo sobre aquellos jóvenes sinvergüenzas, o quizá no, miraría hacia fuera pensativo, absorto, y yo hablaría, hablaríamos. Recogí la vuelta que había dejado su mujer con sus pequeñas y blancas manos. Luego se sumergió en algo que había sobre el mostrador; debía de ser una fotonovela. ¡Hermosa mujer! Salí sin desearle buenas noches para no molestarla, la campanilla sonó otra vez. Las calles estaban desiertas, los niños que jugaban al escondite habían vuelto a sus casas. ¿Qué puedo hacer? Regreso a casa.

Después de echar el cerrojo a la puerta del jardín vi la luz de la señora entre los postigos: no se duerme mientras yo no me haya acostado. Entré por la cocina, cerré la puerta tras de mí, me di una vuelta y, mientras subía lentamente las escaleras, se me ocurrió algo: ¿Tendría escaleras la casa de Üsküdar? ¿Qué periódico era? Mañana iría a pedirlo a la tienda. «¿Tienes el *Tercüman*? Lo quiere nuestro Faruk bey, es historiador, le interesa el «Rincón de la historia». Llegué al piso de arriba, entré en su dormitorio, estaba acostada.

—Ya he vuelto, señora.

—¡Bravo! Por fin has podido encontrar el camino a casa.

—¿Y qué podía hacer? La película ha terminado tarde.

—¿Has cerrado bien las puertas?

—Sí. ¿Quiere algo? Voy a acostarme. Luego siempre me despierta.

—Vienen mañana, ¿no?

—Sí. Ya he hecho las camas y he preparado las habitaciones.

—Bueno. Cierra bien la puerta.

Cerré y me fui. Me acostaría al momento y me dormiría. Bajo las escaleras.

II

Oigo cómo baja los escalones uno a uno. ¿Qué haría en la calle hasta estas horas? No pienses, Fatma. ¡Qué asco! Pero sigo sintiendo curiosidad. ¿Habrá cerrado bien las puertas ese enano retorcido? ¡No le importa lo más mínimo! Ahora mismo se acostará y dormirá toda la noche roncando tranquilamente como para demostrar que viene de estirpe de sirvientes. Duerme, enano, con el sueño tranquilo y despreocupado del criado, duerme y que la noche se quede para mí. Yo no puedo dormir. Pienso que podré dormir y olvidar pero solo espero a que me venga el sueño y, mientras espero, espero que lleguen los momentos que esperé en vano.

«Este sueño tuyo es un hecho químico —me decía Selâhattin—. El sueño, como todo, es un hecho que puede ser explicado, Fatma. De la misma forma que un día de repente descubrieron que la fórmula del agua es H_2O, lo descubrirán los europeos y entonces nadie se pondrá estos ridículos pijamas ni se meterá entre las inútiles sábanas y tus ridículos y tontos edredones de flores a perder el tiempo esperando la mañana con la excusa de descansar. Entonces bastará con tomarse cada tarde tres gotas de un frasquito en un vaso de agua para que nos encontremos tan frescos y sanos como si acabáramos de despertarnos de un sueño sin interrupciones. Piensa, Fatma, en todo lo que podremos hacer durante esas horas que nos queden libres sin dormir. Piensa en todas esas horas sin dormir.»

No hace falta que piense, Selâhattin, lo sé: miro al techo, espero mirando al techo a que un pensamiento me lleve, pero el sueño no viene. Si pudiera beber vino o *rakı* quizá dormiría como tú, pero no quiero ese feo sueño. Tú te bebías dos botellas: «Bebo para descansar de la enciclopedia y para relajar la mente, Fatma, no por placer». Luego te dormías roncando con la boca abierta y yo huía horrorizada del olor a *rakı* que salía de esa boca tuya que recordaba a la de un pozo oscuro donde se aparearan escorpiones y sapos. «¡Fría mujer, pobre mujer, eres como el hielo, no tienes espíritu! ¡Si tomaras una copa quizá comprenderías! Vamos, Fatma, bebe. Mira, te lo estoy ordenando. ¿O es que no crees que debes obedecer a tu marido? Ah, sí que lo crees porque así te lo enseñaron. Bien, entonces, ahora te lo estoy ordenando. Bebe y que el pecado sea mío, vamos, Fatma, bebe para que tu mente se relaje. Mira, te lo pide tu marido. Vamos, por favor. ¡Ay, Dios! Esta mujer se hace de rogar, estoy harto de esta soledad. Por favor, Fatma, vamos, bebe una copa, ¿o es que te estás rebelando contra tu esposo?»

No, no me dejo engañar por mentiras disfrazadas de serpientes. Nunca bebí. Solo una vez. Me dejé llevar por la curiosidad. En un momento en que no había nadie. Un sabor en la punta de la lengua como a sal, limón y veneno. Luego me horroricé, me arrepentí, me enjuagué la boca al momento. Vacié el vaso y lo fregué varias veces. Esperé impaciente el mareo, me senté para no desplomarme en el suelo, tenía miedo: «Dios mío, ¿me convertiré yo también en un borracho como él?». Pero no ocurrió nada. Luego lo comprendí y me tranquilicé: el diablo no puede alcanzarme.

Miro al techo. Ya que no puedo dormirme voy a levantarme. Fui hasta la persiana y la abrí con cuidado. Los mosquitos no me pican. Empujé suavemente las hojas, el viento se había calmado; una noche tranquila: la higuera no se mueve. Vi que la luz de Recep estaba apagada: se habría dormido al momento, el enano no tiene nada en qué pensar y se duerme al momento. Solo en cocinar, en lavar mi poca ropa y comprar en el mercado, pero los melocotones que compró estaban podridos; además, después de pasarse las horas muertas andurreando por la calle.

No puedo ver el mar pero pienso de dónde a dónde llega y hasta lo lejísimos que puede llegar sin que lo veamos. ¡Qué mundo tan enorme! Huele bien de no ser por las ruidosas motoras y las barcas en las que la gente se monta completamente desnuda, me gusta. También oigo el grillo. En una semana solo se ha movido un paso. Yo ni siquiera eso. En tiempos pensaba que el mundo era un lugar hermoso, era una niña, era estúpida. Cerré las persianas y corrí el cerrojo: que se quede ahí fuera el mundo.

Me senté lentamente en la silla, observo lo que hay sobre la mesa. Objetos envueltos en silencio. La jarra medio llena y el agua de su interior permanecen inmóviles. Cuando me apetece beber quito el tapón de cristal, la levanto, lleno el vaso, contemplo y escucho cómo cae el agua; el cristal tintineando, el agua gorgotea y una brisa fresca baila de acá para allá; es un cambio que me entretiene, me entretiene pero no voy a beber. No todavía. Hay que gastar con precaución las cosas que sirven para pasar el tiempo. Miro mi cepillo para el pelo y veo los cabellos atrapados entre las púas. Lo cogí y empecé a limpiarlo. Mis cabellos débiles y delgados de noventa años. Los pierdo uno a uno. «El tiempo —murmuré—, eso que llaman el tiempo que se va cayendo.» Me detuve y dejé el cepillo boca arriba: yacía como un escarabajo volteado patas arriba y me produjo un escalofrío. Si todo lo dejo así, si nadie nos toca en mil años, todo permanecerá mil años tal cual. Las llaves, la jarra y los objetos sobre la mesa: qué extraño; todo donde está, sin moverse. Entonces mi pensamiento se detendría, permanecería incoloro e inodoro convertido en un rígido pedazo de hielo.

Pero mañana vendrán y seguiré pensando. Hola, hola, ¿cómo estás? Y tú, ¿cómo estás? Me besarán la mano, que vivas muchos años, ¿cómo está, abuela? ¿Cómo está? ¿Cómo está, abuela? Les observaré. No habléis todos a la vez, ven aquí, vamos a ver, ven a mi lado. Cuéntame, ¿qué es lo que haces? Sé que preguntaré por cumplir y que escucharé un par de frases superficiales por cumplir. ¿Y eso es todo? ¿No vais a hablar con vuestra abuela? Se mirarán, hablarán entre ellos, se reirán, yo les oiré y lo entenderé todo. Por fin comenzarán a gritar. ¡No grites, no grites! Gracias a Dios, todavía puedo oír. Perdone, abuela. ¡Como nuestra abuela materna es un poco dura de oído...! Yo no soy vuestra abuela materna, sino vuestra abuela paterna. ¡Perdone, perdone! Bueno, bueno, vamos, contadme. Contadme algo. ¿Qué? Pues habladme por ejemplo de vuestra otra abuela. ¿Qué hace? De repente se callarán sorprendidos. En serio, ¿qué hace vuestra abuela? Entonces me daré cuenta de que aún no han aprendido a ver y comprender. Bueno, lo volveré a preguntar, es increíble pero mientras les esté diciendo que se lo voy a volver a preguntar ya se les habrá olvidado... Estarán ocupados no conmigo, sino con los dormitorios, no con lo que les pregunto, sino con sus propios pensamientos, y yo me quedaré sola de nuevo...

Alargué la mano y cogí un albaricoque del plato. Me lo como y espero. No, no ha servido para nada. Sigo aquí, entre los objetos, no en el pensamiento. Miro por encima de la mesa. Son las doce menos cinco. Junto al reloj hay un frasco de colonia, a su lado un periódico, a su lado un pañuelo. Ahí están, tan quietos. Los miro, mi mirada se pasea por ellos y comprueba sus superficies para que me digan algo pero ya me han recordado tantas cosas que no les queda nada que decir. Solo son un frasco de colonia, un periódico, un pañuelo, llaves y un reloj que hace tictac y nadie, ni siquiera Selâhattin, sabe lo que es el tiempo. Un momento, otro detrás de él y no vuelvas a enredarte, pensamiento mío, con uno de esos recuerdos pequeñitos que van de acá para allá, salta, sal afuera, vamos, salgamos del tiempo y de la habitación. Me comí otro albaricoque pero no pude salir. Entonces es como si quisiera mirar aún más los objetos, estremecerme con las mismas cosas y así pasar el rato. Si yo no existiera y si no existiera nadie los objetos permanecerían para siempre en el mismo lugar y entonces nadie podría ni siquiera pensar en que no sabía en qué consistía la vida. ¡Nadie!

No, no podía distraerme. Me levanté de la silla y fui al cuarto de baño, me lavé y regresé limpia dejando allí la tela de araña que estaba suspendida en un rincón del techo. Al girar el interruptor se apagó la lámpara que colgaba del techo y solo quedó encendida la de mi cabecera. Me meto en la cama. Hace calor pero no sé apañarme sin edredón. ¿Qué voy a hacerle? Es algo que abrazar, en lo que entrar, en lo que ocultarse. Apoyé la cabeza en la almohada, espero y sé que el sueño no vendrá enseguida. La pálida luz de la lámpara se refleja en el techo, escucho la cigarra. ¡Noches cálidas de verano!

Pero da la impresión de que antes los veranos eran más calurosos. Tomábamos limonada y sorbetes. No en la calle, no los de los hombres con delantales blancos. Mi madre siempre decía: «Los haremos y los tomaremos en casa, Fatma, todo bien limpio». Volvemos del mercado, no hay nada nuevo en las tiendas. Por la tarde esperamos a mi padre, viene, habla y nosotras escuchamos; huele a tabaco y habla con voz carrasposa. Lo dijo de una vez: «Fatma, hay un médico que te pretende». ¡No puedo contestar! Hay un médico, yo me callo y mi padre no dice más, pero al día siguiente lo repite y yo solo tengo dieciséis años, y mi madre: «Mira, Fatma, que es médico». Y yo pensé: «¡Qué raro! ¿Dónde me habrá visto?». Tuve miedo, no pregunté y volvía a pensar: «Médico. ¿Con una calavera?». Luego mi padre volvió a repetirlo y añadió: «Parece que tiene un futuro brillante, Fatma, he estado investigando y es trabajador, quizá algo ambicioso, pero honrado e inteligente, piénsalo bien». Yo guardé silencio. Hacía mucho calor y tomábamos sorbetes. Y yo qué sé. Por fin acepté y entonces mi padre me hizo ir a visitarlo: «Hija, te vas de la casa de tu padre, clávate esto en el oído como si fuera un pendiente». Me explicó que a los hombres no había que preguntarles demasiado, que la curiosidad quedaba para los gatos. «Sí, padre, ya lo sabía.» «Y yo te lo repito, hija mía, no pongas la mano así, mira, no te muerdas las uñas, pero, ¿cuántos años tienes ya?» «Bien, padre, no preguntaré.» «No preguntarás.» No pregunté.

No pregunté. Pasaron cuatro años y aún no teníamos hijos. Se debía al clima de Estambul, luego lo comprendí. Una tarde calurosa de verano Selâhattin vino directamente a verme, en lugar de ir a su consulta, y me dijo: «¡Ya no viviremos más en Estambul, Fatma!». No le pregunté por qué pero él me lo explicaba moviendo los brazos como un niño que hubiera perdido el equilibrio. «¡Ya no viviremos más en Estambul! Hoy Talat bajá me ha mandado llamar y me ha dicho: "¡Doctor Selâhattin, ya no volverás a vivir en Estambul y no te meterás en política!". Eso me ha dicho el muy sinvergüenza. Intenté protestar. "Nada de protestas, te crees un héroe, pero supongo que no quieres que te envíe en el primer barco con los demás a la prisión de Sinop. ¿Qué vamos a hacerle? Te has enfrentado demasiadas veces a nosotros. Eres una amenaza para el partido, pero pareces un hombre con la cabeza sobre los hombros, sé razonable, estás casado, eres médico, tienes una buena profesión, puedes ganar el dinero suficiente como para poder vivir cómodamente en cualquier parte del mundo. ¿Qué tal hablas francés, amigo mío?" ¡Que Dios lo maldiga! ¿Te das cuenta, Fatma? Estos unionistas han perdido el control, no soportan la libertad. ¿Qué les diferencia ahora de Abdülhamit? Bien, Talat efendi, si acepto tu invitación y recojo ahora mismo mis bártulos, no creas que es porque tengo miedo a las mazmorras de Sinop: ¡no! Porque sé que la respuesta que ustedes requieren no puedo dársela desde un rincón de una mazmorra sino solo desde París, nos vamos a París, Fatma. ¡Vende un par de tus anillos o tus diamantes! ¿No quieres? Bien, todavía me quedan bienes heredados de mi padre. Si no puede ser Europa, iremos a Salónica. ¿Para qué salir del país? Iremos a Damasco. Mira, el doctor Riza se ha ido a Alejandría, me ha escrito que gana mucho dinero allí. ¿Dónde están sus cartas? No puedo encontrarlas. ¿No os tengo dicho que no me toquéis la mesa? ¡Ay, Dios mío! Berlín también podría ser, pero ¿has oído hablar de Ginebra? Estos tipos son peores que Abdülhamit. Vamos, en vez de mirarme como un pasmarote prepara las maletas y los baúles. La mujer de un luchador por la libertad debe ser fuerte, ¿no? No hay nada que temer». Yo me callaba y ni siquiera le decía «tú sabrás», y Selâhattin seguía hablando de todo lo que le habían hecho a Abdülhamit desde París, me explicaba lo que él les haría ahora a esos desde París y cómo, cuando llegara el día, volveríamos en tren desde París victoriosos. Luego, no, que Damasco o Esmirna, y por la tarde que se conformaba con Trabzon. «Debemos vender nuestras posesiones, Fatma. ¿Estás dispuesta a sacrificarte? Quiero entregarme con todas mis fuerzas a la causa. No hables cerca de los sirvientes ni los criados, Fatma, las paredes oyen. Pero, Talat efendi, ni siquiera era necesario que me ordenara que me fuera: no pienso quedarme en este maldito burdel que llaman Estambul. Pero, Fatma, ¿adónde vamos? ¡Di algo!» Yo callaba y pensaba que era un niño. Sí, el diablo solo puede engañar de esa manera a un niño, comprendí que me había casado con un niño al que se podía apartar del buen camino con un par de libros. Esa medianoche salí del dormitorio, hacía calor y me apetecía beber algo, fui a su habitación al ver la luz, abrí lentamente la puerta, miré y lo vi: Selâhattin apoyaba los codos en la mesa y lloraba con la cabeza entre las manos. La pálida lámpara reflejaba una fea luz en su cara llorosa: la calavera que nunca faltaba de su mesa contemplaba cómo lloraba aquel hombretón. Tiré con cuidado de la puerta, fui a la cocina, me bebí un vaso de agua y pensé: «Así que se trataba de un niño». Era un niño.

Me levanto lentamente de la cama, me siento a la mesa y contemplo la jarra. ¿Cómo consigue el agua permanecer inmóvil en su interior? Como si me sorprendiera, como si fuera algo tan sorprendente una jarra de agua. En una ocasión apresé una abeja colocándole encima un vaso del revés. Cuando me aburría, me levantaba de la cama para mirarla. Estuvo vagando por el vaso dos días con sus noches hasta que comprendió que no tenía salida, luego se retiró a un rincón y descubrió que no podía hacer otra cosa sino permanecer inmóvil y esperar sin saber lo que esperaba. Entonces sentí asco de ella, auténtica repugnancia, abrí las persianas, arrastré el vaso hasta el borde de la mesa y lo levanté para que se escapara pero aquella estúpida criatura no salió volando. Allí se quedó sobre la mesa. Llamé a Recep y le ordené que aplastara aquel desagradable bicho. Arrancó un trozo del periódico, cogió la abeja con cuidado y la echó ventana abajo. No se atrevió. Es de la misma especie.

Llené el vaso de agua, bebí lentamente, se acabó. ¿Qué puedo hacer? Me levanté, me metí en la cama, apoyé la cabeza de lado en la almohada y pensé en cuando se construyó esta casa. Selâhattin me cogía de la mano y me paseaba: «Esto será mi consulta, esto el comedor, esto una cocina a la europea; he mandado hacer una habitación para cada uno de los niños porque cada cual debe poder encerrarse en su propia habitación y desarrollar su propia personalidad. Sí, Fatma, quiero tres hijos; como puedes ver no he encargado rejas para las ventanas, qué fea palabra. ¿Son pájaros o animales las mujeres? Todos somos libres, si quieres puedes dejarme e irte. Nosotros, como ellos, usaremos contraventanas y ya, Fatma, no protestes más. Tampoco es un mirador cerrado, a ese saliente se le llama balcón y es una ventana que se abre a la libertad. Qué hermosa vista, ¿verdad? Estambul debe de caer bajo aquellas nubes a lo lejos, Fatma, cincuenta kilómetros, qué suerte que nos bajamos del tren en Gebze, el tiempo pasa rápido, no creo que puedan mantenerse mucho con este gobierno de imbéciles, quizá los unionistas caigan antes de que terminemos la casa y entonces volveremos de inmediato a Estambul, Fatma...

Luego se acabó la casa y nació mi Doğan y volvió a estallar una guerra pero el gobierno de imbéciles unionistas no era derribado y Selâhattin me decía: «Vete a Estambul, Fatma. Talat me lo ha prohibido a mí, no a ti. ¿Por qué no vas? Verías a tu madre, a tu padre, irías a visitar a las hijas de Şükrü bajá, irías de compras, te comprarías ropa nueva que ponerte. Por lo menos podrías ponerte lo que coses aquí dándole al pedal de la máquina de la mañana a la tarde y lo que tejes por las noches cansando tus hermosos ojos y enseñárselo a tu madre. ¿Por qué no vas, Fatma?». Pero yo le respondía: «No, iremos juntos, Selâhattin, iremos juntos cuando los derriben». Pero no había forma de que los derribaran. Luego, un día, lo vi en el periódico, a Selâhattin le llegaban con tres días de retraso pero ya no se lanzaba sobre ellos al momento como antes. Ni siquiera le importaban las noticias de la guerra que llegaban de Palestina, Galitzia y los Dardanelos; como algunos días hasta se le olvidaba hojearlos después de la cena, fui yo la primera que leyó aquel periódico y supo de la caída de los unionistas. Dejé el periódico sobre su plato abierto por aquella noticia, como una hermosa fruta madura. Cuando levantó la cabeza de su enciclopedia para almorzar y bajó al comedor, vio de inmediato el periódico y la noticia; estaba escrita en unas letras enormes. La leyó y no dijo nada. Yo tampoco le pregunté pero el sonido de sus pasos errando sobre mi cabeza no cesó hasta la noche y comprendí que aquella tarde no había podido escribir ni una palabra de su enciclopedia. A la hora de la cena, al no dirigirme Selâhattin la palabra, yo solo dije: «¿Has visto, Selâhattin? Los han derribado». «¡Ja! Sí —me contestó—, pero no es que haya caído el gobierno. Los unionistas han hundido el Estado y ahora huyen. ¡Y además hemos perdido la guerra!» No se atrevía a mirarme a los ojos, guardamos silencio. Luego, cuando se levantó de la mesa, me dijo aún sin mirarme a los ojos y tan angustiado como si hablara de un vergonzoso pecado que quisiera olvidar: «En cuanto termine la enciclopedia volveremos a Estambul, Fatma. Porque comparadas con el increíble logro que conseguiré con esta enciclopedia, esas pequeñas y diarias estupideces que los imbéciles de Estambul llaman política quedarán en nada, lo que yo hago aquí es mucho más profundo e importante, una increíble misión cuya influencia continuará siglos después; ya no tengo derecho a dejarlo a la mi-

28

tad, Fatma, ahora mismo subo». Y subió, y hasta que descubrió la muerte y después de retorcerse entre increíbles dolores después de su descubrimiento, hasta que murió escupiendo sangre, estuvo escribiendo su asquerosa enciclopedia treinta años más y por eso, solo por eso, te doy las gracias, Selâhattin, así llevo setenta años aquí, en Cennethisar y me he librado de hundirme en el pecado de «el Estambul del futuro y el Estado Sin Religión» de los que hablabas. ¿No? Te has librado, Fatma, ahora duerme tranquila...

Pero no puedo dormir y escucho el tren que llega de lejos, su silbato y luego el largo sonido de su motor y su tactac. Antes me gustaba ese sonido. Pensaba que a lo lejos había países, tierras, casas y jardines sin pecado; era una niña y me engañaba con facilidad. Bueno, ya se ha ido otro tren, ya no lo oigo. ¿Adónde? ¡No lo pienses! La almohada se había calentado bajo mi mejilla, así que me di la vuelta. Ahora, al apoyar la cabeza, está fresca por debajo de mi oreja. En las noches de invierno hacía frío pero nadie se arrimaba a nadie. Selâhattin roncaba mientras dormía y como a mí me asqueaba el olor a vino que despedía su boca, pasaba a la habitación de al lado y me sentaba en el frío. Y una vez pasé a la habitación de más allá: quería echar un vistazo a sus papeles, ver lo que escribía de la mañana a la tarde, lo que había escrito: había escrito para el artículo según el cual el gorila es el ancestro del hombre. «En estos días somos testigos de cómo se ha dejado de lado el problema de la existencia de Dios al considerarse una cuestión ridícula gracias al prodigioso desarrollo demostrado por las ciencias en Occidente», escribía. «Oriente aún duerme en la profunda y horrible oscuridad de la Edad Media. Un puñado de ilustrados deben arrastrarnos, no a la desesperación, sino a todo lo contrario, al entusiasmo de un gran esfuerzo», escribía. «Porque si algo está claro es lo siguiente: no debemos conformarnos con traer toda esa ciencia de allí y trasladarla aquí, estamos obligados a descubrirla de nuevo», escribía. «Para cerrar en el plazo más breve posible la diferencia de tantos siglos», escribía. «Ahora, al cumplir el séptimo año de esta ingente obra, veo que las masas han sido idiotizadas por el miedo a Dios», escribía. Por Dios, Fatma, no sigas leyendo, pero yo seguía. «Me veo obligado a hacer un montón de cosas extrañas que resultarían ridículas en los países avanzados para despertar a las masas dormidas», escribía. «Si al menos tuviera un amigo con quien hablar de todo esto, pero no, de la misma forma que no tengo un solo amigo, ya he perdido toda esperanza en esta fría mujer, estás completamente solo, Selâhattin», escribía, escribía. Había escrito en un papelito el trabajo del día siguiente: «Usar el mapa del libro de Polikowsky para el mapa de las rutas migratorias de las cigüeñas y las demás aves y tres ejemplos simples para demostrar a los dormidos que Dios no existe». ¡No! Ya no leo más, basta Fatma. Arrojé aquellos papeles pecaminosos y huí de aquella habitación helada para no volver a entrar en aquel estudio lleno de blasfemias hasta el día frío y nevoso en que murió, pero a la mañana siguiente Selâhattin lo comprendió de inmediato: «¿Entraste anoche en mi habitación mientras dormía, Fatma?». Yo guardaba silencio. «¿Entraste en mi habitación y estuviste revolviendo en mis papeles, Fatma?» Yo guardaba silencio. «Sí, los has estado revolviendo, los has desordenado, algunos se te cayeron al suelo, Fatma. Bueno, no tiene importancia, puedes leer cuanto quieras. ¡Lee!» Yo guardaba silencio. «Los has leído, ¿no? Bravo, has hecho bien, Fatma. ¿Qué opinas?» Pero yo guardaba silencio. «Sabes que es algo que siempre he querido. Lee, Fatma. Leer es lo mejor que existe, lee y aprende, porque hay tantas cosas que hacer, ¿eh?» Yo guardaba silencio. «Si lees y despiertas, un día verás, Fatma, cuánto hay por hacer, cuánto hay que hacer en la vida. ¡Cuánto!»

No, muy poco. Han pasado noventa años y lo sé, muy poco. Objetos y habitaciones; miro y veo; de acá para allá; luego pasa un rato; gotas incontenibles que chorrean de un grifo imposible de cerrar del todo. En mi cuerpo y en mi cabeza, ahora fue hace un momento, hace un momento es ahora, el ojo parpadea y se abre, la persiana se empuja y se cierra, día y noche, una nueva mañana; pero no me dejo engañar. Sigo esperando. Vendrán mañana. ¡Hola! ¡Hola! Que viva muchos años. Besan la mano, se ríen. ¡Qué extrañas las cabezas peludas que se inclinan hacia mi mano! ¿Cómo está? ¿Cómo está, abuela? ¿Qué puede responder alguien como yo? Vivo, espero. Tumbas, muertos. Ven, sueño, ven.

Me di la vuelta en la cama. Ya no oigo la cigarra. También se fue la abeja. ¿Cuánto queda para el amanecer? Por la mañana en los tejados hay cornejas y urracas... Me despierto temprano y las oigo. ¿Será cierto que son ladronas las urracas? Las joyas de las reinas y las princesas las robó una urraca y salieron a perseguirla. Me pregunto cómo podría volar ese pájaro con tanto peso. ¿Cómo vuelan esos animales? Los globos, los zepelines y ese muchacho, lo escribió Selâhattin: ¿cómo habrá volado Lindbergh? Si bebía, no una, sino dos botellas, se olvidaba de que yo no le escucharía y me lo contaba después de comer. «Hoy he escrito sobre aviones, pájaros y sobre el vuelo, Fatma. Estos días estoy a punto de terminar el artículo sobre el aire. Mira, escucha: el aire no está vacío, Fatma, tiene partículas en su interior y al igual que la barca que flota en el agua se eleva por la presión del líquido que desplaza...» Y yo no, no entiendo cómo vuelan los globos y los zepelines pero Selâhattin se entusiasmaba, seguía contando y siempre llegaba a la misma conclusión gritando: «Sí, hay que saber esto y todo, es lo que necesitamos: una enciclopedia. Si se conocen todas las ciencias naturales y sociales, Dios morirá y nosotros...». ¡Pero si yo ya no te escucho! Y tampoco escuchaba lo que decía rabiando de furia si se bebía la tercera botella: «Sí, Fatma, ya no hay más Dios que la ciencia. ¡Tu Dios ha muerto, estúpida mujer!». Luego, cuando no le quedaba nada más en qué creer salvo en amarse y odiarse a sí mismo, se dejaba arrastrar por una asquerosa lujuria y corría a la cabaña del jardín. No pienses, Fatma. Una criada... No pienses... ¡Los dos deformes! ¡Piensa en otra cosa! Hermosas mañanas, los jardines antiguos, coches de caballos... Ven, sueño, ven.

Mi mano se alarga tan cuidadosa como un gato y apaga la luz de la lámpara de mi cabecera. ¡Oscuridad silenciosa! Pero hay una luz muerta que se filtra entre los postigos, lo sé. Ya no puedo ver los objetos, se han librado de mis miradas, guardan silencio y se encierran en sí mismos como si quisieran dejarme claro que podrán permanecer inmóviles en sus correspondientes lugares aunque ya no esté. Pero os conozco: estáis ahí, objetos, estáis ahí, cerca de mí, como si fuerais conscientes de mi presencia. De vez en cuando uno cruje, conozco su voz, no me resulta extraña. A mí también me gustaría levantar la voz, y pienso: ¡qué raro eso que llaman vacío en el que estáis! El reloj continúa con su tictac dividiéndolo. Definitivo y decidido. Un pensamiento, luego otro. Después amanece, han llegado. ¡Hola, hola! Me duermo y me despierto, el tiempo ha pasado, he dormido bien. ¡Han llegado, señora, han llegado! Mientras espero, otro pitido de un tren. ¿Adónde va? ¡Adiós! ¿Adónde, Fatma, adónde? Nos vamos, madre, Estambul nos está prohibido. ¿Te llevas los anillos? ¡Sí! ¿Y la máquina de coser? También. ¿Los diamantes, las perlas? Te serán necesarias toda la vida, Fatma. ¡Pero vuelve pronto! No llores, madre. Cargan los baúles y el equipaje en el tren. Aún no había tenido ningún hijo, nos vamos de viaje, lejos, mi marido y yo desterrados a quién sabe qué países, nos subimos al tren, nos miráis, me despido con la mano, adiós, padre, adiós, madre, mirad, me voy, me voy lejos.

III

—¿Sí? —le preguntó el verdulero—. ¿Qué queréis?

—Las juventudes nacionalistas han organizado una gala —respondió Mustafa—. Repartimos invitaciones.

Yo las saqué del maletín.

—Yo no voy a ese tipo de sitios —contestó el verdulero—. No tengo tiempo.

—O sea, ¿que no vas a comprar un par de ellas para ayudar a las juventudes nacionalistas?

—Ya compré la semana pasada.

—¿A nosotros? Pero si la semana pasada no estuvimos por aquí...

—Ahora bien, si has ayudado a los comunistas, entonces es distinto —intervino Serdar.

—No —replicó el verdulero—. Esos no vienen por aquí.

—¿Por qué no? ¿Porque no les apetece?

—Y yo qué sé. Dejadme tranquilo. No me interesan esos asuntos.

—Yo te diré por qué no vienen, tío —continuó Serdar—. No vienen porque nos tienen miedo. De no ser por nosotros los comunistas os estarían cobrando protección aquí como en Tuzla.

—¡Dios nos libre!

—¡Ajá! Ya sabes lo que le hacen a la gente en Tuzla, ¿no? Primero destrozan bien destrozados los escaparates...

Me volví a mirar el escaparate de la verdulería: tenía un cristal limpio, amplio, reluciente.

—¿Te cuento lo que hacen cuando insisten en no pagar?

Pensé en tumbas, si los comunistas siempre se comportaban igual, Rusia debía de estar llena de tumbas hasta los topes. Probablemente el verdulero ha acabado por entenderlo: nos mira con el rostro rojísimo y los brazos en jarras.

—Sí, tío —dijo Mustafa—. No tenemos demasiado tiempo. ¿Cuántas quieres?

Saqué las invitaciones para que las viera.

—Va a comprar diez —dijo Serdar.

—Ya compré la semana pasada.

—Muy bien, de acuerdo —concluyó Serdar—. No perdamos el tiempo, muchachos. Así que en todo el mercado solo en esta tienda, solo en esta tienda no tienen miedo a que les destrocen el escaparate... No lo olvidaremos. Hasan, apunta el número...

Salí, miré el número que había sobre la puerta y volví a entrar. El verdulero tenía la cara aún más roja.

—Bueno, tío, no te enfades —dijo Mustafa—. No tenemos la intención de ser irrespetuosos contigo. Tienes la edad de nuestros abuelos. No somos comunistas.

Se volvió hacia mí.

—Por esta vez basta con cinco.

Saqué cinco invitaciones y se las alargué. El verdulero las cogió de una esquina como si le repugnaran. Luego, muy serio, comenzó a leer lo que ponía en ellas.

—¿Quieres que te demos una factura? —preguntó Serdar.

Yo también me reí.

—¡No os burléis de él! —vociferó Mustafa.

—Tengo otras cinco invitaciones de estas —dijo el verdulero. Revolvió nervioso la polvorienta oscuridad del cajón, las sacó y nos las mostró alegre—. ¿No son iguales?

—Sí —contestó Mustafa—. Puede que los otros compañeros te las dieran por error. Pero tenías que comprárnoslas a nosotros.

—¡Pues ya las había comprado!

—¿Te vas a morir por comprar cinco más, tío? —le preguntó Serdar.

Pero el viejo testarudo no le hizo caso y señaló con el dedo una esquina de las invitaciones.

—Además, ya se ha pasado la fecha de la gala. Fue hace dos meses. Mira, aquí pone mayo de 1980.

—Tío, ¿es que tenías intención de ir?

—¿Cómo voy a ir hoy a una gala de hace dos meses?

Por fin estaba a punto de hacerme perder la paciencia solo por cinco invitaciones. Nos lo enseñaban mal en la escuela. Ser paciente solo sirve para perder tiempo en la vida, para nada más. Si me pidieran escribir una redacción sobre el tema encontraría tanto para escribir que hasta los profesores de turco, que aprovechan la menor ocasión para fastidiarme, se verían obligados finalmente a darme un cinco. Bien: Serdar estaba tan enfadado como yo. Fue de repente hasta el viejo cabezota, le arrancó el lápiz que llevaba detrás de la oreja haciéndole daño, escribió algo en las invitaciones y se las devolvió junto con el lápiz.

—¿De acuerdo, tío? Hemos pasado la cena a dentro de dos meses. ¡Son quinientas liras!

Por fin sacó las quinientas liras y nos las dio. Así es la vida: solo los estúpidos profesores de redacción de nuestra escuela creen que se puede sacar a la serpiente de su madriguera hablando dulcemente. Estaba tan enfadado que yo también quería hacerle daño al viejo cabezota, algo malo. Salíamos, me detuve de repente y saqué el melocotón de más abajo de la pila que tenía ante la puerta. Tuvo suerte: no se cayeron todos. Me lo metí en el maletín. Luego fuimos al barbero.

El barbero sostenía una cabeza bajo el grifo y le lavaba el pelo. Nos vio por el espejo.

—Quiero dos, muchachos —nos dijo sin dejar la cabeza.

—Si quisiera podría comprarnos diez, jefe. Y venderlas aquí —dijo Mustafa.

—Con dos me basta, te he dicho —respondió el barbero—. ¿No venís de la asociación?

¡Dos! De improviso perdí los estribos.

—No, dos no, vas a comprarnos diez. —Conté diez invitaciones y se las alargué.

Hasta Serdar se sorprendió. Bien, señores, ya lo ven, así soy cuando pierdo la paciencia. Pero el barbero no cogió las entradas.

—¿Cuántos años tienes?

También la cabeza enjabonada que sostenía el barbero me miraba por el espejo.

—¿No las vas a comprar?

—Dieciocho —le respondió Serdar.

—¿Quién de la asociación te ha enviado? Eres demasiado fogoso.

No encontré nada que decir y miré a Mustafa a la cara.

—Disculpe, jefe —dijo Mustafa—. Es nuevo. No le conoce.

—Está claro que es nuevo. Dejadme dos, muchachos.

Se sacó del bolsillo doscientas liras. Los compañeros se olvidaron de inmediato de mí y aceptaron el trato. Casi le besan la mano. Así que si conoces a los de la asociación te conviertes en el rey del lugar. Para eso que no hubiera comprado ninguna. Saqué dos invitaciones y se las alargué. Pero no se volvió a cogerlas.

—¡Déjamelas ahí!

Las dejé. Quería decir algo pero no pude.

—¡Adiós, muchachos! —Se despidió y me señaló con el bote de champú que acababa de coger.

—¿Este estudia o trabaja?

—Le quedan dos del instituto —respondió Mustafa.

—¿A qué se dedica tu padre?

Guardé silencio.

—Vende lotería.

—Tened cuidado con este pequeño chacal. Es demasiado fogoso. Bueno, largaos.

Los muchachos se rieron. Yo me decidí a intervenir y estaba a punto de decirle que hiciera el favor de no maltratar a su aprendiz, pero me callé. Salí sin mirar al aprendiz a la cara. Serdar y Mustafa se reían, hablaban, pero no los escucho, estoy bastante cabreado. Luego Mustafa le dijo a Serdar:

—No le hagas caso, se ha acordado de su época en la barbería...

—¡Chacal!

Yo no hablé. Mi función consiste en llevar este maletín, sacar las invitaciones y entregarlas cuando llegamos al lugar correspondiente. Estoy con vosotros porque me llamaron los de Cennethisar y me dieron el trabajo y no tengo nada que hablar con vosotros, que os conjuráis con los comerciantes y os reís repitiendo esa palabra con la que se han burlado de mí, así que me callo. Entramos en la farmacia y guardé silencio, en una carnicería y guardé silencio, y en la tienda de ultramarinos y en la ferretería y en la tienda de café guardé silencio y no hablé hasta que se acabó el mercado. Al salir de la última tienda Mustafa se metió las manos en los bolsillos.

—Nos merecemos una ración de albóndigas.

Yo guardé silencio y no comenté que no nos daban el dinero para que comiéramos albóndigas.

—Sí —contestó Serdar—. Nos merecemos una ración cada uno.

Pero cuando nos sentamos en el restaurante pidieron cada uno una ración doble. No iba yo a comer una cuando ellos tomaban dos. Mientras esperábamos que las trajeran, Mustafa sacó el dinero y lo contó: diecisiete mil liras. Luego Serdar preguntó:

—¿Por qué tiene este la cara tan larga?

—Le molesta que le llamemos chacal.

—¡Qué bobo!

Pero yo no les escuchaba porque estaba mirando un calendario que había en la pared. Después llegaron las albóndigas y comimos, ellos hablando y yo en silencio. También pidieron postre. Yo pedí dulce de sémola y me gustó. Luego

Mustafa sacó la pistola y jugueteó con ella manteniéndola por debajo de la mesa.

—¡Pásamela! —le pidió Serdar.

Y él también jugó con ella. A mí no me la dejaron, se rieron, luego Mustafa se la metió en el cinturón, pagó, nos levantamos y nos fuimos.

Cruzamos el mercado sin temer a nadie, entramos en el edificio y subimos las escaleras sin hablar. Al llegar a la asociación tuve la impresión de sentir miedo, como siempre. Me pongo nervioso tontamente como si estuviera copiando en un examen, el profesor me viera y comprendiese por mi nerviosismo que...

—¿Ya está todo el mercado?

—Sí —contestó Mustafa—. Los lugares que nos indicaste.

—¿Lo tienes todo?

—Sí —respondió Mustafa sacando la pistola y el dinero.

—Yo solo te cogeré la herramienta. El dinero entrégaselo a Zekeriya bey.

Mustafa le entregó la pistola. Aquel guaperas pasó al interior y Mustafa le acompañó. Nosotros nos quedamos esperando. Por un momento me pregunté qué era lo que aguardábamos; como si se me hubiera olvidado que era a Zekeriya bey y esperáramos en vano. Luego apareció, era de nuestra edad y ofreció tabaco. No fumo pero lo acepté. Sacó un mechero en forma de locomotora y encendió nuestros cigarrillos.

—¿Vosotros sois los compañeros idealistas que han venido de Cennethisar?

—Sí —contesté.

—¿Cómo está aquello?

Pensé en lo que podía querer decir. El cigarrillo tenía un sabor sucio. Me parecía ser más viejo.

—El barrio alto es nuestro —respondió Serdar.

—Lo sé. Preguntaba por la costa. Tuzla es de los comunistas.

—No —repliqué de repente—. En Cennethisar no hay nada en la costa. Allí solo hay ricachones.

Me miró y se rió. Yo me limité también a reír.

—Bueno —dijo después—. ¡Nunca se sabe!

—La costa es de quien sea el barrio alto —comentó Serdar.

—Sí. También tomaron así Tuzla. Por Dios, tened cuidado.

Yo pensé un poco en los comunistas. Estaba pensando y fumando muy serio cuando de improviso aquel tipo que hablaba con nosotros me preguntó lo siguiente y entró al despacho sin esperar mi respuesta:

—Tú eres nuevo, ¿no?

¡Pero si no me había dado tiempo a hablar! Serdar sacudió la cabeza afirmativamente. ¿Cómo sabían tan pronto que era nuevo? ¿Qué quiso decir al reírse cuando yo comenté lo de los ricachones? Serdar también se levantó y fue a algún sitio dentro de la sede y entonces me quedé completamente solo allí en medio. Serdar me había dejado solo como si así quisiera que todos los que entraran y salieran pudieran comprender que era nuevo. Yo fumaba mirando el techo y pensaba cosas importantes; cosas tan importantes como para que los que entraran y salieran comprendieran de inmediato en lo que estaba meditando: cuestiones sobre nuestro movimiento. Había un libro titulado así, lo había leído. En eso Mustafa salió del despacho, se despidió de uno y en ese momento todo el mundo se apartó de repente: sí, había llegado Zekeriya bey. Me echó una mirada mientras entraba en su despacho, yo me estaba levantando, pero aún no me había incorporado del todo. Luego llamaron a Mustafa. Después de que volviera a entrar pensé en qué podían estar hablando allí dentro, luego salieron y esa vez sí que me levanté del todo.

—Bien —le dijo Zekeriya bey a nuestro Mustafa—. Cuando volvamos a necesitaros os enviaremos aviso. ¡Bravo!

Luego me miró por un momento, me puse muy nervioso y pensé que iba a decirme algo, pero no. Simplemente estornudó de repente y volvió a subir; al partido, como le llamaban. Después Mustafa y el muchacho que poco antes había hablado con nosotros se susurraron algo. Por un momento pensé que hablaban de mí, pero ¡qué tontería!, discutían de política, de cosas importantes... No les miré para que no creyeran que les estaba escuchando y que era un curioso.

—Bueno, muchachos —dijo Mustafa—. Nos vamos.

Dejé el maletín. Vamos en silencio a la estación, como hombres que han cumplido con su misión. Luego pensé en por qué no hablaría Mustafa. Ya no estoy enfadado con ellos: ¿qué le habría parecido yo en aquella misión? Meditaba en aquello mientras esperábamos el tren sentados en el banco de la estación. Luego, al ver el puesto de lotería que había allí, en mi padre. Pero ahora no quiero pensar en mi padre y, sin embargo, lo hacía y murmuré algo que siempre quería decirle: padre, ¡en la vida lo más importante no es el título de bachiller!

Llegó el tren y nos montamos. Serdar y Mustafa volvían a murmurar entre ellos. Estarán charlando o preparando alguna broma para que yo quede de tonto. Pero entonces yo buscaré otra broma como respuesta, aunque no puedo encontrarla de inmediato, y mientras la busco ellos se ríen aún más viendo mi expresión cada vez más concentrada, y en esos casos me enfado a veces, no puedo contenerme, les insulto y solo comprendo que me han hecho caer en su trampa y he quedado como un tonto cuando se ríen todavía más. Entonces me gustaría estar solo, cuando uno está solo puede pensar cómodamente en todas las grandes cosas que podría hacer en la vida. A veces me gastan una broma que no comprendo. Se guiñan entre ellos como hacen ahora mientras repiten esa palabra: ¡chacal! ¿Qué clase de animal será? Había una niña en la escuela primaria que trajo a clase una enciclopedia, la enciclopedia de los animales. ¿Qué querías, el león? Pues la abrías por la ele y mirabas... Si tuviera esa enciclopedia podría abrirla y mirar «chacal», pero la niña aquella no me la dejaba. ¡No, que la mancharás! So puta, entonces, ¿para qué la traes a la escuela? Luego la niña se fue a Estambul, claro, porque según decían su padre era rico. Y tenía una amiga con una cinta azul en el pelo...

Estaba completamente distraído... Pero al llegar el tren a Tuzla me puse nervioso aunque no tenía miedo. En cualquier momento podían entrar los comunistas. Serdar y Mustafa también se callaron y miraban nerviosos. No pasó nada. Al ponerse en marcha el tren pude leer lo que los comunistas habían escrito en los muros: ¡Tuzla será la tumba de los fascistas! Aquellos a quienes llamaban fascistas éramos nosotros. Les insulté un rato. Luego el tren llegó a nuestra estación y bajamos. Caminamos sin hablar hasta llegar a la parada de los microbuses.

—Muchachos, yo tengo trabajo —dijo Mustafa—. Ya nos veremos.

Le observamos hasta que se perdió entre los microbuses. Después le dije de repente a Serdar:

—Con este calor no me apetece volver a casa a estudiar.

—Sí —me contestó—. Hace mucho calor.

—Y además estoy un poco cabreado. —Me callé un momento—. Venga, Serdar, vamos al café.

—No. Me voy a la tienda. Tengo trabajo.

Se fue. ¡Si tu padre tiene una tienda tú te encuentras con trabajo como quien no quiere la cosa! Pero yo todavía sigo estudiando, no he podido dejarlo como vosotros. Qué extraño: se burlan especialmente de mí. Estoy seguro de que esta tarde Serdar irá al café antes que nadie para contar lo del chacal. Da igual, Hasan, no te preocupes, y no me preocupé y comencé a subir la cuesta.

Observo los camiones y los coches que pasan ante mí a toda velocidad para alcanzar el transbordador que va de Cennethisar a Darica y es como si me gustara pensar que estoy solo. Me gustaría que me ocurriera alguna aventura. Hay muchas cosas en la vida, puede que sí, pero tú solo esperas. Me da la impresión de que lo que me gustaría que ocurriera sucede muy despacio y cuando llega no es como lo había imaginado ni esperado; todo sucede de una manera tan lenta que parece que quisiera irritarme a propósito y cuando quieres darte cuenta ya ha pasado. Como esos coches. Estaban empezando a crisparme los nervios, los miraba por si quizá alguno se parara porque con este calor no puedo subir la cuesta, pero en este mundo nadie te hace caso. Empecé a comerme el melocotón pero ni eso me distraía.

Ojalá fuera invierno, ahora me gustaría pasear solo por la playa, entraría en la playa vacía por la puerta abierta, sin sentirme avergonzado. Llegarían las olas a golpear la orilla, yo caminaría saltando y corriendo de vez en cuando para que no se me mojaran los zapatos, pensaría en mi vida, en cómo seguro que llegaré a ser alguien importante, y entonces, no solo aquellos tipos, sino también las chicas, me mirarían de otra forma y entonces no me aburriría de una manera tan asquerosa, y si pudiera pensar tranquilamente en lo que seré más adelante ni siquiera tendría que haber caído tan bajo como para proponerle a Serdar que fuéramos al café, me bastaría conmigo mismo si ahora fuera invierno. Pero en invierno hay clases, maldita sea, esos profesores maniáticos...

Luego vi el Anadol blanco subiendo la cuesta. Mientras se acercaba lentamente comprendí que eran ellos quienes iban dentro, pero fue como si me diera vergüenza, y en lugar de pararme y saludarles con la mano, me di media vuelta. Se acercaban, se acercaban y siguieron adelante sin reconocerme. Mientras pasaban, creí por un momento que me había equivocado. ¡Nilgün no era tan guapa cuando éramos pequeños! ¡Pero quién podía ser sino Faruk aquel gordo que conducía! ¡Qué gordo! Entonces supe adónde iría en lugar de a casa. Subiré la cuesta, miraré por la reja, quizá vea a mi tío el enano, me dejará entrar, entraré, si no me da vergüenza, claro, saludaré, quizá incluso bese la mano de su abuela, entonces les saludaré a ellos: ¡hola! ¿Me reconocéis? He crecido mucho. «Claro que sí —me responderán—. Te hemos reconocido, ¿no éramos tan amigos de pequeños?» Hablaremos, hablaremos, de pequeños éramos amigos, hablaremos y así tal vez olvide este asqueroso aburrimiento si voy allí.

IV

Lo pregunté mientras el Anadol subía la cuesta a duras penas:

—¿Lo habéis reconocido, muchachos?

—¿A quién? —dijo Nilgün.

—A ese de azul que andaba por la cuesta. Él nos ha conocido al momento.

—¿El alto? —Nilgün se volvió y miró hacia atrás pero ya nos habíamos alejado demasiado—. ¿Quién era?

—¡Hasan!

—¿Qué Hasan? —preguntó Nilgün por seguir hablando.

—El sobrino de Recep.

—¡Cuánto ha crecido! —Nilgün estaba realmente sorprendida—. No he podido reconocerle.

—¡Muy feo por tu parte! —dijo Metin—. Nuestro amigo de la infancia.

—Y entonces ¿por qué no le has reconocido tú?

—No lo he visto... Pero en cuanto Faruk lo ha dicho me he dado cuenta de quién era.

—¡Bravo por ti! ¡Qué listo eres!

—Así que ese es el cambio al que te referías cuando decías que este año habías cambiado de arriba abajo. Solo has olvidado el pasado.

—No digas tonterías.

—¡Los libros que lees te han hecho olvidarlo todo! —dijo Metin.

—¡No te pases de listo! —le respondió Nilgün.

Se callaron y luego se produjo un largo silencio. Subíamos la cuesta, a cada uno de cuyos lados se construían nuevos y feos edificios de cemento cada año, pasamos por los cada vez más escasos huertos, entre cerezos e higueras. En el transistor sonaba una «música ligera occidental» sin ninguna particularidad especial. Cuando vimos el mar y Cennethisar a lo lejos sentimos una excitación quizá cercana a la que sentíamos de niños, lo comprendí por el silencio, pero no duró demasiado. Bajamos la cuesta sin hablar y cruzamos entre la multitud de gente morena con pantalones cortos o bañador, y el alboroto.

—Toca el claxon, hermano —me dijo Nilgün al abrir la puerta del jardín.

Introduje el coche en el jardín y contemplé deprimido la casa, en cada visita parecía más vieja y vacía. La pintura de los revestimientos de madera se había caído, la hiedra había saltado de la pared lateral a la frontal, la sombra de la higuera caía sobre las contraventanas cerradas de la abuela, las rejas de las ventanas del piso bajo estaban oxidadas. Me envolvió una extraña impresión: como si en aquella casa hubiera cosas terribles que la costumbre me había impedido distinguir y ahora las notara sorprendido y preocupado. Entre las hojas de la enorme y destartalada puerta principal, abierta especialmente para nosotros, contemplé la húmeda y muerta oscuridad en que vivía la abuela y a Recep que se veía a través de ella.

—Vamos, hermano, baja. ¿Qué esperas ahí sentado? —me decía Nilgün.

Había bajado del coche y caminaba hacia la casa. Luego vio a Recep, cuyo cuerpo daba vergüenza; había salido inquieto por la puerta pequeña de la cocina y se acercaba saludando. Se abrazaron y se besaron. Apagué la radio que nadie escuchaba y bajé al silencioso jardín. Recep, como siempre, llevaba aquella chaqueta que ocultaba su verdadera edad y una estrecha y extraña corbata. Nos abrazamos y nos besamos.

—Estaba preocupado —dijo—. ¡Llegan tarde!

—¿Cómo estás?

—Bien —contestó como azorado—. Bien. He hecho sus camas y he preparado las habitaciones. La señora les espera. ¿Ha engordado todavía más, Faruk bey?

—¿Cómo está la abuela?

—Bien... Se queja... Voy a coger las maletas.

—Luego las cogeremos.

Subimos las escaleras precedidos por Recep. Por alguna curiosa razón me alegró recordar la polvorienta luz que se filtraba entre los postigos y el olor a moho de la casa. Recep se detuvo un momento al llegar ante la puerta de la abuela, tomó aliento y luego gritó con los ojos brillando con una astuta alegría:

—¡Han llegado, señora, han llegado!

—¿Dónde están? —replicó la voz anciana e irritada de la abuela—. ¿Por qué no me has avisado? ¿Dónde están?

Estaba acostada en aquella cama con bolas doradas que yo hacía rechinar cuando era pequeño, cubierta por un edredón azul de flores y con la espalda apoyada en tres almohadas colocadas una encima de otra. Le besamos la mano uno a uno. Sobre la blanca, suave y arrugada piel de su mano había manchas y lunares conocidos que te alegraban como cuando uno se encuentra por casualidad a un viejo amigo. Tanto la habitación, como la abuela, como su mano olían al mismo olor de siempre.

—¡Que Dios os bendiga!

—¿Cómo está, abuelita?

—Mal —contestó ella pero nosotros no comentamos nada.

La abuela arrugó un poco los labios y se avergonzó como una muchachita, o eso aparentó.

—Bueno, contadme —dijo después.

Los tres hermanos nos miramos y se produjo un largo silencio. Pensé que la habitación también olía a moho, cera para muebles, jabón viejo, quizá a caramelos de menta, y a algo de lavanda, colonia y polvo.

—Bien, ¿no tenéis nada que contarme?

—Hemos venido en coche, abuela —comentó Metin—. Desde Estambul hasta aquí son exactamente cincuenta minutos.

Siempre dice lo mismo y siempre el testarudo rostro de la abuela parece interesarse por un momento pero enseguida vuelve a su anterior expresión.

—¿Antiguamente, en cuántas horas llegabais, abuela? —le preguntó Nilgün como si no lo supiera.

—¡Yo solo vine una vez! —respondió la abuela orgullosa y victoriosa. Tomó aire y añadió—: Además, hoy preguntaré yo, no vosotros.

Probablemente le agradó aquella frase que había dicho por costumbre, así que pensó un rato en alguna pregunta, pero luego, al hacerla, se dio cuenta de que no era tan aguda como habría deseado:

—¿Y cómo estáis?

—¡Bien, abuela!

Se enfadó como si hubiera sido derrotada y su expresión se agrió por la rabia. Cuando era pequeño había veces que me daba miedo aquel gesto.

—¡Recep, ponme otra almohada en la espalda!

—Ya las tiene todas, señora.

—¿Te traigo otra, abuela? —preguntó Nilgün.

—¿Y tú qué haces, vamos a ver?

—Abuela, Nilgün ha empezado la universidad —contesté yo.

—Yo también tengo lengua, hermano. No te molestes por mí. Estudio sociología, abuela. Este año he terminado el primer curso.

—¿Y tú?

—El próximo año terminaré el instituto —respondió Metin.

—¿Y luego?

—¡Luego me iré a América!

—¿Y qué hay allí?

—Gente rica y despierta —dijo Nilgün.

—A la universidad —protestó Metin.

—¡No habléis todos a la vez! ¿Y tú qué haces?

No pude responderle que iba y venía a clase con mi enorme maletín, que por las noches holgazaneaba en la casa vacía, que comía y me dormía delante del televisor. Tampoco pude decirle que ayer por la mañana mientras iba a la universidad, esperaba el momento de beber, ni que sentí miedo de perder mi confianza en aquello que llamaban historia ni que echaba de menos a mi mujer.

—Ahora es profesor titular, abuela —respondió Nilgün.

—Abuela, la encontramos muy bien —añadí yo, desesperado.

—¿Qué hace tu mujer?

—Ya se lo conté la última vez que vinimos, abuela. Nos hemos divorciado.

—Lo sé, lo sé. ¿Y qué hace ahora?

—Ha vuelto a casarse.

—Has preparado sus habitaciones, ¿no?

—Sí —contestó Recep.

—¿No tenéis nada más que contar?

—Ahora hay mucha gente en Estambul, abuela —dijo Nilgün.

—También aquí —repuso Recep.

—Siéntate ahí, Recep —le indiqué.

—Abuela, la casa está muy vieja —intervino Metin.

—No me encuentro bien —dijo ella.

—Muy vieja, abuela, si la tiramos y construimos un edificio de pisos estará más cómoda...

—¡Calla! —replicó Nilgün—. No te oye. Y tampoco es ahora el mejor momento.

—¿Y cuándo será un buen momento?

—¡Nunca!

Se produjo un silencio. Me dio la impresión de sentir cómo los objetos de aquella calurosa habitación sin aire se ensanchaban por sí solos y crujían. Por las ventanas entraba una luz muerta, añosa.

—¿No vais a contar nada? —preguntó la abuela.

—Abuela, ¡por el camino hemos visto a Hasan! —respondió Nilgün—. Ha crecido, está enorme.

Los labios de la abuela se movieron de una manera extraña.

—¿Qué es lo que hacen, Recep? —continuó Nilgün.

—¡Nada! Viven en la casa de la cuesta. Hasan está en el instituto...

—¿Qué les estás contando? —gritó la abuela—. ¿De quién hablas?

—¿Qué hace İsmail?

—¡Nada! Vende lotería.

—¿Qué os está contando? —volvió a gritar la abuela—. ¡Hablad conmigo, no con él! ¡Vamos, Recep, sal de aquí, baja a la cocina!

—Pero si no hace nada malo, abuela —protestó Nilgün—. Que se quede.

—Os ha engañado enseguida, ¿no? ¿Qué les has dicho? Has conseguido darles pena, ¿no?

—No digo nada, señora.

—Pero si te he visto hace un momento. Hablabas y les contabas algo.

Recep salió de la habitación y se produjo otro silencio.

—Vamos, Nilgün, cuenta algo —dije.

—¿Yo? ¿Qué puedo contar? —Pensó un poco—. Todo está muy caro, abuela.

—Dile que a fuerza de leer libros se te ha olvidado todo —terció Metin.

—¡Qué listillo eres!

—¿De qué habláis? —preguntó la abuela.

Un silencio más.

—Bueno, abuela —intervine—. Vamos a irnos y a instalarnos en nuestras habitaciones.

—Pero si acabáis de llegar. ¿Adónde vais?

—A ninguna parte. ¡Aún nos vamos a quedar una semana!

—Así que no teníais nada que contar. —Quizá sonriera un poco con la expresión de una extraña victoria.

—Mañana iremos al cementerio —dije sin pensar.

Recep esperaba fuera, delante de la puerta. Nos condujo a cada uno a nuestro dormitorio y abrió las contraventanas. A mí había vuelto a prepararme la habitación que daba al pozo. Recordé el olor a moho, sábanas e infancia.

—Gracias, Recep. ¡Qué bien has dejado la habitación!

—He colgado aquí su toalla. —Y me la señaló.

Encendí un cigarrillo. Mirábamos juntos por la ventana abierta.

—Recep, ¿cómo está este verano Cennethisar?

—Mal. Ya no queda nada del antiguo sabor.

—¿Qué quieres decir?

—La gente se ha vuelto mala, cruel.

Se volvió y me miró a la cara esperando comprensión. Luego contemplamos juntos la calle y el mar que se veían entre los árboles mientras escuchábamos el alboroto de la playa. Entonces llegó Metin.

—¿Me das las llaves del coche?

—¿Te vas?

—Saco mi maleta y me voy.

—Si subes también las nuestras te dejo el coche hasta mañana por la mañana.

—No se molesten, Faruk bey. Yo las subiré —dijo Recep.

—¿No vas a ir ahora al archivo a investigar la peste?

—¿Qué va a investigar? —preguntó Recep.

—Lo buscaré mañana —contesté.

—Entonces, ¿vas a empezar a beber ya? —continuó Metin.

—¡Y a ti qué te importa! —le espeté pero sin enfadarme.

—¡Eso es verdad! —Metin cogió las llaves del coche y se fue.

Sin pensar en nada seguí a Metin acompañado por Recep y juntos bajamos la escalera. Luego se me ocurrió ir a la cocina y rebuscar en la nevera, pero cuando bajamos las escaleras pequeñas, en lugar de entrar en la cocina, me desvié en la otra dirección, pasé ante el dormitorio de Recep y fui hasta el otro extremo del estrecho corredor. Recep me seguía.

—¿Sigue aquí la llave del lavadero? —pregunté.

Alargué el brazo, tanteé por encima del dintel de la puerta y encontré la polvorienta llave.

—La señora no lo sabe. No se lo diga.

Después de girar la llave tuve que empujar la puerta con fuerza para que se abriera. Algo debía de haberse caído por detrás. Miré y me quedé de veras sorprendido: entre la puerta y un baúl se había atrancado una calavera llena de polvo. La recogí del suelo, soplé y se la enseñé a Recep intentando parecer alegre.

—¿Te acordabas de esto?

—¿Qué?

—Me parece que no vienes mucho por aquí.

Dejé la calavera polvorienta en la esquina de una mesita cubierta de papeles. Sacudí como un niño una pipeta de cristal y luego la deposité en uno de los platillos de una balanza oxidada. Recep, de pie en el umbral, silencioso, observaba con temor todo lo que tocaba. Cientos de botecitos, pedazos de cristal, baúles, trozos de huesos arrojados en cajas, periódicos antiguos, tijeras y pinzas oxidadas, libros en francés de anatomía y medicina, cajas llenas de papeles, dibujos de aves y aviones pegados en planchas de madera, cristales de gafas, un círculo dividido en los siete colores, cadenas, una máquina de coser con la que cuando era pequeño jugaba a los coches pisando el pedal, destornilladores, insectos y lagartijas clavados en maderas con alfileres, cientos de botellas vacías en las que estaba escrito «Monopolio de bebidas», todo tipo de polvos en botes de farmacia con su correspondiente etiqueta... y tapones de corcho en un macetero.

—¿Son corchos, Faruk bey? —me preguntó Recep.

—Sí. Cógelos si te sirven de algo.

Creo que no entraba en la habitación porque le daba miedo, así que fui yo a dárselos. Luego encontré la placa de bronce en la que estaba escrito con caligrafía antigua: «El doctor Selâhattin recibe a sus enfermos por las mañanas de 2 a 6 y por las tardes de 8 a 12». Por un momento me apeteció llevármela a Estambul y no solo porque la encontrara curiosa, sino también por los recuerdos que me evocaba, pero la arrojé entre el resto de los objetos polvorientos cuando de repente me sentí asqueado por un extraño temor y odio hacia la historia y el pasado. Luego cerré la puerta con llave. Mientras caminaba con Recep en dirección a la cocina vi a Metin por los huecos de los escalones. Subía nuestro equipaje rezongando.

V

Después de subir las maletas de Faruk y Nilgün me desnudé, me puse el bañador y ropa de verano, cogí mi cartera, bien llena, bajé, subí al viejo y destartalado Anadol y me fui. Bajé del coche delante de la casa de la familia de Vedat. Aparte de la criada que trabajaba en la cocina, no había el menor movimiento en la casa. Pasé por el jardín a la parte de atrás y me alegró ver a Vedat tumbado en la cama cuando empujé suavemente la ventana. Salté como un gato, entré en la habitación y le apreté la cara contra la almohada.

—¿Bromas a estas horas, so animal? —gritó.

Sonreí, me encontraba muy a gusto.

—¿Y? ¿Qué hay?

—¿Cuándo has llegado? —me preguntó.

Al principio no le respondí, paseaba la mirada por la habitación. Todo estaba como el año anterior, incluyendo aquella sosa pintura de una mujer desnuda en la pared. Luego me impacienté.

—¡Vamos! ¡Vamos, muchacho, levántate!

—¿Qué vamos a hacer a esta hora?

—¿Qué hace todo el mundo después de comer?

—¡Naaada!

—¿O es que no hay nadie?

—Nooo, están todos aquí y también hay nuevos.

—¿Dónde os reunís?

—En casa de Ceylan. ¡Acaban de llegar!

—Bien, entonces vamos allá.

—Ceylan no se habrá levantado todavía.

—Entonces vamos a bañarnos a cualquier otro lado —le contesté—. A fuerza de enseñar matemáticas e inglés a los hijos subnormales de fabricantes de tejidos y empresarios del hierro, este año no he tenido la oportunidad de bañarme en el mar ni una sola vez.

—¿Con eso quieres decirme que no te interesa Ceylan?

—Levántate. Vamos donde Turgay.

—Han llamado a Turgay al equipo juvenil de baloncesto. ¿Lo sabías?

—Eso sí que no me interesa. He dejado el baloncesto.

—Para poder empollar mejor, ¿no?

No dije una palabra. Miré el cuerpo moreno, sano y tranquilo de Vedat y pensé: sí, estudio mucho, me angustio si no soy el primero de la clase y ya sé que les llaman empollones a los que son como yo, pero mi padre no tiene una fábrica de telares a cuyo frente pueda pasar yo dentro de diez años, mi pobre padre no tiene una fábrica de hilo, ni almacenes de hierro, ni fábricas de tejidos, ni un contrato, aunque sea mínimo, con Libia, ni siquiera una oficina de importación y exportación; mi padre, el prefecto dimisionario, solo tiene una tumba que visitamos una vez al año para que la abuela no llore en casa y llore allí.

—Bueno, ¿y qué más hacen todos?

Vedat no tenía la menor intención de levantarse de la cama en la que estaba acostado boca abajo, pero al menos se movió lo suficiente como para llevar la boca a un extremo de la cama y así pudo contarme: Mehmet había regresado de Inglaterra con una enfermera, la muchacha se quedaba ahora en casa de sus padres pero dormían en habitaciones distintas y lo que llamaba muchacha era de hecho una mujer de treinta años, pero se entendía bien con nuestras chicas, y Turan, eso ya debía de saberlo, estaba en el servicio militar. ¿Cómo voy a saberlo?, pensé. Yo me paso los inviernos no con la alta sociedad de Ankara y Estambul, sino entre el dormitorio del colegio y la casa de mi tía, y para ganar algo de dinero doy clases de matemáticas, inglés y póquer a los niños ricos y bobos como tú. Pero no dije nada y Vedat me contó que había sido el padre de Turan quien le había enviado al servicio militar una vez que había decidido que su hijo no se convertía en un hombre de provecho, además tampoco le había buscado un enchufe diciendo que la vida de soldado le proporcionaría algo de seso y cuando yo le pregunté si de veras tenía ahora algo de seso, Vedat me respondió muy serio que lo ignoraba pero Turan sí que había venido con quince días de permiso y cuando me contó que había empezado a tontear con Hülya, yo me sumergí en mis pensamientos. Entonces Vedat añadió que había un tipo nuevo llamado Fikret y yo comprendí al instante que Vedat lo admirada porque le llamaba «todo un señor» o «un colega», luego comenzó a explicarme cuántos caballos tenía el motor de su lancha de fibra de vidrio y tal y me puso nervioso hasta el punto de que no habría podido escuchar más a aquel estúpido; cuando se dio cuenta nos callamos un rato, pero luego volvimos a hablar.

—¿Qué hace tu hermana? —me preguntó.

—Es toda una comunista. Y, como ellos, no hace más que decir que ha cambiado mucho, lo dice continuamente.

—¡Qué pena! Lo siento.

Yo miraba la pintura de la mujer desnuda en la pared.

—A la hermana de Selçuk le ha pasado lo mismo —dijo como si susurrara—. ¡Se ha debido de enamorar de alguno! ¿Es ese el caso de tu hermana?

No le contesté. Me moví inquieto y se dio cuenta de que aquella cuestión no me agradaba.

—¿Y tu hermano cómo está?

—¡Es imposible hacer nada con él! Solo bebe y engorda. ¡Un caso desesperado de idiotez!

—¿También él?

Le contesté enfadándome a medida que iba hablando:

—Es tan idiota como para no llegar a nada. Pero lo cierto

es que se entiende bien con mi hermana. No me importa lo que hagan, pero me pasa lo que me pasa porque la una está lo bastante ideologizada como para odiar el dinero y el otro lo bastante idiotizado como para no alargar la mano para ganarlo. Esa tonta, extraña y repugnante casa sigue en pie inútilmente en ese terreno.

—¿Y no viven todavía ahí tu abuela y, esto, ese empleado?

—Sí. Pero ¿qué tendría de malo que vivieran en un piso del edificio que se construyera allí? Así no me cansaría las mandíbulas explicándoles durante todo el invierno a los hijos subnormales de los ricachones dónde está el eje de la hipérbole, ni qué tiene que ver el coeficiente r con la relación entre el eje y el punto focal, ¿me comprendes? El año próximo necesito ir a Estados Unidos para la universidad. ¿Cómo voy a encontrar el dinero?

—Tienes razón. —Sin duda estaba algo incómodo.

Yo también estaba incómodo porque me dio miedo que Vedat pensara que yo era un enemigo de los ricos. Nos callamos un rato.

—Bueno, vámonos ya a la playa —le dije por fin.

—Sí, quizá Ceylan se haya despertado.

—Tampoco estamos obligados a ir allí.

—Pero allí están todos.

Se levantó de la cama en la que había permanecido sin moverse hasta ese momento, estaba desnudo aparte de su pequeño bañador, tenía un cuerpo hermoso y despreocupado, bien moreno y claramente mejor alimentado. Se desperezó tranquilamente, sin la menor inquietud.

—¡Funda también iba a venir!

Me irritaba el cuerpo de Vedat y quizá también otras cosas.

—Muy bien, que venga.

—Pero está durmiendo.

—Pues ve a despertarla —respondí mirando no al cuerpo de Vedat sino a la mujer desnuda de la pared.

—Claro, la despierto, ¿no?

Fue a despertar a su hermana. Regresó poco después, encendió ansioso un cigarrillo como si su vida estuviera repleta de problemas de principio a fin y no pudiera pasar sin tabaco y me preguntó:

—Tú sigues sin fumar, ¿no?

—No.

Se produjo un silencio. Yo pensaba en Funda rascándose indolente en la cama. Charlamos un rato de estupideces del estilo de si el agua estaba templada o fría. Luego entró Funda.

—Vedat, ¿dónde están mis sandalias?

El año pasado era una niña pequeña esta Funda, este tenía unas largas y preciosas piernas y llevaba un minúsculo biquini.

—¡Hola, Metin!

—¡Hola!

—¿Qué hay? Vedat, te estoy preguntando que dónde están mis sandalias.

Hermano y hermana comenzaron a discutir al instante: el uno le decía a la otra que él no era el guardián de sus cosas y la otra le acusaba al uno de que el día anterior su sombrero de paja había aparecido en el armario de él y se gritaron aún más. Poco después Funda se fue dando un portazo pero al momento regresó como si no hubiera ocurrido nada y en esa ocasión comenzaron a discutir sobre quién cogería las llaves del coche del dormitorio de su madre. Por fin fue Vedat. Yo me sentía un poco incómodo.

—¿Y qué hay, Funda?

—¡Qué va a haber! ¡Aburrimiento!

Charlamos un poco: le pregunté qué curso había terminado ese año, primero de bachillerato, había estudiado dos años de preparatorio, no, no en el liceo alemán ni en el austríaco, estaba en el liceo italiano. Entonces le susurré lo siguiente: Equipement electrique Brevete type, Ansaldo San Giorgia Genova... Funda me preguntó si aquello lo había leído en algún regalo que me habían traído de Italia. No le dije que en todos los trolebuses de Estambul, sobre las puertas delanteras, había incomprensibles placas de aquel tipo y que todos los habitantes de Estambul que usaban el trolebús se veían obligados a aprendérselas de memoria para no reventar de aburrimiento, porque, por alguna extraña razón, se despertó en mí cierta sensación de que si le confesaba que usaba el trolebús me despreciaría. Luego nos callamos. Pensé un poco en aquella desagradable criatura a la que llamaban madre que se echaba la siesta entre olores de crema y perfume y que pasaba el tiempo jugando a las cartas y que jugaba a las cartas para que pasara el tiempo. Luego llegó Vedat y nos mostró las llaves balanceándose en su mano.

Salimos, nos montamos en el coche recocido por el sol y después de marchar doscientos metros nos detuvimos y nos bajamos ante la casa de Ceylan. Quise decir algo porque me daba vergüenza estar tan nervioso.

—Han renovado mucho esto.

—Sí.

Caminamos pisando las piedras que salpicaban el césped a un paso de distancia unas de otras. Un jardinero estaba regando, con ese calor... Por fin vi a las chicas y hablé por decir algo.

—¿No jugáis al póquer?

—¿Eh?

Bajamos las escaleras. Las chicas estaban perezosamente tumbadas. Me pareció que me habían visto y pensé: llevo puestos la camisa que le compré a Ismet con el dinero que gané al póquer y encima del bañador mis pantalones Levi's, ¡y en el bolsillo del pantalón catorce mil liras que he ganado dando clases particulares durante todo un mes a una serie de bobos! Luego hablé por hablar.

—Os preguntaba que si jugáis.

—¿A qué juego? ¡Os presento a Metin!

La verdad es que ya conocía a Zeynep.

—¡Hola, Zeynep! ¿Cómo estás?

—Bien.

—Esta es Fahrünnisa, pero no la llames así que se enfada. ¡Llámala Fafa!

Fafa no era una muchacha demasiado bonita. Nos dimos la mano.

—¡Y aquí está Ceylan!

Estreché la fuerte pero delicada mano de Ceylan. Quería mirar a cualquier otro lado. De repente pensé que podía estar enamorado, pero ¡qué tontería!, era una idea infantil. Miré al mar y quise creer que no estaba inquieto sino tranquilo y, además, también me habría gustado estarlo. Los demás se olvidaron de mí y empezaron a charlar.

—También es difícil el esquí acuático.

—¡Si solo pudiera mantenerme en el agua!

—Pero por lo menos no es tan peligroso como esquiar sobre nieve.

—El bañador debe ser ajustado.

—A uno le duelen los brazos.

—Si viniera Fikret y pudiéramos empezar...

Me aburría, me apoyé sobre el otro pie, tosí.

—¡Pero siéntate, hombre! —me dijo Vedat.

Yo creía parecer muy pensativo.

—¡Siéntate! —ordenó Ceylan.

La miré, era muy bonita. ¡Sí! Volví a pensar que podía estar enamorado de ella y creí que creía lo que había pensado un momento antes.

—Ahí hay una tumbona. —Y me la señaló con la punta de la nariz.

Lo vi mientras me dirigía a la tumbona: más allá de la puerta abierta del piso bajo de aquella casa de cemento había unos muebles terroríficos. En las películas americanas las parejas ricas pero infelices se sientan en muebles así mientras discuten a gritos los problemas de su matrimonio con el vaso de whisky en la mano. Como si el olor a buenos muebles, a riqueza y lujo que emanaba de aquella casa fuera a preguntarme qué pintaba yo allí. Pero pensé un poco y me tranquilicé: ¡soy más inteligente que todos ellos! Miré al jardinero que todavía regaba el jardín, cogí la tumbona, volví atrás, la abrí sin mayores dificultades, me senté junto a ellos y les escuché mientras meditaba distraído si estaba enamorado o no.

Como Fafa solo contaba cosas del tipo: nuestra clase es muy follonera, y su compañera de clase Ceylan no hacía más que decirle que contara esto y lo de más allá, cuando acabó con sus historias yo estaba bastante cocido por el sol y, además, seguía indeciso. Luego decidí contar alguna de aquellas historias subnormales porque no quería que creyeran que era un tipo arisco que no entendía de bromas y les expliqué con todo detalle cómo habíamos robado las preguntas del examen del despacho del director de nuestro instituto, pero no les conté cuánto dinero habíamos ganado vendiéndoselas a algunos estúpidos niños ricos, porque todo lo malinterpretan y les parecería feo ese pequeño negocio que me vi obligado a realizar porque no tengo un padre rico que me regalara el día de mi cumpleaños o cualquier otro día sin motivo el reloj Omega que llevo en la muñeca, a pesar de que sus padres andan enredados en el mismo tipo de negocios de la mañana a la tarde. En eso oímos que se acercaba una motora con un terrible estruendo. Todos giraron la cabeza para mirar. Comprendí que quien llegaba era Fikret. La motora se acercó al embarcadero a gran velocidad, como si quisiera chocar con él, y se detuvo de repente levantando una tromba de agua. Saltó con dificultad a la orilla.

—¿Qué hay, muchachos? —Me lanzó una ojeada.

—Voy a presentaros —dijo Vedat—. Metin, ¡Fikret!

—¿Qué tomáis, chicos? —preguntó Ceylan.

Todos pedimos Coca-Cola.

Fikret ni siquiera contestó, solo frunció los labios e hizo un gesto con la mano, el gesto con el que se indica que uno está fastidiado. Miré a Ceylan pero no pude comprender si aquello le preocupaba o no. No obstante, sí me di cuenta de otra cosa: hace años que me sé el numerito de este Fikret vuestro, juega a ser alguien con personalidad. Si eres feo y estúpido debes tener al menos una lancha más rápida que la luz y un coche aún más veloz para poder tener la personalidad suficiente como para que las chicas te miren a la cara. Ceylan trajo las bebidas. Todos se sentaron y charlaron largo rato con los vasos en la mano.

—¿Queréis oír música?

—¿Dónde vamos a ir esta noche?

—Te preguntaba que si tenías algo de Elvis.

—Sí que lo tenía. ¿Dónde está el *Best of Elvis*?

—No lo sé.

—Me aburro.

—¿Qué hacemos?

Luego se callaron un poco como si estuvieran cansados de las palabras y el sol ardiente y volvieron a hablar y volvieron a callarse y a hablar y cuando se callaron brotó de un altavoz una música vulgar y yo pensé que por fin debía decir algo.

—Una música muy normalita. ¡Música de ascensor! En América solo escuchan estas cosas en los viajes largos en ascensor.

—¿Viajes largos en ascensor?

Me preguntaste, sí, tú, Ceylan, y entonces hablé yo, observando cómo me escuchabas pero aparentando no observarte porque, sí, ahora creo que te quiero, aunque me dé vergüenza, pero hablé y lo conté para ti, Ceylan. Hablé de la importancia que tenían en la vida de los neoyorquinos esos viajes en ascensor, que el Empire State Building tenía una profundidad de 50 pies y 102 pisos y que desde allí se veía un panorama de 50 millas a la redonda, pero no dije que aún no había ido a Nueva York y no había podido ver aquel panorama, y les estaba contando que según la edición de 1957 de la Enciclopedia Británica que había en el colegio la población de la ciudad era de 7.891.957 habitantes y que, según la misma edición, la de 1940 era de 7.454.995 habitantes, cuando...

—¡Uf! —exclamó Fafa—. ¡Te lo has aprendido de memoria como un empollón!

Y tú te reíste de aquello, Ceylan, así que yo, para probaros que no era de los que necesitan empollar para aprender y para informaros sobre las dimensiones de mi inteligencia dando un ejemplo, declaré que podía multiplicar cualquier número de dos cifras al instante.

—Sí —corroboró Vedat—. Este tío tiene una cabeza sorprendente. ¡Todo el instituto lo sabe!

—¿Diecisiete por cuarenta y nueve? —preguntó Ceylan.

—Ya os lo había dicho: ¡ochocientos treinta y tres!

—¿Setenta por catorce?

—¡Novecientos ochenta!

—¿Cómo sabemos que está bien? —dijo Ceylan.

Me sentía nervioso, pero solo sonreía.

—¿Traigo papel y lápiz?

Entonces no pudiste soportar aquella irritante sonrisa mía y saltaste de donde estabas sentada, corriste entre aquellos muebles terribles y poco después regresaste con un papel con membrete de un hotel suizo, una pluma de plata y una expresión de furia en tu cara.

«¿33×27?»: «891»; «¿17×27?»: «459»; «¿81×79?»: «¡6.399!»; «¿17×19?»: «¡323!», «no, ¡373!», «por favor, Ceylan, vuelve a multiplicar», «bueno, ¡323!; ¿99×99?», «esta es la más fácil: ¡9.801!».

Te estabas enfadando, Ceylan, te estabas enfadando hasta el punto de odiar.

—¡De veras que te lo has aprendido como un empollón!

Yo solo sonreía y pensaba en que quizá tuvieran razón aquellos libros tan simples y vulgares que dicen que todos los amores empiezan con odio.

Luego Ceylan hizo esquí acuático con la motora de Fikret y yo me sumergí en profundas meditaciones sobre el hecho de la competencia y creo que me di cuenta de inmediato de que podía seguir dándole vueltas a aquello hasta medianoche porque, ¡maldita sea!, ahora sí que pienso, incluso lo creo, que estoy enamorado.

VI

Me desperté, me levanté, me puse la corbata y la chaqueta y salí al exterior. ¡Una hermosa mañana, tranquila y reluciente! Cornejas y gorriones en los árboles. Miré las persianas: todas cerradas. Duermen, ayer se acostaron tarde. Faruk bey bebió y Nilgün le observó mientras bebía. La señora se pasó el rato llamando desde arriba. Ni siquiera oí cuándo llegó Metin y se acostó. Le di despacio a la bomba de agua para que no se despertaran con los chirridos, me eché agua fría de la mañana a la cara, luego entré, me corté dos rebanadas de pan, fui al gallinero y abrí la puerta. Las gallinas huyeron cacareando. Sorbí dos huevos a gusto después de romper con cuidado los extremos y me comí el pan. Cogí también los otros huevos y regresaba a la cocina sin haber cerrado aún la puerta del gallinero cuando me quedé sorprendido: Nilgün se había levantado, había cogido su bolsa y se iba. Me sonrió al verme.

—Buenos días, Recep.

—¿Adónde va a esta hora?

—A bañarme. Luego hay demasiada gente. Solo entrar y salir. ¿Los huevos son del gallinero?

—Sí. —Por alguna extraña razón sentía cierta culpabilidad—. ¿Quiere para desayunar?

—Claro que sí. —Nilgün se rió y se fue.

La miré mientras se alejaba. Un gato cuidadoso, meticuloso, cauto. Sandalias en los pies, las piernas desnudas. Cuando era pequeña las tenía como palillos. Entré en la casa y puse agua para el té. Su madre era igual. Ahora está en el cementerio. Iremos allí y rezaremos. ¿Te acuerdas de tu madre? Tenía tres años, no puede acordarse. Doğan bey era prefecto en el este y los últimos dos veranos los envió aquí. Tu madre se sentaba en el jardín con Metin en los brazos y tú a su lado, el sol le daba todo el día en su pálida cara pero regresaba a Kemah tan blanca como había venido. «¿Quiere zumo de cerezas, señorita?», le preguntaba. «Gracias, Recep bey —me contestaba—, póngalo ahí.» Tenía a Metin en brazos, así que yo lo ponía donde me había indicado. Dos horas después volvía y veía que solo se había tomado un par de tragos del enorme vaso. Luego aparecía Faruk, gordo y sudoroso: «Mamá, tengo hambre», y se lo bebía todo de una vez, sin respirar. ¡Bravo! Saqué el mantel y lo estaba poniendo en la mesa cuando noté el olor: anoche Faruk bey había derramado el *rakı* sobre la mesa. Fui a buscar una bayeta y lo limpié. El agua estaba hirviendo y puse el té. También había quedado leche de ayer. Iré a comprarle a Nevzat mañana. Me apetecía café pero me contuve y empecé a trabajar.

Estaba absorto y pasó el tiempo sin que me diera cuenta. Mientras ponía la mesa Faruk bey bajó por las escaleras. Su caminar pesado, que hacía crujir los escalones, era igual que el de su abuelo. Se desperezó y murmuró algo.

—He preparado té. Siéntese, le pondré el desayuno.

Se desplomó sobre la misma silla en la que había bebido anoche.

—¿Quiere leche también? Tenemos una leche muy buena, muy cremosa.

—Bueno, tráela. Me vendrá bien para el estómago.

Fui a la cocina. El estómago. Los jugos venenosos que se acumulan allí de tanto beber acaban por abrir un agujero. «Si bebes te mueres —dijo la señora—. Has oído lo que ha dicho el médico, ¿no?» Doğan bey miraba al frente, pensando, luego le contestó: «Prefiero morirme a que no me funcione la cabeza. Madre, yo no puedo vivir sin pensar». «Eso no es pensar, hijo.

63

Solo amargarse», pero ya se habían olvidado de escucharse el uno al otro. Luego Doğan bey se murió escribiendo sin parar aquellas cartas. Le venía sangre a la boca, como a su padre, claramente desde el estómago, la señora lloraba a gritos, me llamaba, como si yo pudiera hacer algo. Antes de morir le quité la camisa ensangrentada, le puse otra limpia y recién planchada y se murió. Iremos al cementerio. Herví la leche y la puse en un vaso. El estómago es un universo tan sombrío y misterioso que solo lo conoce el profeta Yunus. Sentí un escalofrío al pensar en aquel agujero oscuro. Pero, en mi caso, es como si no tuviera estómago porque yo conozco mis límites y no soy como ellos, también sé olvidar. Al llevar la leche vi que ya había vuelto Nilgün, ¡qué rápida! Tenía el pelo mojado, precioso.

—¿Le traigo el desayuno?

—¿No baja la abuela a desayunar? —me preguntó.

—Sí. Baja por las mañanas y por las noches.

—¿Y por qué no a mediodía?

—No le gusta el alboroto de la playa. A mediodía le subo una bandeja.

—Entonces esperemos a la abuela —propuso Nilgün—. ¿Cuándo se despierta?

—Ya hace mucho que se ha despertado —contesté.

Miré el reloj: las ocho y media.

—¡Ah, Recep! —dijo Nilgün—. Ya he comprado yo el periódico. A partir de ahora lo compraré yo por las mañanas.

—Usted sabrá. —Y salía cuando...

—Lo compras y qué —gritó de repente Faruk bey—. Te enteras de cuántos han matado a cuántos, cuántos eran fascistas, cuántos marxistas y cuántos no tenían nada que ver, ¿y qué?

Entré, subo las escaleras. ¿Para qué tanta prisa? ¿Qué queréis? ¿Por qué nunca os conformáis? ¡Tú no puedes saberlo, Recep! ¡La muerte! Pienso y tengo miedo porque uno siente curiosidad. «El comienzo de toda ciencia es la curiosidad —me había dicho Selâhattin bey—. ¿Lo entiendes, Recep?» Llegué arriba y llamé a la puerta.

—¿Quién es?

—Soy yo, señora —respondí, y entré.

Tenía el armario abierto y estaba revolviéndolo. Hizo un gesto como de cerrar la puerta.

—¿Qué pasa? ¿Por qué se gritan ahí abajo?

—La esperan para desayunar.

—¿Y por eso se gritan?

El olor a viejo del armario se había extendido por toda la habitación. Lo olía y recordaba.

—¿Perdón? No, no, están bromeando.

—¿Tan de mañana y a la mesa?

—Si es eso lo que le preocupa, señora, le diré que Faruk bey no está bebiendo. ¿Cómo va a beber a esta hora?

—¡No los defiendas! ¡Y no me mientas! Me doy cuenta enseguida.

—No le estoy mintiendo. La esperan para desayunar.

Miró la puerta abierta del armario.

—¿La ayudo a bajar?

—¡No!

—¿Va a desayunar en la cama? ¿Le subo la bandeja?

—Sí. Y diles que se preparen.

—Ya lo están.

—Cierra la puerta.

Cerré y bajé las escaleras. Todos los años, antes de ir al cementerio, revuelve el armario como si pudiera encontrar en él algo que aún no hubiera visto o no se hubiera puesto y finalmente lo que se pone es el mismo grueso abrigo, extraño y terrorífico. Bajé a la cocina, puse el pan a tostar y luego les llevé el suyo a Nilgün y Faruk.

—Lee —le decía Faruk bey a Nilgün—. Lee, vamos a ver, cuántos muertos hay hoy.

—Diecisiete —le respondió ella.

—¿Y? ¿Qué conclusión se saca de todo eso?

Nilgün volvió a hundir la nariz en el periódico como si no hubiera oído a su hermano.

—Ya no tiene ningún sentido ni nada que se le parezca —concluyó Faruk bey hasta cierto punto contento.

—La señora no va a bajar para el desayuno —les dije—. Les sirvo el suyo.

—¿Por qué no baja?

—No lo sé. Está revolviendo el armario.

—Bueno, tráenoslo.

—Señorita Nilgün, está ahí sentada con el bañador mojado y se va a enfriar. Suba, vístase y ya leerá tranquilamente el periódico...

—Mira, ni te ha oído —dijo Faruk bey—. Todavía es lo bastante joven como para creer lo que dicen los periódicos. Lee toda emocionada sobre los muertos.

Nilgün se levantó sonriéndome. Yo bajé a la cocina. ¿Creer en lo que dicen los periódicos? Le di la vuelta al par de tostadas y preparé la bandeja de la señora. Ella lee el periódico solo por si ha muerto alguien que conociera, no un joven hecho pedazos a tiros o por una bomba, sino por algún viejo que se haya muerto en la cama. Le llevo la bandeja. A veces se enfada porque no puede entender los apellidos de las esquelas, protesta, pero las recorta del periódico. A veces, si no está demasiado enfadada, se burla de los apellidos cuando yo estoy presente: «Nombres inventados, infernales. ¿Qué quiere decir eso de apellido?». Pensé: el apellido del padre que me lo dio, y el mío es Karataş.[2] Está bien claro lo que quiere decir. Sin embargo, hay algunos que no puedo entender. El suyo es así. Llamé a la puerta y entré. La señora aún seguía delante del armario.

—Le he traído el desayuno, señora.

—Déjalo ahí.

—¡Tómeselo enseguida! Que no se le enfríe la leche.

—¡Bueno, bueno! —Tenía la mirada no en la bandeja sino en el armario—. Cierra la puerta.

La cerré. Luego me acordé de las tostadas y bajé a todo correr. Menos mal, no se habían quemado. Le puse el desayuno y un huevo a la señorita Nilgün en una bandeja y se lo llevé.

—Disculpe, me he retrasado.

---

2. Karataş significa «piedra negra». (N. del T.)

—¿No viene Metin a desayunar? —preguntó Faruk bey.

¡Vaya! Subí otra vez, entré en el dormitorio de Metin, lo desperté y abrí las persianas. Gruñía, volví a bajar, Nilgün quería té, fui a la cocina, le puse el té ya preparado y al llevárselo vi que Metin había bajado en un momento y ya estaba sentado incluso.

—Ahora le traigo el desayuno.

—¿A qué hora llegaste anoche? —le preguntó Faruk bey.

—¡Se me ha olvidado! —le contestó Metin.

Solo llevaba puesto el bañador y una camisa.

—¿Le queda gasolina al coche?

—¡No te preocupes! Paseamos en los coches de los otros. El Anadol queda aquí un tanto...

—¿Un tanto qué? —dijo Nilgün.

—¡Tú lee el periódico! —le replicó Metin—. Estoy hablando con mi hermano mayor.

Fui a por el té. Puse más pan a tostar. Le llevé té bien fuerte.

—¿Quiere leche también, Metin bey?

—Todos han preguntado por ti —dijo Metin.

—¿Y a mí qué? —dijo Nilgün.

—Antes esas chicas y tú erais uña y carne. Erais amiguísimas y ahora las desprecias solo porque has leído unos cuantos libros.

—No las desprecio. Solamente no quiero verlas.

—Sí las desprecias. Uno va a saludar, por lo menos.

—¡Pues yo no quiero!

—¿Quiere leche también, Metin bey? —repetí.

—¿Lo ves? Demasiado comprometida. Y muy grosera.

—¿Sabes lo que significa la palabra compromiso?

—¿Cómo no voy a saberlo? Tengo una hermana a la que acaban de lavar el cerebro, lo veo todos los días.

—¡Imbécil!

—¿Quiere leche, Metin bey?

—Muchachos, tranquilos, tranquilos —intervino Faruk bey.

—No quiero leche —respondió Metin.

Corrí a la cocina y le di la vuelta a las tostadas. Le habían lavado el cerebro. «Mientras no limpiemos nuestros cerebros de suciedad, creencias vacías y mentiras, no tendremos salvación —decía Selâhattin bey—, por eso escribo desde hace años, Fatma, por eso.» Me puse un vaso de leche y me bebí la mitad. Llevé el pan cuando acabó de tostarse.

—Cuando la abuela rece en el cementerio, rezad vosotros también —decía Faruk bey.

—Se me han olvidado las oraciones que nos enseñó la tía —contestó Nilgün.

—¡Qué pronto se te han olvidado! —intervino Metin.

—Muchacho, a mí también se me han olvidado —replicó Faruk bey—. Lo que quiero decir es que abráis las manos como ella para que no se entristezca.

—Las abriré, no te preocupes —dijo Metin—. A mí esas cosas no me importan.

—Ábrelas tú también, ¿de acuerdo, Nilgün? Y ponte algo en la cabeza.

—Muy bien.

—¿No irá eso en contra de tus creencias ideológicas? —le preguntó Metin.

Subí al piso superior. Llamé a la puerta de la señora. Entré. Ya había desayunado y de nuevo estaba ante el armario.

—¿Qué hay? ¿Qué quieres?

—¿Quiere otro vaso de leche?

—No.

Mientras recogía la bandeja cerró de repente la puerta del armario y gritó:

—¡No te acerques!

—No me estoy acercando a su armario, señora. Ya lo ve, solo estoy recogiendo la bandeja.

—¿Qué están haciendo ahí abajo?

—Se están preparando.

—Yo todavía no he podido decidirme... —De pronto pareció avergonzarse y comenzó a mirar en el armario.

—¡Dese prisa, señora! Luego llegaremos con todo el calor.

—Bueno, bueno. Cierra bien la puerta.

Bajé a la cocina y puse agua para fregar. Me bebí la mitad que quedaba del vaso de leche mientras esperaba que el agua se calentara, pensé en el cementerio y me puse nervioso y me sentí extraño. Pensé también en los objetos y los instrumentos del lavadero. En el cementerio a veces le apetece a uno llorar. Fui al comedor, Metin bey me pidió té y se lo llevé. Faruk bey fumaba un cigarrillo y contemplaba el jardín. Estaban en silencio. Entré a la cocina y terminé de fregar. Cuando regresé, Metin bey se había vestido y había vuelto. Yo también volví a la cocina, me quité el delantal, comprobé la chaqueta y la corbata, me peiné, sonreí al espejo como hago cuando me peina el barbero y salí.

—Estamos listos —me dijeron.

Subí: bueno, por fin la señora se había vestido. De nuevo lleva el mismo abrigo negro y terrorífico. Como el largo cuerpo de la señora se empequeñece un poco más cada año, sus faldas arrastran por el suelo y por donde lo tocan asoman las agudas puntas de sus extraños zapatos como si fueran los curiosos hocicos de dos zorros gemelos. Se estaba cubriendo la cabeza con un pañuelo. Pareció avergonzarse al verme. Permanecimos un rato en silencio.

—Con este calor va a sudar con todo eso —le dije.

—¿Están todos listos?

—Sí.

Miró por la habitación, buscó algo, comprobó que el armario estaba cerrado, de nuevo buscó algo, de nuevo comprobó el armario y por fin:

—Vamos, ayúdame a bajar —me ordenó.

Salimos de la habitación. Vio que yo tiraba de la puerta pero, a pesar de todo, la empujó para comprobar que estuviera cerrada. Al llegar a las escaleras no se apoyó en el bastón, sino en mí. Bajamos lentamente y cruzamos las puertas. Llegaron los demás y la estábamos ayudando a subir al coche cuando preguntó:

—¿Habéis cerrado bien las puertas?

—Sí, señora. —Pero fui y volví a tirar de ellas y a empujarlas para que vieran que estaban cerradas.

Por fin, gracias a Dios, se montó en el coche.

VII

Dios mío, qué extraño, cuando el coche arrancó con una sacudida me puse de repente tan nerviosa como si hubiera montado en el coche de caballos de mi infancia; pero luego pensé en vosotros, vosotros, pobrecillos, que estáis en el cementerio y entonces creí que iba a llorar, pero todavía no, Fatma, porque al cruzar las puertas miro por las ventanillas del coche que ahora sale a la calle y Recep sigue en casa y pienso si se quedará solo pero en eso el coche se detuvo y esperamos y poco después llegó también el enano, subió por la otra puerta, pasó al asiento de atrás y otra vez

—Has cerrado bien las puertas, ¿no, Recep?

mientras el coche se ponía en camino

—Sí, Faruk bey.

me apoyé con fuerza en el asiento

—¿Le ha oído, abuela? Recep ha cerrado bien. Luego no empiece a rezongar que se han quedado abiertas como el año pasado...

y comencé a pensar en ellos y, por supuesto, me acordé, Se-

71

lâhattin, que sobre esa puerta del jardín que dicen haber cerrado colgaste una placa de bronce que decía doctor Selâhattin, «las horas de consulta son estas y no le cobraré a los pobres, Fatma —me decía—. Quiero tener contacto con el pueblo. Claro que por ahora no tenemos muchos enfermos, no estamos en una gran ciudad, sino en una costa remota». Es verdad, entonces no había nadie sino algunos pobres campesinos y ahora en cuanto levanto la cabeza, mira, Dios mío, esos edificios, las tiendas, la multitud, la gente medio desnuda en la playa, ni mires, Fatma, ¿qué es ese alboroto?, todos unos encima de otros, mira, Selâhattin, tu querido infierno ha descendido a la tierra, lo has conseguido, si era eso lo que querías, claro, mira esa multitud, quizá fuera eso

—Mira con mucha curiosidad, ¿no, abuela?

no, no miro, pero estos sinvergüenzas nietos tuyos, Selâhattin,

—¿Le damos una vuelta, abuela?

quizá crean que tu honesta mujer es como tú, sí, ¿qué pueden hacer los pobrecillos?, los han criado así, porque, Selâhattin, conseguiste que tu hijo se pareciera a ti, tampoco Doğan se interesó por sus hijos y a estos los han cuidado sus tías en lugar de su madre, yo no puedo, y si los cuidan sus tías esto es lo que ocurre, cuando su abuela está yendo al cementerio creen que siente curiosidad por ver todas esas marranadas, pues no lo creáis, ved, yo ni siquiera miro, al bajar la cabeza abro el bolso, huelo mi olor anciano que sale de su interior y mis pequeñas y secas manos encuentran el pañuelito en la oscuridad de cocodrilo del bolso y me lo llevo a los ojos secos porque mi pensamiento está lleno de ellos, solo de ellos

—¿Por qué llora ahora, abuela? ¡No llore!

pero no saben lo que os he querido y no saben que no puedo soportar la idea de que estéis muertos en este día soleado; me llevo un poco más el pañuelo a los ojos, pobre de mí, y ya está bien, Fatma, sé aguantarme porque me he pasado la vida entre el dolor, ha pasado por ahora, no tengo nada, mirad, he levantado la cabeza y observo a mi alrededor: edificios de viviendas, muros, rótulos de plástico, carteles, escaparates, colores, pero enseguida empieza a asquearme, por Dios, qué fealdad, no mires más, Fatma, yo

—¿Cómo era esto antiguamente, abuela?

me he encerrado en mis propios pensamientos y en mi dolor y no escucho vuestras palabras así que, ¿cómo voy a contároslo?, no puedo contaros que antiguamente aquí había jardines, preciosos jardines dentro de otros jardines, ¿dónde están ahora?, en aquellos primeros años no había nadie, antes de que vuestro abuelo se entregara al diablo por las tardes: «Ven, Fatma, vamos a pasear juntos —me decía—. No quiero comportarme como el típico marido déspota oriental con la disculpa de que me he quedado atascado aquí y no llevarte a ninguna parte porque la enciclopedia me cansa mucho o no tengo tiempo, quiero que mi mujer se divierta y sea feliz, ven y paseemos un rato por los jardines, además, así charlaremos. Mira lo que he leído hoy, la ciencia no puede dejarse de lado y creo que aquí todo es tan miserable precisamente porque nos falta la ciencia, nos hace falta un Renacimiento, un despertar de la ciencia, ahora estoy en situación de comprenderlo de una manera absoluta, ante mí hay una misión que es necesario realizar, terrible por lo inmensa, así que le agradezco a Talat bajá que me desterrara a este rincón solitario para poder leer y pensar porque de no ser por esta soledad y todas esas horas vacías no habría podido llegar a estas conclusiones y nunca habría podido ni imaginar la importancia de esta histórica misión, Fatma, de hecho también Rousseau pensó lo mismo, en el campo, rodeado por la naturaleza,

73

son sueños de un viajero solitario, pero nosotros viajamos juntos»

—¡Marlboro, Marlboro!

me asusté al levantar la cabeza y mirar, parecía que fuera a meter el brazo en el coche y has estado a punto de aplastar al niño y por fin, gracias a Dios, salimos del cemento y entramos en los jardines alineados unos detrás de otros

—Mucho calor, ¿verdad, hermano?

a ambos lados de la cuesta por los que paseábamos aquellos primeros años Selâhattin y yo y cuando aquí o allá nos encontrábamos con un par de pobres pueblerinos se detenían a saludar al vernos, aún no habían comenzado a tenerte miedo. «Señor doctor, mi mujer está muy enferma, ¿podrá venir?» Dios debía de estar satisfecho de vosotros porque él aún no se había vuelto loco rabioso. «Pobrecillos, Fatma, me dan pena, no le he cobrado, ¿qué voy a hacerle?» Pero cuando necesitó el dinero ellos ya no venían y entonces acudía a mis anillos y a mis diamantes, ¿habré cerrado el armario? Sí, lo he cerrado

—Abuela, se encuentra bien, ¿no?

pero ¿es que no son capaces de dejarla tranquila a una con sus tontas preguntas? Me llevé el pañuelo a los ojos, ¿cómo puede una encontrarse bien cuando va a visitar las tumbas de sus difuntos marido e hijo? Me dais

—Mire, abuela, pasamos por delante de la casa de İsmail. ¡Esta es!

lástima, pero ¿qué dicen? Dios mío, esta es la casa del cojo, pero yo no miro, tu bastardo, ¿lo saben? No

—Recep, ¿cómo está İsmail?

lo sé y escucho

—Bien. Vende lotería.

con cuidado, no, Fatma, ṇo escuchas, tú

—¿Y su pierna?

lo hiciste solo para protegerte del pecado y para proteger a mi marido y a mi hijo. ¿Acaso

—Como siempre, Faruk bey. Cojeando.

sabe alguien que cometí una falta? ¿Se lo

—¿Y cómo está Hasan?

habrá contado el enano? Estos, como su abuelo y su padre,

—El curso, mal. No ha podido acabar por el inglés y las matemáticas. Y tampoco tiene trabajo.

se sienten atraídos por la igualdad. «Vamos a ver —dirán—, abuela, son nuestros tíos.» «Abuela, no lo sabíamos.» Líbreme Dios, no pienses, Fatma. ¿Has venido hoy aquí para pensar en todo eso?, pero todavía no hemos llegado, voy a llorar, comencé a llevarme el pañuelo a los ojos, y estos, en este día mío de tristeza, sentados en el coche y hablando de naderías como si fuéramos de paseo, hace tiempo, un año de los mil que han pasado, salimos a pasear, apareció un coche con un único caballo y subimos aquella cuesta interminable Selâhattin y yo en aquel coche, tacatac, tacatac, «¡qué bien hemos hecho, Fatma! Con tanto trabajar en la enciclopedia nunca encuentro tiempo para nada así, ojalá hubiera cogido una botella de vino y con unos huevos duros, habríamos ido a sentarnos al campo, pero solo para tomar el aire fresco, solo por la naturaleza, no para atiborrarnos a la turca hasta reventar como hacen nuestros compatriotas. Qué bonito se ve el mar desde aquí, a esto le llaman "picnic" en Europa, todo lo hacen de una manera comedida, un día, Fatma, nosotros también seremos así, quizá nuestros hijos no lo vean, pero sí nuestros nietos, niñas y niños, ojalá

—Ya hemos llegado, abuela. ¡Hemos llegado, mire!

entonces, en esos días en que la ciencia sea soberana, nuestros nietos vivan juntos y felices en nuestro país que ya no será en absoluto diferente a Europa, y mis queridos nietos vendrán a visitar mi tumba», a la tuya Selâhattin y al callar el motor del coche mi corazón palpitó, qué silencioso está esto, cigarras cantando al calor, muerte a los noventa años, bajaron y abrieron la puerta

—Venga aquí, abuela. Deme la mano.

es más difícil bajar de esta cosa de plástico que de un coche de caballos, que Dios me proteja, como me caiga me mataré y me enterrarán al momento, quizá hasta se alegrarían

—¡Bien, así! Cójame del brazo, apóyese en mí, abuela.

quizá se entristecieran, por Dios, ¿por qué piensas así?, salí, avanzamos caminando lentamente entre las lápidas con un nieto del brazo derecho y otro del izquierdo, Dios mío, perdóname, estas lápidas me estremecen el corazón de miedo,

—¿Se encuentra bien, abuela?

con el calor, sin nadie, abandonada, entre el olor a hierba agostada un día también yo me uniré a ellos

—¿Dónde estaba?

ingresaré en las tumbas, ahora no pienses, Fatma,

—Por este lado, Faruk bey.

mira, todavía habla el enano, para demostrar que sabe mejor
que sus nietos dónde está enterrado, «porque soy su hijo».
¿Es eso lo que quieres decir?, pero ellos al ver las tumbas

—Aquí.

de su padre y, por supuesto, de su madre,

—Ya hemos llegado, abuela, es aquí.

yo, mi corazón, ahora voy a llorar, aquí estáis, pobrecillos,
soltadme los brazos, dejadme sola con ellos, me sequé los
ojos con el pañuelo y al veros aquí, ¿por qué no me llevaste a
mí también, Señor? Blasfema, lo sé, ni una vez me dejé llevar
por las tentaciones del demonio, pero no he venido a echaros
nada en cara, ahora voy a llorar, me soné y al aguantar la res-
piración por un momento oí a las cigarras, me guardé el pañuelo en el bolsillo y abrí las manos, le rezo a Dios por vosotros, rezo, ya he rezado, se acabó, levanté la cabeza, miré,
bueno, ellos también han abierto las manos, ¡bravo!, Nilgün
se ha cubierto bien la cabeza, pero me repugna el gusto del
enano por la ostentación, perdóname, Dios mío, pero no
puedo soportar que nadie se enorgullezca de ser bastardo,
reza más, como si él te quisiera más que nosotros, Selâhattin,
¿a quién crees que vas a engañar con todo eso?, ojalá hubiera
traído el bastón, ¿dónde lo he dejado?, ¿estarán cerradas las
puertas?, pero no he venido a pensar en todo eso sino en ti, en
esa lápida solitaria y abandonada, ah, ¿nunca se te ocurrió
que un día vendría a rezar ante una lápida vertical

DOCTOR SELÂHATTIN DARVİNOĞLU[3]
1881-1942
UNA ORACIÓN POR SU ALMA

como he rezado hace un momento, Selâhattin? De hecho, tú ya no creías y por eso se retuerce tu alma entre las penas del infierno, Señor, no quiero pensar, pero ¿es culpa mía? Cuantas veces le decía que se arrepintiera, ¿no te burlabas de mí, Selâhattin? «Estúpida, tonta, también a ti te han lavado el cerebro como a todos los demás, ni existe Dios ni el más allá, el otro mundo es una asquerosa mentira inventada para meternos en cintura en este, para demostrar la existencia de Dios no nos queda otra prueba que esas tonterías escolásticas, solo existen los hechos y los objetos y nosotros podemos conocerlos y conocer las relaciones entre ellos y mi misión es explicar a todo Oriente que Dios no existe, ¿me oyes, Fatma?» Blasfemia, no pienses en eso, quiero pensar en aquellos primeros días en que aún no te habías entregado al demonio, no solo porque haya que recordar lo bueno de los muertos, sino porque entonces solo eras realmente un crío y como decía mi padre tenía un futuro brillante, se sentaba en su consulta como un buen chico, ¿se sentaba? Dios sabe lo que hacía con aquellas pobres enfermas, pero también llegaban mujeres extranjeras maquilladas y con la cabeza descubierta y se encerraba con ellas aunque también venían sus maridos y yo me sentía incómoda en la habitación de al lado, que no se le ocurra nada malo, Fatma, sí, sí, quizá todo ocurriera a causa de ellas, recién instalados aquí, un par de clientes, él les llamaba enfermos: «Tengo que ir a menudo a ver a ese enfermo porque es un caso muy difícil», mira, Selâhattin, en eso te doy toda la razón, unos vagos de una aldea lejana que dormitan en un rincón de un café de un muelle abandonado y unos cuantos pescadores en una costa de nadie, ellos no se ponen enfermos con este aire tan limpio, y si enfermaran no lo sabrían, y

3. «Hijo de Darwin». (N. del T.)

si lo supieran no vendrían, de hecho, ¿quién va a venir?, un puñado de casas, unos cuantos aldeanos estúpidos; pero, a pesar de todo, tu nombre sonó y los enfermos venían incluso de İzmit, la mayoría era de Gebze, también los había que venían en barca desde Tuzla y justo cuando empezaba a ganar dinero, entonces comenzó a discutir con los enfermos, Dios mío, yo lo escuchaba desde la otra habitación, «¿pero qué te has untado en la herida?». «Primero me puse tabaco, señor doctor, luego un emplasto de estiércol seco.» «Pero ¿cómo es posible? Esos son remedios de vieja, hay una cosa que se llama ciencia.» «¿Qué le pasa a este niño?» «Tiene fiebre desde hace cinco días, señor doctor?» «¿Y por qué no lo han traído antes?» «¿No vio la tormenta, señor doctor?» «Pero, hombre, ¡casi lo matáis!» «Si Dios lo ha escrito, ¿qué vamos a hacerle?» «Pero ¿qué Dios, hombre? Dios no existe, Dios ha muerto.» Dios mío, Selâhattin, arrepiéntete. «¿Que me arrepienta de qué, estúpida? No digas bobadas como esos tontos aldeanos, me da vergüenza de ti, me gustaría convertir en ciudadanos de provecho a tanta gente, pero aún no he sido capaz de meter un par de ideas en la cabeza de mi mujer, ¡qué estúpida eres! Por lo menos, convéncete de tu estupidez y créeme», pero cuando yo le decía: «pero, Selâhattin, vas a hacer que se te escapen los enfermos que has conseguido», parecía que descargara toda su cólera sobre mí; yo escuchaba desde la otra habitación, mira lo que le dice a esa pobre enferma que ha hecho tanto camino para que le recetara una medicina: «Que se desnude esa mujer, me crispa los nervios, se supone que eres su marido, estúpido aldeano, díselo tú, ¿no se desnuda? Bueno, pues no le paso consulta, largo, yo no voy a someterme a vuestras ridículas y ciegas creencias». «Por Dios, señor doctor, no lo haga, recétenos una medicina.» «No, si tu mujer no se desnuda, ni medicinas ni nada, largo, os han engañado a todos con la mentira de Dios», arrepiéntete, si por lo menos hubieras cerrado el pico, Selâhattin, no hables así con ellos, «no, no le tengo miedo a nadie, pero cualquiera sabe lo que dicen a mis espaldas», un médico ateo, no vayáis, ese tío es el mismísimo diablo, ¿no habéis visto la calavera en su mesa?, y la habitación llena de libros de arriba abajo, también tiene instrumentos extraños, lentes que convierten las pulgas en camellos, tubos que humean por un extremo, ranas muertas pinchadas, no vayáis allí, a no ser que no os quede otro remedio, ¿a qué hombre con dos dedos de frente se le ocurriría ir a ese infiel?, ese tío consigue que enfermen los sanos, Dios nos proteja, al que pisa su umbral le atacan los duendes, hace tiempo le dijo a un enfermo que había venido desde Yarimca «pareces un hombre con la cabeza en su sitio, me gustas, toma estas notas y léelas en el café de tu aldea, he escrito lo que hay que hacer contra la fiebre tifoidea y contra la tuberculosis —le dijo—, además he escrito que Dios no existe, ve y que por lo menos se salve vuestra aldea —le dijo—, si pudiera enviar a cada aldea a un hombre razonable como tú y ese hombre reuniera cada tarde a toda la aldea en el café y durante una hora les leyera un articulito de mi enciclopedia, el país se salvaría, pero antes, ¡ay!, tengo que terminarla y se alarga cada vez más, ¡maldita sea!», y no quedaba dinero, Fatma, ¿están bien cerradas las puertas, tu joyero, bien guardados los diamantes y los anillos? No, porque, exceptuando a algunos enfermos desesperados que, por supuesto, ya no le temían a nada, algunos miserables que se arrepentían en cuanto cruzaban la puerta del jardín pero a los que les daba miedo dar media vuelta y enfurecer al diablo, ya no venían enfermos, pero a ti no te importaba, Selâhattin, quizá a causa de mis diamantes, «los enfermos ya no vienen, y hacen bien —decía— porque me ponía nervioso ver a esos cretinos, me desesperaban, resulta tan difícil creer que se puede convertir en hombres a esos animales, un día, mientras charlábamos, le pregunté a uno cuántos grados sumaban los ángulos de un triángulo, ya sabía yo que un pobre campesino que en su vida había oído hablar de un triángulo no podría saberlo, pero cogí papel y lápiz y se lo expliqué, quería ver qué inclinación hacia las matemáticas tenían sus mentes, pero no es culpa de estos pobrecillos, Fatma, el Estado nunca ha echado una mano para que se les pueda dar una buena educación, se lo expliqué durante cuarenta santas horas, la de vueltas que pude darle para que me entendiera, pero me miraba con ojos de bobo y además con miedo, ah, mujer estúpida, me miró exactamente como tú me miras ahora, ¿por qué me miras así como si hubieras visto al demonio? Pobre criatura, soy tu marido», sí, y eres el demonio, Selâhattin, mira, ahora estás en el infierno, diablos y calderas hirvientes entre el fuego del infierno, ¿o la muerte era como tú decías? «He descubierto la muerte, Fatma —me dijo—, escúchame, esto es lo más importante», la muerte es tan terrible que no puedo soportarla y sentí miedo al pensar en tu situación ahí en la tumba y

—¿Estás bien, abuela?

me mareé de repente y creí que me iba a caer, pero no te preocupes, Selâhattin, ni aunque tú ni yo queramos, por última vez

—Si quiere, siéntese aquí. Descanse, abuela.

rezo por ti, callaos, se callaron y oigo un coche que pasa por la carretera, luego las cigarras y se acabó, amén, saco el pañuelo y me lo llevo a los ojos y luego fui, siempre es a ti a quien tengo presente, hijo mío, pero antes quise sacarme de la cabeza a tu padre, ah, mi pobre, alocado y desgraciado hijo

PREFECTO DOĞAN DARVİNOĞLU
1915-1967
UNA ORACIÓN POR SU ALMA

bueno, rezo por ti, mi desafortunado, mi desgraciado, mi insultado, mi infeliz, mi huérfano, rezo por ti, amén, también tú estás aquí, ¡ay, Dios mío!, de repente, por un momento, he tenido la impresión de que no habías muerto y... ¿dónde está mi pañuelo?, pero antes de que me llegue a los ojos, mirad cómo he empezado a gimotear,

—¡Abuela, abuela, no llore!

temblando, creí que me desplomaría en el suelo lloriqueando si no me llegan a coger a tiempo, Dios mío, qué desgraciada soy, también me estaba destinado venir aquí, a la tumba de mi hijo, qué te he hecho yo para que me castigues de esta manera, arrepiéntete, Fatma, hice lo que estaba en mi mano, ¿cómo podía querer yo que todo acabara así, hijo mío, mi Doğan? ¿Cuántas, cuántas veces no te dije que lo último que debías hacer en la vida era seguir los pasos de tu padre? ¿No te envié a internados para que no le vieras y no lo tomaras como modelo, querido mío? Y además cuando ya no nos quedaba dinero, ¿no te oculté que en aquellos años manteníamos en pie la casa gracias a los anillos, a los diamantes y a los brillantes del joyero que me dieron como dote tu difunto abuelo y tu difunta abuela y no te envié a los mejores colegios? Y tú llegabas los sábados por la tarde y el borracho de tu padre no iba a recogerte a la estación, él, que de la misma manera que no ganaba un ochavo intentaba continuamente sacarme dinero para publicar aquellos absurdos escritos suyos que eran una pura blasfemia de principio a fin y yo, sola en la frías noches del invierno, me consolaba pensando que por lo menos mi hijo estudiaba en un instituto francés, pero un día comprendí que, ¡ah!, ¿para qué ibas a estar matriculado ahí para acabar de ingeniero o comerciante como los demás? ¿Querías ser político? Lo sé, si hubieras querido habrías sido incluso presidente del Gobierno, pero ¿no es una pena que alguien como tú...? «Madre, a este país solo lo arregla la política», y cuánto pasó hasta que pude decirte: «¿Y es a ti a quien te corresponde arreglarlo, estúpido hijo mío?», en aquellos días en que venías de vacaciones cansado y pensativo, Dios mío, qué desgraciada soy, qué pronto aprendió a pasear preocupado arriba y abajo exactamente igual que su padre y, mira, ¿cómo es que fumas a tu edad? ¿Por qué tanta tristeza, tanta pena, hijo mío?, te pregunté y cuando me respondiste «por el país, madre», ¿no te llené los bolsillos de dinero para que así quizá te enderezaras? Idas y venidas a Estambul, diviértete, pasea con las muchachas y no pienses, relájate, ¿no te di para eso mis perlas rosas sin que tu padre lo supiera? Tómalas, vénde-las en Estambul y diviértete, ¿no te lo decía? ¿Cómo iba yo a saber que te ibas a casar enseguida con esa muchacha absurda e incolora y la ibas a traer a casa? ¿No te había dicho que vi-vieras sin preocupaciones? ¿No te dije que aguantaras en el trabajo, que quizá te hicieran diputado, que no dimitieras de prefecto, que luego te llegaría el turno de ser gobernador? «No, madre, no lo aguanto más, todo es repugnante y feo, madre», ¡ah, mi pobre hijo! ¿Por qué no te dedicas simple-mente a ir y venir del trabajo como los demás? Pero yo sé por qué, te dije un día, me había enfadado de veras, porque eres un vago y un cobarde, ¿no? Eres como tu padre, no tienes el valor suficiente como para vivir y mezclarte con la gente, ¿no? Es más fácil echarles a ellos la culpa y odiarles, «no, madre, no, tú no lo sabes, todo es asqueroso, ni siquiera aguanto seguir siendo prefecto, cómo tratan allá a los pobres campesinos, a los que no tienen nada, cómo los aplastan, y mi mujer ha muerto, que su tía cuide de los niños, voy a dimitir y me instalaré aquí, por favor, madre, no pretendas impe-dírmelo, llevo años pensando en retirarme a este rincón tran-quilo

—Vámonos, abuela, ya hace demasiado calor.

vivir solo y escribir la verdad». No, no te lo permito,

—Espere un poco, Metin bey...

no puedes vivir aquí, vete a enfrentarte a la vida, Recep, no le pongas la comida, ya es lo bastante mayor como para ir a ga-narse el pan, «por favor, madre, no me hagas esto, no me con-viertas a mis años

—Ya podía alguien limpiar las lápidas.

en el hazmerreír de todo el mundo». ¡Callaos, sinvergüenzas! ¿Es que no puedo estar un rato a solas con vuestro padre? Yo también veo la porquería de los animales. ¿Por qué tenía que acabar así? Pero se lo dije: ¿bebes, hijo?, le pregunté y te callaste, hijo, ¿por qué? Aún eres joven, podemos casarte otra vez, bueno, ¿y qué vas a hacer aquí de la mañana a la tarde, en este lugar solitario? Te callas, ¿no? ¡Ay, Dios mío, lo sé! Vas a quedarte sentado y a empezar a escribir cosas absurdas como tu padre, te callas, así es, ¿no? ¡Ay, hijo! ¿Cómo puedo meterte en la cabeza que tú no eres responsable de todas las culpas y todos los pecados? Solo soy una pobre mujer ignorante, mira, ahora no tengo a nadie, se burlan de mí, si supieras la vida tan miserable que llevo, hijo mío, lo desgraciada que soy, cómo lloro, aprieto el pañuelo y me incliné,

—Basta, abuela, basta, no llore más. Ya volveremos...

Dios mío, qué desgraciada soy, quieren llevarme de aquí: dejadme sola con mi hijo y mi difunto marido, quiero quedarme sola con ellos, acostarme sobre sus tumbas, pero no me acosté, no, Fatma, mira, tus nietos sienten pena por ti, ya han visto qué desgraciada y qué pobrecilla soy, tienen razón, además, con este calor... así que rezo una última oración pero cuando veo que ese feo enano me mira insolente como un tonto de feria, ¿es que no pueden dejarla tranquila a una ni por un instante? El diablo está en todas partes, nos observa como si nos hubiera tendido una emboscada detrás de ese muro para que nos enfademos unos con otros, bueno una última

—Abuela, mire, no se encuentra bien, vámonos.

oración y al abrir las manos me dejan y también ellos las abren, rezamos por última vez, rezamos, pasan los coches, qué calor hace, menos mal que no me he puesto la rebeca, la dejé en el armario en el último momento, creo que lo cerré

con llave, Dios nos guarde, ojalá no haya entrado un ladrón
en la casa vacía, hay que ver cómo se le va a una la cabeza,
perdona, amén, ya

—Apóyese en mí, abuela.

nos vamos, adiós, ¡ah!, claro, también estás tú, es que no le
dejan a una ni pensar,

GÜL DARVİNOĞLU

1922-1964

UNA ORACIÓN POR SU ALMA

pero me llevan de aquí, de hecho tampoco estoy como para
seguir de pie con este calor y rezar una vez más, cuenta que
he rezado por ti mientras ellos lo hacen, pequeña, pálida e incolora muchacha, le gustaste a mi Doğan, te trajo y te hizo
besarme la mano, luego, por la tarde, entró silencioso en mi
habitación, «¿cómo estás, madre?». «¿Qué quieres que te
diga, hijo?» Esta muchacha pálida y delgada, te dije, comprendí enseguida que no vivirías mucho pero te bastó para
tener tres hijos, te agotaste, pobrecilla, comías un ladito del
plato, como un gato, un par de bocados, ¿te pongo una cu-
charada más, hija?, te preguntaba y sus ojos se abrían con
desesperación: una pequeña nuera incolora a la que le da miedo la comida, pero ¿qué pecados vas a haber cometido para
tener necesidad de mis oraciones? No saben comer como es
debido, no saben aferrarse a la vida, solo saben morir derra-
mando lágrimas por el dolor de los demás, pobrecillos, mirad, me voy porque me han cogido del brazo y

—¿Se encuentra bien, abuela?

gracias a Dios que ya volvemos a casa.

VIII

Justo en el momento en que se marchaban, su abuela quiso
rezar una vez más y en esa oración solo Nilgün abrió las manos hacia Dios con ella, solo Nilgün, sí: Faruk se secaba el sudor con un pañuelo grande como una sábana, el tío Recep
sostenía a la señora y Metin, con las manos metidas en los
bolsillos de atrás de sus vaqueros, ni siquiera se molestaba en
aparentar que rezaba. Luego terminaron a toda prisa aquella
oración a medias y la abuela volvió a bambolearse a izquierda
y derecha, la cogieron de los brazos y se la llevaron de allí.
Cuando me dieron la espalda pude sacar la cabeza de detrás
del muro y los setos y observarles con toda tranquilidad. Un
espectáculo realmente cómico: por un lado sostenía a la abuela aquel gigante gordo llamado Faruk y por el otro el enano
que se supone que es mi tío y ella, con ese extraño y horrible
abrigo tan parecido a un *charşaf* negro, parecía una marioneta terrible a la que le viniera grande la ropa, realmente cómico, sí. No obstante, no me reí y sentí un escalofrío quizá porque estábamos en el cementerio, Nilgün, y entonces miré ese
pañuelo que tan bien le sienta a tu cabeza y a ti y luego miré
tus delgadas piernas. ¡Qué extraño! Te has convertido en
toda una preciosidad pero sigues teniendo las piernas delgadas como palillos.

Una vez que subisteis al coche y os fuisteis, salí de donde
me escondía para que no malinterpretarais mi presencia allí y

fui a echar un vistazo a aquellas silenciosas tumbas: ese es vuestro abuelo, esa vuestra madre y ese vuestro padre, yo solo he conocido a vuestro padre, aún me acuerdo: mientras nosotros jugábamos en el jardín, a veces alargaba la cabeza por entre las contraventanas de su habitación y nos veía juntos pero no os reñía porque jugarais conmigo. Le recé una oración y luego permanecí allí un rato sin hacer nada, solo cociéndome al sol y escuchando las cigarras, y pensé en cosas extrañas, pensamientos extraños y misteriosos, sentí un escalofrío, me noté confuso, como si hubiera fumado un cigarrillo. Después salí del cementerio, me voy, regreso al libro de matemáticas que dejé abierto sobre mi mesa. Porque hace una hora yo estaba sentado a esa mesa, en un momento en que miraba por la ventana vosotros subíais la cuesta en el Anadol blanco y como vuestra abuela os acompañaba comprendí adónde ibais y entonces, al pensar en el cementerio y los muertos, de nuevo me resultó imposible que me entraran en la cabeza esas irritantes y estúpidas matemáticas, así que, ¿por qué no?, me dije, voy a echarle un vistazo a esta gente, me sentiría más tranquilo después de ver lo que hacíais en el cementerio, luego ya volveré a estudiar. Para que mi madre no se entristeciera por aquella nadería, salí por la ventana, vine corriendo y os vi, y ahora por fin regreso al libro de matemáticas que dejé abierto.

Se acabó el camino polvoriento y comenzó el asfalto. Los coches pasaban a mi lado, les hice señas un par de veces para que me llevaran, pero los que conducen coches así no tienen conciencia: pasaban cuesta abajo a toda velocidad sin ni siquiera verme. Luego llegué a casa de Tahsin. Mientras su madre y él recogen cerezas en la parte de atrás, su padre está sentado en un chamizo vendiéndolas y aparenta no verme. Como no soy uno de esos que conducen un coche de lujo a cien por hora, pegan un frenazo y en un momento le compran cinco kilos de cerezas por ochenta liras, ni siquiera se molesta en levantar la cabeza para mirarme. En fin, iba a decir que soy el único que queda que aún piensa en otras cosas aparte del dinero, pero me alegró ver el camión de la basura de Halil. Bajaba, le hice una señal con la mano y se detuvo. Me monté.

—¿Qué hace tu padre? —me preguntó.

—¿Qué va a hacer? ¡Sigue con la lotería!

—¿Adónde va?

—Por las mañanas trabaja en el tren.

—¿Y tú?

—Yo todavía estoy estudiando —le respondí—. ¿Cuántos kilómetros hace este camión?

—¡Ochenta! ¿Y qué haces por aquí?

—Estoy un poco cabreado. He salido un rato.

—Si a tu edad ya empiezas a estar cabreado...

Nos reímos. Frenó enfrente de casa.

—No. Me bajaré en el barrio de abajo.

—¿Y qué hay allí?

—Tengo un amigo. Tú no lo conoces. .

Miré la ventana abierta de mi habitación al pasar por delante de la casa. Regresaré antes de que mi padre vuelva a mediodía. Me bajé del camión en cuanto llegamos al barrio de abajo y eché a andar con rapidez para que Halil no pensara que era un vago sin nada que hacer. Bajé hasta el espolón, me senté un rato porque estaba bañado en sudor y contemplé el mar. Una motora llegó a toda velocidad, dejó en uno de los muelles a una muchacha y se fue. Al mirar a aquella muchacha pensé en ti, Nilgün. Volví a ver ante mis ojos cómo abrías las manos hacia Dios: resultaba extraño. Era como si hablaras directamente con Él. Está escrito en el Libro: los ángeles existen. Luego pensé que también existe el diablo. Y otros seres. Pensaba en todo aquello como si quisiera tener miedo; voy a tener miedo, voy a sentir escalofríos y sentimientos de culpa y así volveré a casa subiendo la cuesta a la carrera y me sentaré a estudiar matemáticas. Pero si, total, me voy a sentar a estudiar dentro de un rato. Ahora voy a pasear un poco. Eché a andar.

Volví a pensar en la culpa, el pecado y el demonio al llegar a la playa, oír aquel alboroto entontecedor y ver toda aquella carne apilada. Un montón de carne que se mueve de manera incesante. De vez en cuando se eleva lentamente entre el montón una pelota de vivos colores pero luego cae y se pierde entre los cuerpos; como si quisiera deshacerse de toda aquella maldad y todo aquel pecado pero las mujeres no se lo permitieran. Seguí mirando a la multitud y a las mujeres por entre la tela metálica cubierta de enredaderas. Qué cosa tan rara: a veces me apetece hacer algo malo, me da vergüenza reconocerlo, hacerles daño y que se den cuenta de que existo. Así les castigaría, nadie seguiría las tentaciones del diablo y quizá yo fuera entonces al único al que temieran. Nosotros en el poder y ellos en el buen camino, o un sentimiento parecido. Después me dio vergüenza, me había dejado llevar demasiado por la imaginación y para olvidar la vergüenza pensé en ti, Nilgün. Tú eres inocente. Me estaba diciendo que miraría a aquella multitud fascinante un poco más y volvería a las matemáticas cuando,

—¿Qué haces aquí plantado? —me dijo el tipo que vigilaba la playa.

—¿Está prohibido?

—¡Si quieres pasar, compra ahí la entrada! Si es que tienes bañador y dinero, claro...

—De acuerdo. No hace falta ponerse así. Ya me voy.

Me fui. Si tienes dinero, si tienes dinero, cuánto vale: eso es lo que rezan en lugar de la *Fatiha*. Sois tan repugnantes que a veces me siento completamente solo: la mitad una vergüenza y la otra mitad unos cretinos. Uno siente miedo de esa masa cuando lo piensa pero, gracias a Dios, existen nuestros muchachos, cuando estoy con ellos no confundo las cosas; en esos momentos sé lo que está mal, lo que es pecado, lo que está permitido y lo que no y no siento miedo: entiendo mucho mejor lo que se debe hacer. Luego me vino a la cabeza cómo se burlaban de mí nuestros muchachos ayer por la tarde en el café llamándome chacal, chacal, y me enfadé. No importa. Puedo hacer yo solo todo lo que tenga que hacerse, señores, y caminaré yo solo por ese camino, porque sé. Tuve fe y confianza en mí mismo.

Andando, andando, llegué a vuestra casa, Nilgün, no me había dado cuenta pero lo comprendí al ver el viejo muro cubierto de musgo. La puerta del jardín estaba cerrada, así que fui a sentarme bajo el castaño del otro lado del camino, observé las ventanas y los muros de vuestra casa, tenía curiosidad por lo que pudieras estar haciendo ahí dentro. Quizá estés comiendo, quizá todavía sigas cubierta con el pañuelo, quizá te hayas acostado a dormir la siesta. Cogí un palito y dibujé absorto tu cara en el montón de arena que había junto al asfalto. Tu cara es más hermosa mientras duermes. Al mirar esa cara olvido la culpa, el odio y las espinillas de pecado y maldad en las que creo estar hundido hasta el cuello y pienso en qué pecado he podido cometer, yo no soy uno de ellos, soy como tú, lo creo. Luego pensé: si entro a escondidas en el jardín sin que me vea el enano, trepo al muro por el árbol y apoyándome en los salientes y entro en tu habitación por la ventana como un gato y te beso la mejilla de refilón: ¿quién eres? ¿No te acuerdas de mí? Jugábamos al escondite de pequeños, te quiero, ¡te quiero mucho más que todos los señoritos empingorotados que puedas conocer! De repente me enfadé: destruí con el pie tu cara sobre la arena y justo me levantaba y me iba harto de aquellos absurdos sueños cuando vi que Nilgün había salido de la casa y venía hacia la puerta del jardín.

Esta gente todo lo malinterpreta, siempre imaginan lo peor. Al momento me alejé un poco y di la espalda a la puerta. Me volví después de oírte: habías salido por la puerta del jardín y te ibas, ¿adónde? Sentí curiosidad y te seguí.

Tiene un extraño balanceo al caminar: como un hombre. ¿Y si echo a correr y te toco el hombro? ¿No me conoces, Nilgün? Soy Hasan, de niños, Metin también estaba, jugábamos en vuestro jardín y luego íbamos a pescar.

No dobló al llegar a la esquina, siguió andando. ¿Vas a la playa? ¿Tú también vas a mezclarte con ellos? Me enfadé pero no dejé de seguirte. Piernas de palillo, y vas muy rápido. ¿A qué tanta prisa? ¿O es que hay alguien que te espera?

No se detuvo en la playa, se desvió y empezó a subir la cuesta. Ya supongo quién es el que la espera. Quizá te subas a su coche, quizá también tenga una motora. Te sigo solo porque tengo curiosidad por ver cuál de ellos es, porque sé que no es en absoluto distinto a los demás.

De repente entró en la tienda de ultramarinos y desapareció. Delante de la tienda había un niño vendiendo helados. Conozco a los pequeñajos, así que esperé a cierta distancia para que no pensara nada extraño. No me gusta que me tomen por criado de los ricos.

Nilgün salió poco después y en lugar de seguir hacia delante, se volvió y avanzó por donde había venido, en mi dirección. Al momento le di la espalda y me ato los cordones de las zapatillas. Se acercó con un paquete en la mano, se acercó más, me miró y sentí vergüenza.

—¡Hola! —le dije poniéndome en pie.

—¡Hola, Hasan! —me contestó—. ¿Cómo estás? —Se calló por un momento—. Ayer te vimos en la carretera mientras veníamos, mi hermano mayor te reconoció. Has crecido, has cambiado mucho. ¿A qué te dedicas? —Se calló por un momento—. Seguís viviendo allí arriba, nos lo ha dicho tu tío, y que tu padre todavía vende lotería. —Se calló un poco más—. Bueno, ¿y qué haces tú? Dime, ¿a qué curso has pasado?

—¿Yo? —pregunté, y por fin pude decir—: Este año repito.

—¿Qué?

—¿Vas a bañarte, Nilgün?

—No. Vengo de la tienda. Llevamos a la abuela al cementerio y no se encuentra bien, probablemente por el calor. He ido a comprar colonia para que se refresque.

—Así que no vas a esa playa.

—Allí hay demasiada gente. Iré por la mañana temprano, cuando no haya nadie.

Guardamos silencio un rato. Luego sonrió y yo sonreí y pensé que tu cara era muy distinta a como había creído viéndola de lejos. Sudo como un imbécil. Es por el calor, dice. Me callo. Dio un paso.

—Bueno, saluda a tu padre, ¿de acuerdo?

Me alargó la mano y se la estreché. Una mano suave y ligera. Me avergoncé de la mía, que estaba sudorosa.

—¡Adiós! —le dije.

Se fue. No la miré marcharse. Eché a andar muy pensativo directamente hacia algún sitio como la gente que tiene asuntos muy importantes que resolver.

IX

Después de regresar del cementerio la abuela almorzó abajo con nosotros, pero luego se sintió enferma. Nada importante, de todas formas. Nos estábamos riendo Nilgün y yo y de repente nos miró de mala manera y la cabeza le cayó sobre el pecho. La cogimos del brazo, la subimos, la acostamos y le frotamos las muñecas y las sienes con la colonia que había traído Nilgün. Luego yo me fui a mi dormitorio y allí me fumé mi primer cigarrillo de después de comer. Tras asegurarme de que la abuela no tenía nada serio me monté en el Anadol, que se cocía al sol, y me puse en camino. No fui por la carretera principal, sino por el camino de Darica. Esta carretera la han asfaltado con muchísimo cuidado. Aún siguen en su sitio algunos cerezos y algunas higueras. Cuando éramos niños veníamos por aquí con Recep a pasear o, según él, a cazar cornejas. Más abajo debe de estar lo que yo creía que era un caravasar. En lo alto de las colinas se han construido nuevos barrios y aún se siguen construyendo. En Darica no vi nada nuevo: ¡la estatua de Atatürk tiene diez años!

En Gebze subí directamente a ver al prefecto de la comarca. Había cambiado. Dos años antes, tras la misma mesa se sentaba un hombre cansado de la vida; ahora, en cambio, era un joven que manoteaba sin cesar. Ni siquiera tuve la necesidad de sacar de mi maletín mi tesis de adjunto, publicada por la facultad, tal y como había planeado de antemano para impresionarle, ni de comentarle que ya antes había entrado en el archivo y que mi difunto padre también había sido prefecto. Me hizo seguir a un hombre al que llamó. Juntos buscamos a Riza, al que yo conocía de mis visitas anteriores, pero no lo encontramos, había ido al dispensario. Decidí pasear un rato por el mercado hasta que volviera.

Salí al mercado cruzando el estrecho pasaje sobre el que colgaban las ramas de los terebintos. Primero caminé hacia abajo. No había nadie por la calle. Un perro paseaba sin objeto por el asfalto, en la herrería un hombre hurgaba en una bombona de butano. Di media vuelta sin mirar el escaparate de la papelería y anduve refugiándome en las estrechas sombras de los toldos de las tiendas hasta ver la mezquita. Luego volví atrás, fui hasta el plátano de la pequeña plaza y me senté bajo él, me tomé un té para que se me fuera el sueño, intenté olvidar el calor escuchando la radio del café, aunque sin prestarle demasiada atención, y me sentí feliz de que nadie se interesara por mí.

Cuando regresé a la prefectura, Riza había vuelto, me reconoció y se alegró de verme. Yo tenía que escribir una instancia mientras él encontraba las llaves. Bajamos juntos. Abrió la puerta y enseguida recordé el olor a moho, polvo y humedad. Charlamos un rato mientras le quitábamos el polvo a la vieja mesa y a la silla. Entonces Riza se fue y me dejó solo.

En el archivo de Gebze no hay demasiado. Todo lo que hay es lo que queda de cuando la ciudad estuvo gobernada por un cadí durante un breve período, poco conocido y que no interesa a casi nadie. Además, la mayor parte de los documentos de aquella época fueron enviados a İzmit, o como la llamaban entonces İznikmit. Aquí siguen, revueltos y apilados en sus cajas, olvidados, firmanes, títulos de propiedad, registros judiciales y cuadernos. Hace treinta años un profesor de historia de instituto amante de su profesión y ardiente partidario de aquel nacionalismo burocrático tan propio de los primeros años de la República intentó ordenarlo pero se hartó. Hace dos años me propuse continuar el trabajo que él había abandonado a la mitad, pero me aburrí a la semana. Para ser archivero hace falta mucha más humildad de la que se necesita para ser historiador. Hoy día, en cuanto se ha leído un poco, resulta difícil que alguien se preste a ser tan humilde. Nuestro profesor de instituto no era así; enseguida se dejó llevar por la pasión de evaluar en un libro las horas que había pasado en el archivo. Recuerdo haber leído divertido el librillo de nuestro profesor, en el que hablaba de su propia vida, de sus conocidos en Gebze, además de los edificios históricos y los personajes famosos de la ciudad, mientras bebía cerveza en los días en que Selma y yo discutíamos. Luego les mencioné el libro a algunos compañeros de la facultad y todos me dieron la misma respuesta: no, es imposible que esos documentos existan en Gebze. Yo me callé y ellos me probaron incluso que en Gebze no podía haber un archivo.

Me resulta más agradable trabajar en un lugar en cuya existencia no creen los especialistas que con mis envidiosos compañeros en el Archivo de la Presidencia. Barajo con placer, oliéndolos, trozos de papel maltratados con manchas amarillas, moho y arrugas. Al leerlos me da la impresión de ver a las personas que los escribieron, a los que los mandaron escribir y cuyas vidas están enlazadas por un extremo a lo que está escrito. Quizá haya venido al archivo no para seguir el rastro de la peste que me pareció haber visto el año pasado, sino por ese simple placer. Las pilas de pálidos papeles comienzan lentamente a despejarse según van siendo leídos. De la misma manera que tras un largo viaje en barco se levanta la niebla que te ha deprimido durante toda la travesía y se distingue de repente una franja de tierra de la que te dejan admirado cada árbol, cada piedra y cada pájaro, así van tomando forma repentinamente en mi cabeza millones de vidas e historias que se entrecruzan en aquellos papeles que son cada vez más claros al ser leídos. Entonces me siento feliz y decido que la historia es esa cosa multicolor y llena de vida que toma cuerpo en mi mente. Si me preguntaran qué es lo que siento, no sabría explicarlo. De hecho, la impresión desaparece poco después dejando tras de sí un regusto extraño. Entonces me da miedo dejarme llevar por la desesperación y querría volver a pensar aquella cosa tan pasajera. Intento descubrirla de nuevo fumándome un cigarrillo, pero, maldita sea, está prohibido fumar en estos lugares.

Mientras examinaba un registro de un juzgado pensé en que quizá podía capturar aquel sentimiento poniendo por escrito lo que había leído. Comencé a escribir en el cuaderno que saqué del maletín. Un tal Celâl declara que Mehmet le ha insultado. ¡Le había llamado «alcahuete granuja»! Este lo había negado ante el cadí, pero Celâl tenía a unos testigos llamados Hasan y Kasim que aseguraban que sí le había insultado, así que el cadí llamó a Mehmet a declarar bajo juramento y entonces Mehmet no pudo negarlo. La fecha había desaparecido y no pude transcribirla. Luego leí y tomé nota de que un tal Hamza había designado como albacea a Abdi. Después, que se había detenido a un esclavo de origen ruso llamado Dimitri. Su propietario era un tal Veli bey, de Tuzla, y se había decretado la devolución de Dimitri. También leí las desgracias que le habían ocurrido al pastor Yusuf, encarcelado por una cabeza de ganado vacuno que había desaparecido. Declaraba no haberla vendido ni sacrificado. Perdió. Por fin salió de la cárcel, cuando su hermano Ramazan se presentó como su garante. Luego leí un firmán. Por alguna extraña razón ordenaba que algunos barcos cargados de trigo fueran directamente a Estambul sin atracar en los muelles de Gebze, Tuzla ni Eskihisar. Un tal İbrahim había dicho: «Si no voy a Estambul, repudiaré a mi mujer con las tres fórmulas de rigor». Su mujer, Fatma, insistía en que podía considerarse divorciada ya que él no había ido a Estambul. İbrahim declaraba que no había ido pero que tenía la intención de hacerlo y que en su juramento no había dado un plazo. Después intenté calcular el tamaño de algunas fincas de mano muerta entregadas al superintendente según el número de ásperos del registro pero no pude llegar a ninguna conclusión definitiva. Entonces pasé a mi cuaderno los beneficios anuales de un montón de molinos, huertas, jardines y olivares. Mientras lo pasaba creí tener la impresión de que veía las tierras, pero probablemente me engañaba a mí mismo. Después leí varios escritos relativos a robos, decidí que no sentiría nada y salí.

Mientras fumaba un cigarrillo en el corredor pensé que en lugar de seguir el rastro de la peste que encontré por casualidad en los documentos del año pasado, podía buscar también cualquier otra historia. Me pregunté cómo tendría que ser aquella historia. Pero la pregunta era agobiante y quise pensar en otra cosa porque la historia es algo distinto a las historias. Tiene que haber algo más, aparte de las notas a pie de página, que diferencie a un buen libro de historia de un buen libro de cuentos o una novela. ¿Qué más?

Por la ventana al fondo del pasillo se ve el muro de una casa construida detrás del edificio de la prefectura. Un camión se ha detenido ante ese muro, que provoca que uno sienta curiosidad por saber lo que pueda haber tras él, veo las ruedas de atrás. Acabé el cigarrillo, lo apagué en la arena del rojo cubo contra incendios y volví a entrar al archivo.

Leí que un tal Ethem había denunciado a Kasim: Kasim había entrado en casa de Ethem mientras él estaba ausente y había hablado con su familia. Kasim no desmentía el hecho pero afirmaba que había ido a la casa para comer tortas, había pedido un poco de manteca y se había ido. La causa judicial de otra pareja consistía en que uno le había tirado de las barbas al otro. Luego escribí los nombres de las aldeas de Gebze que se les habían cedido a Cafer y a Ahmet en concepto de recompensa por sus heroicidades en la guerra. Después leí las quejas de los habitantes de un barrio porque dos mujeres, llamadas Kevser y Kezban, ejercían la prostitución. Los demandantes exigían la expulsión del barrio de las mujeres. Más tarde leí y escribí en el cuaderno la declaración de Ali relativa a que Kevser ya había realizado aquel trabajo con anterioridad. Kalender le debía a un tal Satilmiş veintidós monedas de oro, pero negaba la existencia de la deuda. Una muchacha llamada

Melek declaraba que aunque era libre había sido vendida injustamente por Ramazan a Bahattin bey.

Luego escribí lo siguiente: un muchacho llamado Muharrem había salido de casa para estudiar el Corán pero su padre lo había atrapado con Resul. El padre afirmaba que Resul había pervertido a su hijo. Resul declaraba que Muharrem había acudido a él por propia voluntad, que habían ido juntos al molino y que a la vuelta Muharrem había querido coger unos higos y se había perdido en los huertos. Después de escribir la fecha en mi cuaderno pensé en cómo serían los higos hace aproximadamente cuatrocientos años. Luego leí y transcribí una serie de órdenes relativas a la detención de un soldado de caballería que había comenzado a dedicarse al bandolerismo, sobre el inmediato cierre de las tabernas y el justo castigo a los bebedores de vino, y seguí leyendo y escribiendo: robos, desacuerdos comerciales, bandoleros, bodas y divorcios... ¿Para qué servían todas aquellas historias? Pero en esta ocasión no salí al pasillo a fumar. Pasé a mi cuaderno un montón de cifras y palabras relativas a los precios de la carne intentando olvidar que las historias debían servir para algo. De repente me llamó la atención una investigación sobre un cadáver encontrado en una cantera. Los obreros, presionados durante la investigación, explicaban uno a uno cómo habían pasado aquel día. Por primera vez, decidí que veía aquel día, de fecha 23 de Recep de 1028, tal y como había sido y me sentí feliz y relajado. Leí cuidadosamente varias veces lo que decían los obreros contando con todo detalle lo que habían hecho a lo largo del día. Me apeteció añadir un cigarrillo a aquel placer pero me contuve y escribí tal cual en mi cuaderno lo que leía. Me llevó largo rato, pero cuando terminé no había nada que objetar a mi felicidad. El sol estaba bajo y se reflejaba suavemente en un lado de la ventana del sótano. Me siento inclinado a pasar toda mi vida en este sótano. Si alguien me dejara cada día delante de la puerta tres comidas, un paquete de tabaco y algo de *rakı* por las tardes. Hoy no he podido verlo del todo claro, pero al menos me ha parecido intuir su existencia: hay bastantes historias tras esos trozos de papel como para pasar toda una vida y estas historias me mostrarán la franja de tierra tras la niebla. Pensando en todo aquello confié más en mí mismo y en el trabajo que hacía. Luego, como un buen estudiante, conté cuántas páginas de mi cuaderno había escrito: ¡nueve justas! Decidí que me había ganado volver a casa y sentarme a tomar una copa, así que me levanté y me fui.

X

Estaba a punto de lanzarme al agua mientras Ceylan y su panda seguían sentados en el muelle, pero, maldita sea, otra vez estoy atento a lo que dicen.

—¿Qué vamos a hacer esta noche? —preguntó Gülnur.

—Hagamos algo distinto —propuso Fafa.

—¡Sí! Vamos a Suadiye.

—¿Y qué hay allí? —preguntó Turgay.

—¡Música! —gritó Gülnur.

—También aquí hay música.

—Bueno, entonces di tú lo que hacemos.

De improviso me lancé al agua y, mientras nadaba con rapidez, pensaba que el año próximo por estas fechas estaré en América, pensé en mis pobres padres en sus tumbas, soñé con las calles libres de Nueva York, con los negros que tocarán jazz para mí en las esquinas, con los largos e infinitos corredores del metro y sus interminables laberintos subterráneos donde nadie se interesa por nadie y me sentí aliviado, pero luego me irrité al recordar que el año que viene no podré estar allí si no consigo dinero por culpa de mis hermanos y, no, ahora pienso en ti, Ceylan: en tu forma de sentarte en el muelle, de estirar las piernas, en que te quiero y en cómo conseguiré que me quieras.

Poco después saqué la cabeza del agua y miré hacia atrás. Me había alejado demasiado de tierra y me poseyó un extra-

ño temor: ellos están allí y yo en el interior de un líquido salado, con algas, terrible, sin principio ni fin. De pronto me dejé
llevar por la inquietud, nadé a toda velocidad, como si me
persiguiera un tiburón, salí del agua y fui a sentarme junto a
Ceylan. Hablé por decir algo.

—¡Qué buena está el agua!

—Pues has salido enseguida —me contestó ella.

Me volví a escuchar a Fikret, que estaba contando algo.
Fikret cuenta alguno de los problemas que les suceden a
aquellos que tienen personalidad: cómo su padre este invierno sufrió un repentino ataque al corazón y cómo se vio obligado a ponerse al frente de las empresas, sí, solo con dieciocho años, hasta que su hermano volvió de Alemania, cómo
dirigió todas aquellas empresas y a todos aquellos hombres y
tal. Luego, cuando dijo que su padre podía morirse en cualquier momento, para demostrar que dentro de poco se convertiría en alguien mucho más importante, yo dije que mis
padres habían muerto hacía mucho tiempo y que esa mañana
habíamos ido a visitar sus tumbas.

—¡Por Dios, muchachos! —nos interrumpió Ceylan—.
Me estáis deprimiendo. —Y se levantó y echó a andar.

—¡Vamos a hacer algo!

—Sí. Vamos a algún sitio.

Fafa levantó la cabeza de la revista que sostenía en las manos.

—¿Adónde?

—¡A algún sitio divertido! —respondió Gülnur.

—¡A la parte de Hisar! —propuso Zeynep.

—Ya fuimos ayer —replicó Vedat.

—Vamos a pescar, entonces —propuso Ceylan.

Turan intentaba abrir la tapa de un bote de crema.

—A esta hora no es posible.

—¿Y por qué no?

—Vamos a Tuzla.

—Hace demasiado calor—contestó Fikret.

—¡Voy a volverme loca! —protestó Ceylan, furiosa y
desesperada.

—¡No hay quien haga nada con vosotros! —añadió Gülnur.

—¿Y, entonces, no vamos a ningún lado? —preguntó Ceylan.

Nadie le respondió. Después de un largo silencio la tapa del bote de crema que Turan tenía en la mano cayó al suelo, fue rodando como una canica hasta los pies de Ceylan y por fin se volcó.

Ceylan le dio una patada y la tapa cayó al mar.

—No era mía, sino de Hülya —dijo Turan.

—Ya le compraré una nueva —le respondió Ceylan y vino a sentarse a mi lado.

Pensé en si quería o no a Ceylan: creía que sí. Pensamientos vacíos y estúpidos en el calor agobiante... Turan se puso en pie, miraba el agua desde donde había caído la tapa.

—¡No! —gritó Ceylan levantándose de un salto—. ¡Tú no la cojas, Turan!

—Bueno, entonces cógela tú.

—¿Yo? ¿Por qué iba a cogerla? ¡Que lo haga Hüseyin!

—No digas tonterías —replicó Turan—. Yo la cogeré.

—Yo lo haré —intervine yo—. Acabo de salir del agua.

Me puse en pie y fui hasta allí.

—Eres un buen chico, Metin —dijo Ceylan—. Un buen chico, con la cabeza en su sitio.

—¡Vamos, cógela! —Turan señalaba con el dedo como si me ordenara.

—No —le respondí de repente—. El agua está fría.

Fafa lanzó una carcajada. Me di media vuelta y me senté en el mismo sitio de antes.

—Hülya —le dijo Turan—, yo te compraré un bote nuevo.

—No, yo se lo compraré —repuso Ceylan.

—Ya se había acabado —respondió Hülya.

—Da igual, te la compraré. ¿Qué crema era? —Mientras esperaba la respuesta, Ceylan añadió como si nos implorara—: Vamos, muchachos, por favor, hagamos algo.

Entonces Mehmet dijo que Mary quería ir a la isla de enfrente y de improviso en todos se despertó aquel complejo de inferioridad, el deseo de satisfacer a la europea y nos apretamos en las motoras. Yo subí a la misma que Ceylan. Luego ella corrió a su casa y volvió con dos botellas en las manos, gritando:

—¡Ginebra!

Cuando otra voz gritó «¡Música!», Cüneyt también echó a correr y trajo de la casa aquella horrible caja con sus altavoces. Luego las motoras saltaron rugiendo a la vez. En un primer momento levantaron las proas en el aire y Sema estuvo a punto de caerse, luego las proas descendieron al acelerar las motoras y medio minuto después estábamos en mar abierto y mientras yo pensaba: son ricos, pensaba, y no les importa lo más mínimo si algo se les rompe, se raya o envejece, son ricos, sus motoras hacen cuarenta nudos y yo tengo un miedo sucio, un miedo que me corroe brazos y piernas, Ceylan te quiero. Pero no tengas miedo, Metin, no tengas miedo, pensé, tú eres inteligente. Creo en la fuerza de la inteligencia, sí, creía en ella.

Las motoras se acercaron a la isla como si quisieran chocar con las rocas, luego se detuvieron de repente al frenar y dar media vuelta. Solo se veía la punta del faro del otro lado de la isla. De alguna parte surgió un perro, luego otro negro y otro gris. Bajaron corriendo a la orilla y se lanzaron a las rocas: nos ladraron furiosos. La botella de ginebra pasaba de mano en mano, y sin nada para acompañarla. Me la dieron y bebí a morro ansioso, pero como quien toma un veneno. Los perros seguían ladrando.

—¡Están rabiosos! —dijo Gülnur.

—Acelera, Fikret, a ver qué hacen —propuso Ceylan.

Al acelerar Fikret se entabló una loca carrera entre las motoras y los perros alrededor de la isla. Los de las lanchas excitaban a los perros gritando y cantando, se entusiasmaban según se iban excitando los animales, chillaban, aullaban, gritaban y yo pensé que eran todos subnormales, pero, maldita sea, encontraba aquel alboroto más divertido que la calmosa y muerta casa de mi tía, más rico y vivo que las pequeñas y polvorientas habitaciones con su radio cubierta con un tapete de ganchillo.

—¡Música! ¡Poned la música todo lo alta que se pueda y a ver qué hacen!

Dimos dos vueltas más alrededor de la isla con la música a toda potencia. A la tercera me fijé por un momento en la estela espumosa que dejaba la motora y me asusté de repente: de improviso, la alegre cabeza de Ceylan apareció sobre el agua espumosa, en un lugar bastante alejado de nosotros. Me arrojé al agua sin pensar, como quien se lanza a un sueño terrible.

En cuanto salté me arrastró un sentimiento extraño y horrible: como si Ceylan y yo fuéramos a morir aquí y los de las motoras no se dieran cuenta. O un tiburón nos devoraría, o una de las motoras nos aplastaría, no podrían oírnos a causa de aquel increíble alboroto, ¡o aquellos perros que parecían lobos hambrientos...! ¡Maldita sea! No podía pensar en Ceylan. Poco después, al sacar la cabeza del agua y mirar, me quedé sorprendido. Una de las motoras se había detenido, se había acercado a Ceylan y la estaba subiendo. Después de sacar del agua a Ceylan vinieron a recogerme a mí también.

—¿Quién te ha empujado? —me preguntó Fikret.

—No le ha empujado nadie —contestó Gülnur—. Ha saltado él solo.

—¿Que has saltado? ¿Y por qué?

—¿Y a mí quién me empujó, pues? —intervino Ceylan.

Intento subir a la motora agarrándome al remo que me alarga Turgay pero justo cuando iba a conseguirlo, Turgay soltó el remo y volví a caer al agua. Al sacar la cabeza del agua noté sorprendido que nadie se preocupaba por mí. Se reían entre ellos, divertidos. Quise unirme a ellos para librarme lo antes posible de aquella extraña pesadilla de soledad. Mientras intentaba subir a la motora agarrándome a su cuerpo de fibra de vidrio con dedos y uñas, seguía prestándoles atención.

—Estoy aburrida.

—Mira, Ceylan, Metin saltó al agua por ti.

—¿Dónde están los perros? —preguntó ella.

Por fin pude subir al bote, estaba sin aliento.

—Malditos seáis. Ninguno de vosotros sabe lo que es divertirse.

—¡Te vamos a echar a los perros!

—Si tú lo sabes, enséñanos —contestó Turgay.

—¡Estúpidos! —gritó Gülnur.

Uno de los perros, que aún les seguía, se subió a la punta de la roca más próxima y aulló.

—¡Loco! —Ceylan miraba el perro de brillantes dientes, blancos y agudos, como hechizada—. Acércate un poco más a ese animal, Fikret.

—¿Para qué?

—Porque sí.

—¿Qué quieres ver? —Fikret condujo lentamente la motora hacia el perro.

—¿Qué es lo que pretendes del animal? —preguntó Turgay.

—¿Es macho o hembra? —dijo Fikret apagando el motor.

—¡Mala señal! —gritó Ceylan de forma extraña...

De repente quise abrazarla pero me contenté con mirarla y pensé en lo que tendría que hacer para que me quisiera. Tenía la mente absolutamente confusa. Me habría gustado saltar y brincar en el bote, gritar y chillar, me atravesaban extraños sentimientos, a pesar de que a cada momento me iba convenciendo de que era un tipo vulgar, mi propio valor iba creciendo ante mis ojos gracias a que me poseía ese sentimiento que supuestamente ensalzan libros y canciones con palabras estúpidas, pero era un orgullo bobo y absurdo como el de un niño el día de su circuncisión; me daba cuenta de que al dejarme arrastrar por aquel orgullo me convertía simple y llanamente en uno más y eso me gustaba, pero como tenía miedo de que mis pensamientos me avergonzaran, quise olvidarme de mí mismo, y luego quise atraer toda la atención sobre mí, pero me di cuenta de que era más pobre que ellos y no encontré ni la excusa ni el valor suficiente como para hacer nada. Me sentía como si tuviera los brazos y las piernas atados y me hubieran puesto una estrecha camisa de pobreza que me sofocaba: ¡yo te rasgaré con mi inteligencia! Brincaban, gritaban, en la proa de la otra motora luchaban dos que querían tirarse al agua. Luego la lancha se acercó a nosotros y comenzaron a echarnos cubos de agua. Nosotros también les echamos a ellos. Pelearon un poco con los remos a modo de espadas. Hubo quien cayó al agua. Las botellas de ginebra se vaciaron. Fikret cogió una y se la arrojó al perro. La botella se destrozó en las rocas.

—¿Qué pasa? —gritó Ceylan.

—Ya basta, ya está bien, regresamos —dijo Fikret.

Puso en marcha la motora sin recoger a los que habían caído al mar. La otra lancha nos alcanzó después de recogerlos. Nos echaron encima otro cubo de agua.

—¡Carrera! ¡Corred, bestias, animales, vamos, corred!

Las dos motoras se pusieron lado a lado y, después de avanzar un rato a la misma velocidad, saltaron a un grito de Gülnur. Enseguida comprendimos que los otros nos pasarían, pero Fikret, maldiciendo, nos llamó a todos a la proa para que pudiéramos ir más rápido. Poco después los otros nos pasaron y celebraron su victoria dando saltos. Ceylan, enfadada, hizo una pelota con su toalla mojada y se la tiró con rabia pero la toalla cayó al agua. Dimos media vuelta de inmediato y conseguimos alcanzarla antes de que se hundiera, pero como nadie alargó el brazo para cogerla, la motora pasó lentamente sobre la toalla, como una plancha, y la hundió del todo. Se gritaron. Luego persiguieron al transbordador que iba de Darica a Yalova, lo alcanzaron y dieron dos vueltas alrededor de él gritando. Después se dedicaron a un juego al que llamaban el topetazo: las motoras se acercaban, colgaban por la borda flotadores de plástico y toallas y se daban topetazos de lado como los coches de choque. Luego las motoras, sin frenar lo más mínimo, se introdujeron entre las cabezas de los que nadaban en la playa. Mientras observaba las atemorizadas cabezas que intentaban escapar dando gritos entre las lanchas, susurré:

—¿Y si hay un accidente?

—¿Qué eres tú, un profesor? —gritó Fafa—. ¿Un profesor de instituto?

—¿Es profesor? —preguntó Gülnur.

—¡Odio a los profesores! —afirmó Fafa.

—¡Yo también! —añadió Cüneyt.

—Es que no ha bebido —explicó Turan—. Está jugando a ser un tipo serio.

—Sí que he bebido —le contesté—. Más que tú.

—No todo consiste en aprenderse la tabla de multiplicar.

Miré a Ceylan pero no nos escuchaba, así que no le di mayor importancia al comentario.

Las motoras regresaron después de pasear un rato más, nos acercamos al embarcadero de la casa de Ceylan y atracamos. Mientras las lanchas se vaciaban vi en el embarcadero a una mujer de unos cuarenta y cinco años vestida con un albornoz: era su madre.

—Muchachos, estáis empapados —dijo—. ¿De dónde venís así? ¿Dónde está tu toalla, cariño?

—La he perdido, mamá —contestó Ceylan.

—Bueno, pero vas a enfriarte.

Ceylan hizo un gesto sin sentido y luego:

—¡Ah, mamá! Este es Metin. Viven en esa casa vieja. En la casa extraña y silenciosa.

—¿Qué casa vieja? —preguntó su madre.

Nos dimos la mano, me preguntó a qué se dedicaba mi padre, se lo dije y añadí que iba a ir a América para estudiar en la universidad.

—Nosotros nos vamos a comprar una casa en América. Ya nadie sabe lo que puede pasar aquí. ¿Cuál es el mejor lugar de América?

Le di alguna información geográfica, mencioné las condiciones climáticas, la población y algunas cifras, pero no pude saber si me escuchaba porque no me miraba a mí, sino a mi bañador y a mi pelo, como si fueran cosas ajenas a mí. Luego hablamos un poco de la anarquía, de la mala situación de Turquía y tal, cuando Ceylan intervino:

—Mamá, en esta ocasión este listillo te ha atrapado a ti.

—¡Hija, qué ordinaria eres!

Pero huyó sin escuchar lo que me quedaba por decir. Fui a sentarme en una tumbona y mientras observaba a Ceylan y a los demás, que se tiraban al agua y salían, se volvían a tirar y a salirse, pensé. Luego todos se sentaron en tumbonas, sillas o en el cemento y de nuevo medité cuando comenzó aquella increíble inmovilidad bajo el sol. Ante mis ojos aparecían imágenes como las siguientes:

Allí soñé con un reloj abandonado en el cemento entre nuestras absurdas y desnudas piernas extendidas en las tumbonas: el reloj volvía la cara hacia el sol con la espalda apoyada en el cemento sin ser y lo miraba inmóvil entre nuestro silencio y nuestras palabras sin principio ni fin, ni mitad, ni profundidad, ni superficie y la música estúpida; el reloj mezclaba las agujas de las horas con el minutero y ya no podía medir y había olvidado lo que en tiempos había medido y se veía obligado a confesar que había perdido el tiempo y así el razonamiento del reloj resultaba idéntico a un razonamiento irracional que intentara razonar cuál era su razonamiento.

Luego pensé en que quería a Ceylan con razonamientos similares. Después estuve pensando en lo mismo hasta casi medianoche.

XI

Llamaron a la puerta de mi habitación. Cerré los ojos y no hice ruido pero la puerta se abrió. Era Nilgün.

—Abuela, ¿se encuentra bien?

No respondí. Quería que mirara mi cara pálida y mi cuerpo inmóvil y comprendiera que me retorcía entre horribles sufrimientos.

—Ah, está mejor, abuela. Le ha vuelto el color a la cara.

Abrí los ojos y pensé: nunca podrían comprenderlo, solo botes de plástico de colonia y falsas sonrisas de alegría y yo me quedaría completamente sola con mi dolor, mi pasado y mis pensamientos. Muy bien, dejadme con mis hermosos y limpios pensamientos.

—¿Cómo está, abuela?

Pero no me dejan. Yo no contesto nada.

—Parece que ha dormido bien. ¿Quiere algo?

—¡Limonada!

Dije de repente y cuando Nilgün se marchó volví a quedarme con mis hermosos y limpios pensamientos; con la tibieza de haberme despertado de un cálido sueño en mis mejillas y en mi frente. Pensé en el sueño, en lo que había soñado: era pequeña, estaba en un tren que salía de Estambul, veía jardines según el tren avanzaba, jardines antiguos, preciosos, unos dentro de otros. Estambul a lo lejos y nosotros mientras en aquellos jardines dentro de jardines. Entonces pensé en los primeros días, en el coche de caballos, en el cubo del pozo con la polea que chirriaba, en la máquina de coser, en el ritmo tintineante y repleto de tranquilidad de su pedal; luego pensé en su risa, en su sol, en sus colores, en su alegría inesperada, en el presente rebosante de presente, Selâhattin. Pensé en aquellos primeros días: en nuestra bajada del tren en Gebze al marearme... En nuestra llegada a Cennethisar porque el clima era bueno después de sufrir en las habitaciones de la hospedería de Gebze... «Un muelle abandonado después de que construyeran la vía del ferrocarril, cuatro o cinco casas viejas, cuatro o cinco corrales, pero qué clima tan magnífico, ¿no, Fatma? ¡No hay necesidad de ir más lejos! ¡Instalémonos aquí! Estaremos cerca de Estambul, de tus padres, para que no se entristezcan, y también para estar preparados para regresar de inmediato en cuanto caiga el gobierno. ¡Construyámonos aquí una casa!»

En aquellos tiempos dábamos largos paseos juntos: «Hay tantas cosas que hacer en la vida, Fatma —me decía Selâhattin—, ven que te enseñe un poco el mundo. ¿Qué tal está el niño que llevas dentro? ¿Da patadas? Sé que es un varón y le pondré de nombre Doğan para que siempre nos recuerde este mundo nuevo que ahora nace,[4] para que viva victorioso y confiado y para que sepa que su fuerza le bastará para vencer al mundo. Ten cuidado con tu salud, Fatma, tengamos cuidado ambos, vivamos mucho tiempo. Qué lugar tan extraordinario es el mundo, ¿verdad? Esas hierbas, esos árboles valientes que brotan y crecen por sí solos: es inevitable que el hombre se deje llevar por la admiración ante la naturaleza, hagamos como Rousseau, vivamos en los brazos de la naturaleza y mantengámonos lejos de esos estúpidos parásitos de sultanes y bajás, tan antinaturales, repasemos todo a la luz de nuestra inteligencia. ¡Qué bonito es incluso pensarlo! ¿Te has cansado, querida? Cógeme del brazo, mira la belleza de esta tierra y este cielo. Me alegro tanto de haberme librado

4. Doğan significa «que nace». (N. del T.)

de toda esa hipocresía de Estambul que casi estoy dispuesto a escribirle una carta de agradecimiento a Talat. ¡Olvida a la gente de Estambul, así se pudran con sus crímenes, con sus sufrimientos y con las torturas que con tanto placer se procuran unos a otros! Nosotros crearemos un mundo nuevo aquí, pensando y viviendo cosas frescas, simples, libres, alegres, nuevas; un mundo de libertad como nunca hasta ahora se ha visto en Oriente, un paraíso de la razón que descienda a la tierra. Te lo juro, Fatma, así será, y lo haremos mejor que los occidentales, conocemos sus errores, no caeremos en sus defectos, te juro que, aunque ni nosotros ni nuestros hijos lo veamos, nuestros nietos conseguirán que viva aquí ese paraíso de la razón, en estas tierras. Así que tenemos que darle una buena educación a ese hijo que llevas dentro, no le haré llorar ni una vez, jamás le enseñaré al niño eso llamado miedo, la tristeza, el gimoteo, el pesimismo, el sentimiento de derrota y ese terrible conformismo tan orientales; juntos nos dedicaremos a educarle, lo criaremos como a un hombre libre. Sabes lo que quiere decir eso, ¿no? Bravo, me siento orgulloso de ti, Fatma, te respeto, te considero una persona libre e independiente; no te veo como hacen los demás con sus mujeres, como a una concubina, como a una odalisca, como a una esclava: tú eres mi igual, querida, ¿lo entiendes? Bueno, regresemos ya. Sí, el mundo es hermoso como un sueño, pero es necesario trabajar para que los demás tengan también el mismo sueño, volvamos».

—Abuela, le he traído su limonada.

Levanté la cabeza de la almohada y la miré.

—Déjala ahí. ¿Por qué no la ha traído Recep? —le pregunté mientras la dejaba—. ¿La has hecho tú?

—Sí, abuela —me contestó Nilgün—. Recep tenía las manos grasientas, está preparando la comida.

Hice un gesto amargo con la cara, me das pena, hija mía, no puedo evitarlo, porque, mira, hace mucho que el enano te engaña; engaña, es retorcido. Pensé: cómo se ha introducido entre ellos, cómo manipula sus mentes, cómo les engaña de la misma manera que engañó a mi Doğan ahogándoles en ese feo sentimiento de vergüenza y culpa que provoca con su repugnante y desagradable presencia. ¿Se lo habrá contado? Mi cabeza se desplomó disgustada sobre la almohada y pensé en ese pensamiento terrible y pobre que no me deja dormir por las noches, pobre de mí.

Pensé en el enano Recep tal y como se lo contaría: «Sí, señora, lo cuento —decía—, le cuento a sus nietos con todo detalle lo que usted me ha hecho sufrir, y a mi pobre madre, y a mi hermano, señora. Que lo sepan, que se enteren: porque como mi difunto padre...». «Calla, enano.» «De acuerdo, como el difunto Selâhattin bey escribió, ya no hay Dios, gracias a Dios, solo existe la ciencia, podemos saberlo todo, debemos saberlo, que lo sepan, lo saben porque se lo he contado y ahora me dicen: "Pobre Recep, así que nuestra abuela te ha torturado y sigue haciéndolo; lo lamentamos por ti, nos sentimos culpables".» Por lo tanto, ¿qué necesidad tiene de lavarse las manos grasientas y preparar la limonada? No trabajes, quédate perezosamente sentado, en realidad tú también tienes derecho a esta casa, le dirán, porque Recep se lo habrá contado, ¿se lo habrá contado?: «Muchachos, ¿sabéis por qué vuestro padre Doğan bey vendió los últimos diamantes de vuestra abuela y quiso darnos el dinero?». ¿Les habrá dicho eso? De repente creí que me ahogaba solo de pensarlo. ¡Mi cabeza se levantó de la almohada con odio!

—¿Dónde está?

—¿Quién, abuela?

—¡Recep! ¿Dónde está?

—Abajo, ya se lo he dicho, abuela. Está preparando la comida.

—¿Qué te ha contado?

—¡Nada, abuela!

No, no lo contará, no se atreverá, Fatma, no tengas miedo, es retorcido pero también cobarde. Cogí el vaso de limonada de la mesilla y bebí un poco. Pero se me vino a la mente el armario.

—¿Qué haces tú aquí? —le pregunté de improviso.

—Pues sentarme un rato con usted, abuela —me respondió Nilgün—. Este año he echado esto mucho de menos.

—Bien, ¡entonces, siéntate! Pero no te levantes ahora.

Me levanté lentamente de la cama. Cogí las llaves de debajo de la almohada y el bastón que había dejado a un lado y eché a andar.

—¿Adónde va, abuela? ¿Quiere que la ayude?

No le contesté. Me detuve al llegar al armario y descansé. Miré una vez más al introducir la llave en la cerradura: sí, Nilgün estaba sentada. Abrí el armario y lo comprobé de inmediato; me había inquietado en vano: ahí está el joyero, completamente vacío, pero da igual, ahí sigue, ahí sigue. Luego se me ocurrió cerrar el armario. Cogí la bombonera del fondo del estante de abajo, cerré con llave el armario y se la llevé a Nilgün.

—¡Ah, abuela! Muchas gracias, se ha levantado por mí. ¿Por qué se molesta?

—Coge también un caramelo de los rojos.

—¡Qué bonita bombonera de plata!

—¡No la toques!

Regresé a la cama con la intención de ocupar mi mente con alguna otra cosa pero no pude. Me sumergí en uno de aquellos días en que no podía apartarme del armario: «¡Qué feo, Fatma! —me decía aquel día Selâhattin—. Mira, el hombre ha venido desde Estambul para vernos y tú ni siquiera sales de tu dormitorio. Además, es un hombre a la europea, y muy respetuoso. No, si lo haces porque es judío, aún peor, Fatma, toda Europa comprendió lo errónea que era esa manera de pensar después del caso Dreyfuss». Luego Selâhattin bajó y yo miré por entre las contraventanas.

—Pero, abuela, bébase la limonada.

Observaba por entre las contraventanas. Un hombre encorvado que parecía aún más pequeño junto a Selâhattin: ¡un joyero del Gran Bazar! Pero Selâhattin hablaba con él, no como si fuera un pequeño comerciante sino todo un hombre de ciencia, yo le oía: «¿Y, Abraham efendi, qué hay por Estambul? ¿Está la gente contenta de la proclamación de la República?», le preguntaba Selâhattin y el judío le contestaba: «Ningún trabajo, menos ventas», y Selâhattin, en lugar de una respuesta: «No me diga. ¿También el comercio? No obstante, la República beneficiará al comercio, como a todo lo demás. El comercio salvará a nuestra nación. No solo nuestra nación, todo Oriente despertará gracias al comercio; primero tenemos que aprender a ganar dinero, se crearán fábricas. Y entonces nosotros también aprenderemos, ¡no solo a ganar como ellos, sino también a pensar como ellos! ¿Qué opina usted? Para vivir como ellos, ¿debemos primero pensar de la misma manera o ganar dinero?». Y entonces el judío le preguntó que quién eran «ellos» y Selâhattin contestó: «¿Quiénes van a ser? Los europeos, los occidentales —y continuó—. ¿O es que entre nosotros no hay ningún musulmán que sea un comerciante rico? ¿Quién es ese tal Cevdet bey el lamparero,[5] has oído hablar de él?». «Sí —contestó el judío—, dicen que ese Cevdet bey ganó mucho dinero durante la guerra.» Y entonces Selâhattin le preguntó: «Bueno, ¿y qué más hay por Estambul? ¿Cómo están tus relaciones con la Sublime Puerta? ¿Qué dicen esos cretinos? ¿A quién están lanzando ahora como nuevo escritor o poeta? ¿Conoces a alguno?». «No sé, mi bey —respondió entonces el judío—. ¡Vaya allí y véalo usted mismo!» Entonces oí que Selâhattin gritaba: «¡No, no voy! ¡Maldita sea, así se los lleve el diablo! Ya no tienen nada que hacer. Mira tú ese Abdullah Cevdet,[6] qué cosa tan simple su último libro, todo copiado de Delahaye, pero lo escribe como si fueran ideas propias y además sin en-

5. Personaje de la primera novela de Orhan Pamuk *Cevdet bey y sus hijos. (N. del T.)*

6. Abdullah Cevdet (1869-1932), médico, filósofo y periodista, miembro de los Jóvenes Turcos. *(N. del T.)*

tender ni una palabra, todo errores y mentiras. Además, ahora es imposible opinar sobre religión e industria sin haber leído a Bourguignon. Tanto él como Ziya bey[7] siempre están manejados por otros, y sin darse cuenta. De hecho, el francés de Ziya es bastante limitado, no entiende lo que lee, cualquier día de estos escribiré algo para dejarlos en ridículo, pero ¿quién iba a entenderme? Además, ¿vale la pena sacrificar el tiempo que debo entregarle a mi enciclopedia para dedicarme a ser un chupatintas perdiendo el tiempo en cosas tan nimias? Les he abandonado para siempre, que se chupen la sangre unos a otros hasta hartarse en Estambul».

Levanté la cabeza de la almohada y bebí un sorbo de la limonada que tenía a mi cabecera.

Luego Selâhattin le dijo: «Ve y diles lo que pienso de ellos», y el judío contestó: «Yo no les conozco, bey mío. Ese tipo de gente no pasa por mi tienda». «¡Lo sé, lo sé! —le interrumpió gritando Selâhattin—. De todas maneras no hace falta que les digas nada: cuando termine mi enciclopedia de cuarenta y ocho volúmenes todas las ideas y las explicaciones que hay que exponer en Oriente, quedarán dichas de una vez. Llenaré de un golpe todo ese increíble vacío de ideas, todos se sorprenderán, los niños que venden periódicos venderán también mi enciclopedia en el puente de Gálata, habrá confusión en la calle de los bancos, se discutirá en Sirkeci, habrá algunos lectores que decidan suicidarse y, lo más importante, ¡el pueblo me entenderá, la nación me entenderá! Y entonces, en ese gran despertar, regresaré a Estambul para ser juez en esa confusión, ¡ese día volveré!», dijo Selâhattin, y el judío le contestó: «Sí, bey mío, es mejor que siga viviendo aquí porque ni Estambul ni el Gran Bazar tienen ya el sabor de antes. Todos andan sacándose los ojos y los otros joyeros querrán que rebaje el precio de sus piezas. Confíe solo en mí. Realmente, como ya le he dicho, apenas hay negocio pero he deci-

7. Ziya Gökalp (1876-1924), sociólogo, uno de los fundadores de la corriente panturquista. (*N. del T.*)

dido venir a ver lo que tiene. Se hace tarde, muéstreme ya el diamante. ¿De qué tipo son los pendientes que me mencionaba en la carta?». En ese momento se produjo un silencio, yo escuchaba el silencio con el corazón latiéndome a toda velocidad, las llaves en la mano.

—Abuela, ¿no le gusta la limonada?

Bebí un sorbo más y le respondí mientras volvía la cabeza a la almohada:

—¡Claro que sí! Bravo por ti, está muy rica.
—La he hecho con mucha azúcar. ¿En qué piensa, abuela?

Entonces oí que el judío tosía nervioso y de mala manera y que Selâhattin le preguntaba con voz lastimera: «¿No se queda a comer?», pero el judío volvía a mencionar los pendientes. Luego Selâhattin subió las escaleras corriendo y entró en mi habitación: «Fatma, baja, vamos a sentarnos a comer, ¡estaría muy feo que no bajaras!», pero sabía que yo no iba a obedecerle. Poco después bajó con mi Doğan y oí que el judío le decía: «¡Qué niño más mono!», y que le preguntaba por su madre y que Selâhattin le contestaba que yo estaba enferma y que mientras los tres comían aquella puta les servía y me sentí asqueada. Ya no les escuchaba o no me daba cuenta de si lo hacía porque había comenzado a hablarle al judío de la enciclopedia.

—¿En qué piensa, abuela? ¿No me lo va a contar?

La enciclopedia: las ciencias naturales, todas las ciencias, las ciencias y Dios, Occidente y el Renacimiento, la noche y el día, el fuego y el agua, Oriente y el tiempo y la muerte y la vida, ¡la vida! ¡La vida!

—¿Qué hora es? —pregunté.

Eso que lo divide con su tictac: el tiempo, pensé, y sentí un escalofrío.

—Son casi las seis y media, abuela —contestó Nilgün. Luego se acercó a mi mesa y lo miró—. ¿Cuántos años tiene este reloj, abuela?

No escuché lo que se hablaba en la mesa: era como algo que hubiera querido olvidar avergonzada y que hubiese olvidado, porque por fin el judío dijo: «Una comida estupenda. ¡Pero la mujer que la ha cocinado está aún mejor! ¿Quién es?». Y Selâhattin, borracho, le contestó: «¡Una pobre campesina! No es de aquí, cuando su marido se fue al ejército la dejó al cuidado de un pariente lejano. El tipo se murió cuando se hundió su barca. Fatma se cansaba y buscábamos una criada así que, para que no pasara hambre, la instalamos en la habitación pequeña de abajo. Es muy trabajadora. Pero allí apenas cabía y le construí una cabañita. El marido no volvió del ejército. O desertó y lo capturaron y lo colgaron o cayó en el frente. La aprecio mucho, esta mujer posee la capacidad de trabajo y la belleza de nuestro pueblo. De ella he aprendido muchas cosas sobre la vida económica campesina para escribirlas en mi enciclopedia. ¡Otra copa, por favor!». Cerré la puerta para no oírle, para no asfixiarme de la repugnancia.

—¿De quién era el reloj, abuela? Me lo contó el año pasado.

—De mi difunta abuela materna. —Pero cuando Nilgün se rió pensé que había hablado al vacío.

Luego mi pobre Doğan, que se había visto forzado a comer con un judío y un borracho, subió conmigo y yo le obligué a lavarse las manos sin darle una caricia ni un beso y a echarse la siesta. Selâhattin continuaba hablando abajo pero aquello no duró demasiado. El judío le dijo que quería irse.

Selâhattin subió: «El tipo este se va, Fatma, y antes de marcharse quiere ver uno de tus pendientes o anillos». Yo guardaba silencio. «Fatma, tú también sabes que el tipo ha venido de Estambul especialmente para este asunto porque le escribí una carta. Ahora no podemos despedirle con las manos vacías.» Yo guardaba silencio... «Fatma, tiene el maletín lleno de dinero hasta los topes, parece un hombre honrado, nos dará un buen precio.» Yo guardaba silencio... «Demonios, ¡cómo lo vamos a despedir de vacío después de haberle hecho patearse tanto camino, después de traerlo desde Estambul!»

—Abuela, este retrato de la pared es el del abuelo, ¿no?

Pero yo seguía callada. «De acuerdo, Fatma —dijo Selâhattin lloroso—. Mira, ya no me vienen enfermos a la consulta y no es culpa mía, reconozco sin avergonzarme que es el resultado de las estúpidas creencias de este maldito país: actualmente mis ganancias son cero y si hoy no vendemos a ese judío uno de los diamantes, anillos o pendientes que llenan hasta arriba ese joyero... ¿Se te ha ocurrido pensar cómo pasaremos el invierno? ¡Qué digo el invierno! ¿Cómo pasaremos lo que nos queda de vida? En estos diez años yo he vendido todo lo que tenía, Fatma, sabes cuánto me he gastado en esta casa, hace tres años perdí el solar en Saraçhane, los dos años anteriores los hemos pasado con lo que nos quedó de la venta de la tienda en el Gran Bazar y sabes perfectamente que aunque yo quiero vender la casa de Vefa esos sinvergüenzas de primos míos no la venderán y, además, no me envían la parte que me corresponde del alquiler. Bien, también tenía que decírtelo, ya es hora de que te enteres, ¿de qué te crees que llevamos viviendo dos años? En Gebze todos se burlan de mí: ¿sabes lo baratos que les dejé a esos supuestos comerciantes bárbaros de Gebze mis chaquetas viejas, mi juego de plumas de plata que era el único recuerdo que me quedaba de mi difunta madre, un baúl de libros, mis guantes, el rosario de madreperla recuerdo de mi padre y esa ridícula levita más apropiada para los señoritingos de Beyoğlu? Pero ya basta, hasta aquí he llegado, no tengo la menor intención de vender mis libros, mis aparatos para experimentos, ni mis instrumentos quirúrgicos. Y lo proclamo claramente: ¡tampoco tengo la menor intención de regresar arrastrándome, sometido a Estambul dejando de lado el trabajo de diez años, sin terminar esa enciclopedia que sacudirá de un golpe los cimientos de toda la vida en Oriente, de todo! ¡El judío está esperando abajo, Fatma! ¡Solo tienes que sacar del joyero una pieza pequeñita! ¡Vamos, Fatma, abre ese armario, no es solo para que nos quitemos a ese tipo de encima, sino también para que el Oriente se despierte de su sueño de siglos y nuestro Doğan no pase el frío invierno hambriento y tiritando!»

—¿Sabe, abuela? Cuando era pequeña me daba miedo ese retrato del abuelo.

Por fin abrí el armario mientras Selâhattin esperaba dos pasos más allá.

—¿Te daba miedo? ¿Y por qué te daba miedo el abuelo?

—¡Es un retrato muy sombrío, abuela! Me daban miedo su barba y su forma de mirar.

Luego saqué el joyero de lo más recóndito del armario, lo abrí y durante largo rato no pude decidir cuál de las joyas sacrificaría: anillos, pulseras, alfileres con diamantes, mi reloj de esmalte, collares de perlas, broches con diamantes, anillos con diamantes, diamantes, ¡Dios mío!

—No se habrá enfadado conmigo porque he dicho que me daba miedo el retrato del abuelo, ¿no, abuela?

Por fin Selâhattin bajó corriendo las escaleras con los ojos brillantes y llevando un pendiente de rubíes que le había dado maldiciendo y en cuanto oí que había bajado comprendí que el judío le engañaría. No duró mucho. Mientras se dirigía a la puerta del jardín con su extraño maletín en la mano y el sombrero en la cabeza, el judío le decía: «No hace falta que baje usted para nada a Estambul. Vuelva a escribirme una carta y yo vendré cada vez que la reciba».

Y vino cada vez: cuando al año siguiente vino con el mismo maletín a por el otro pendiente, el judío seguía con el mismo sombrero. Cuando ocho meses más tarde vino a por la primera pulsera de diamantes, también los musulmanes estaban obligados a cubrirse con un sombrero. El año que vino a por la segunda pulsera de diamantes ya no era el 1345, sino el 1926. Y cuando vino a por la otra pulsera, el judío seguía llevando el mismo maletín y quejándose de los negocios pero ya no preguntó por la hermosa criada. Quizá, pensé, porque ya no eran suficientes dos palabras para divorciarse de la mujer, sino que hacía falta un juicio. ¡Cuántos años, en esa ocasión y en las posteriores, no se vio obligado Selâhattin a cocinar el almuerzo que comían juntos! Yo no me moví de mi sitio, como hacía siempre, permanecí sentada en mi habitación diciéndome que quizá se lo habría contado todo al judío. Nos habíamos librado de la criada y los bastardos y nos quedamos solos en la casa hasta que Doğan los encontró en la aldea, el uno enano, el otro cojo, y los trajo a casa. Fueron los mejores años. Selâhattin se sumergió aquella tarde en el periódico que le había traído el judío. Por un momento creí que en el periódico estaba escrito todo, tus culpas, tus pecados y el castigo que yo te había infligido, tuve miedo y lo miré, pero en el periódico no había nada aparte de las fotografías de algunos musulmanes con sombreros cristianos. En el periódico que trajo el judío en su siguiente visita además de los sombreros cristianos en las cabezas de musulmanes, debajo había también letras cristianas. En esa época fue cuando Selâhattin dijo que en un solo día toda su enciclopedia se había hundido y yo le entregué al judío mi collar de diamantes.

—¿En qué está pensando, abuela? ¿Se encuentra bien?

En su siguiente visita saqué del joyero el anillo de diamantes. Nevaba cuando le di el anillo de esmeraldas que mi madre había incluido en mi ajuar y el judío contó que había venido desde la estación andando bajo la ventisca y que le habían atacado los lobos y se había defendido con el maletín. Yo me daba cuenta de que contaba todo aquello para comprar el anillo a mitad de precio. La siguiente vez que vino era otoño, mi Doğan me había hecho llorar diciéndome que en la universidad iba a estudiar políticas en la Mülkiye. Seis meses después, en la visita del judío se fue el juego de collar y pendientes de rubíes. Selâhattin no había ido aún a Gebze para inscribir su apellido. Cuando lo hizo seis meses después, me contó que se había peleado con el funcionario del registro civil: cuando vi el apellido en el documento que tan orgullosamente desplegó ante mí, comprendí que se habían burlado de él, sentí repugnancia y un escalofrío al pensar que algún día escribirían sobre mi losa sepulcral aquel horrible apellido. Al año siguiente, cuando el judío volvió y se llevó mi anillo y mis pendientes de diamantes en forma de rosa, mi Doğan comenzó a pasear triste arriba y abajo, invierno y verano, y yo, sin que su padre lo supiera, le di mis perlas rosas y le dije que las vendiera en Estambul y que se divirtiera. No se divirtió; debía de ser más fácil culparme a mí. Así que buscó y encontró a los bastardos, cuya madre había muerto, los trajo de la aldea y los instaló en nuestra casa.

—¿En qué piensa, abuela? ¿Otra vez en ellos?

En la siguiente visita del judío, Selâhattin comprendió que el joyero se estaba vaciando: mientras cogía mi alfiler de rubíes con la media luna y la estrella me decía que ya le quedaba poco para terminar la enciclopedia; ahora andaba borracho todo el día; yo no salía de mi habitación y sabía que, como estaba borracho, el alfiler y el broche de topacio del año siguiente se irían a mitad de precio; pero no rebajó a la mitad lo que gastaba en libros. Selâhattin ya se había entregado completamente al diablo y la siguiente vez que llamó al viejo judío, volvió a declararse una guerra. A partir de entonces el judío solo regresó en dos ocasiones: en la primera le entregué el alfiler de rubíes con la media luna y la estrella y en la segunda el de diamantes en el que ponía «Todo pasará». Así Selâhattin vendió con sus propias manos el talismán y poco después, tras aquel enorme e increíble descubrimiento que decía haber hecho, murió mientras pensaba en volver a llamar de nuevo al judío. Y cuando mi bobo y pobre Doğan tomó, para repartirlos entre los bastardos que había traído de vuelta, los dos solitarios de diamantes que yo había ocultado con tanto cuidado, mi joyero por fin se quedó completamente vacío. Pensé en que ahora seguía absolutamente vacío en el armario.

—¿En qué piensa, abuela? ¡Cuéntemelo!

—¡En nada! —le respondí inútilmente—. ¡No estoy pensando en nada!

XII

Después de andar todo el día por la calle, regresar a casa de noche se parece a volver al colegio después de las vacaciones de verano. Estuve sentado en el café hasta que cerraron, esperé mientras cada cual volvía a su casa por si surgía alguien que quisiera hacer algo, pero se limitaron a llamarme «chacal, chacal» quién sabe cuántas veces.

—Vamos, Hasan, ¡deja de hacer el chacal y vuelve a casa a estudiar matemáticas!

Me voy, subo la cuesta, no le hago caso a nadie porque me gusta la oscuridad. La oscuridad silenciosa, solo hay grillos, los escucho y veo mi futuro en la oscuridad: viajes a países lejanos, batallas sangrientas, el tabletear de ametralladoras, la alegría del combate, películas históricas en las que reman los galeotes, los látigos que acallan el desagradable alboroto de los pecadores, ejércitos disciplinados, fábricas y putas; sentí vergüenza y miedo de mí mismo. Seré un gran hombre. Se acabó la cuesta.

De repente noté una punzada de angustia: ¡las luces de casa! Me detuve a observarla: nuestra casa, como una tumba en la que hubiera una lámpara encendida. No había movimiento en las ventanas. Me asomé a mirar: mi madre no estaba, se habría acostado; mi padre se había quedado dormido en el sofá, me espera; que espere, entraré en silencio por la ventana de mi habitación y me acostaré. Fui a ver: la ventana estaba cerrada. ¡Bien! Fui hasta la otra y la golpeé con fuerza, mi padre se despertó. En lugar de abrir la puerta abrió la ventana.

—¿Dónde estabas? —gritó.

No le contesté, estaba escuchando los grillos. Nos quedamos callados un rato.

—¡Vamos, entra, entra! No te quedes ahí.

Entré por la ventana. De pie frente a mí, me miraba con su mirada de padre. Luego comenzó otra vez: «Hijo, hijo, ¿por qué no estudias? Hijo, hijo, ¿qué haces todo el día en la calle?», y demás. De repente pensé: ¿qué pintamos nosotros con este llorica, madre? Iré a su habitación, la despertaré, se lo diré y mi madre y yo nos iremos de la casa de este hombre. Entonces me agobié al pensar en lo que se entristecería mi padre. Sí, yo también soy culpable, me he pasado todo el día en la calle, pero no te preocupes, papá, ya verás cómo estudio mañana. Por fin se calló y se quedó mirándome enfadado y lloroso. De inmediato fui a mi habitación y me senté a la mesa. Mírame estudiando matemáticas y no te entristezcas, papá. ¿De acuerdo? Cerré la puerta. La lámpara está encendida y se filtra luz por debajo de la puerta, que la vea, eso quiere decir que estoy estudiando. Todavía seguía refunfuñando solo.

Como poco después dejó de oírse su voz, sentí curiosidad, abrí la puerta cuidadosamente y miré: no estaba, se había acostado. Quieren que yo estudie mientras ellos duermen a pierna suelta. De acuerdo, ya que el título de bachiller es algo tan importante, estudiaré, estudiaré toda la noche sin dormir, estudiaré de tal forma que a mi madre le dará pena por la mañana, ya verán, pero sé que en la vida existen cosas mucho más importantes. Si quieres te lo contaré, mamá. ¿Sabes lo que son los comunistas, los cristianos, los sionistas? ¿Sabes que los masones se están infiltrando entre nosotros? ¿Sabes lo que hablaron Carter y el Papa con Breznev? Pero aunque se lo explique no me escucharán y si me escuchan no lo entenderán... En fin, decidí empezar con las matemáticas sin enredarme más la cabeza.

Abrí el libro, me había quedado en los malditos logaritmos. Ajá, escribimos log y decimos que $a \log (\text{A.B}) = a \log \text{A} + a \log \text{B}$. Hay otras cosas además de esta primera: teoremas las llama el libro. Todas las pasé a mi cuaderno con mucho cuidado una vez. Luego me agradó ver lo limpito que lo había escrito. He pasado cuatro páginas, sé estudiar, sin duda. Así que esto era lo que llaman logaritmos. Entonces me propuse resolver un problema. «Obtenga el logaritmo de lo siguiente», dice:

$$\log 6 \sqrt{\frac{x-b}{ax+c}}$$

Bueno, obtengámoslo. Entonces volví a leer lo que había escrito en el cuaderno, pasó un buen rato, pero no comprendí de ninguna manera qué tenía que multiplicar o dividir con qué ni cómo debía reducir qué. Volví a leerlo, casi lo había memorizado, miré también cómo estaban resueltos los problemas modelo pero esas cosas horribles continúan sin significar nada para mí. Me puse muy nervioso y me levanté. Si ahora tuviera un cigarrillo, me lo fumaría. Luego me senté, cogí el lápiz e intenté resolverlo pero mi mano solo trazó algunos borrones en el cuaderno. Mira, Nilgün, lo que escribí en el margen poco después:

No estaba enamorado de ti
pero me has hecho perder la razón.

Luego estudié un rato más pero no sirvió de nada. Pensando un poco se me ocurrió lo siguiente: ¿Qué utilidad tiene saber el tipo de relación que existe entre todos estos log y $\sqrt{}$? Supongamos que algún día soy lo bastante rico como para solo poder calcular mi dinero usando logaritmos y raíces cuadradas, o que me encargo de importantes asuntos de estado: ¿sería tan estúpido como para que no se me ocurriera contratar entonces a una especie de secretario?

Dejé a un lado las matemáticas y abrí el libro de inglés pero ya no me funcionaba la mente: «Malditos sean Mr. and Mrs. Brown», pensé; las mismas fotos, las mismas caras frías y felices de gente que lo sabe todo y todo lo hace bien, son ingleses, llevan chaquetas planchadas y corbatas y sus calles están perfectamente limpias. Uno se sienta, el otro se levanta y de repente empiezan a poner una caja de cerillas que no se parece en nada a las nuestras, sobre, bajo, dentro, junto a la mesa. *On, in, under*, y qué más, ¿de veras estoy obligado a aprenderme todas esas estupideces para que ese vendedor de lotería que ronca tranquilamente no se torture pensando que su hijo no estudia? Me lo aprendí de memoria tapando el libro y mirando al techo, lo memoricé y, de repente, me enfurecí, agarré el libro y lo estrellé contra el suelo: ¡maldito sea! Me levanté y salí por la ventana. No soy un hombre que se contente solo con eso. Me calmé un poco al mirar desde el rincón del jardín el mar oscuro y el faro que se enciende y se apaga solitario en la oscuridad en la isla de los perros. Todas las luces del barrio de abajo están apagadas, solo quedan las luces de las farolas y de la fábrica de vidrio, que zumba sordamente; luego también la luz roja de un barco silencioso. El jardín huele a hierba seca, el jardín silencioso huele apenas a tierra y a verano: solo hay grillos; grillos sinvergüenzas que recuerdan su existencia en la ciega oscuridad de los huertos de cerezos, en la frescura bajo los árboles y en los olivares, en colinas lejanas, rincones escondidos y huertas. Luego, al escuchar con atención, creí oír las ranas en el cenagoso arroyo que hay por la parte del camino de Yelkenkaya. ¡Haré muchas cosas en la vida! Pensé en ellas: batallas, victorias, el miedo a la derrota y la esperanza y el triunfo y la compasión que mostraré hacia los pobres y los otros a los que salvaré y el camino que tomaremos en este mundo cruel. Las luces del barrio de abajo están apagadas: todos duermen, duermen todos; tienen sueños estúpidos, absurdos y aquí, sobre ellos, solo yo permanezco despierto. Me gusta mucho vivir y odio acostarme y dormir: hay tantas cosas por hacer. Pensé.

Luego volví a entrar en mi habitación por la ventana y como comprendí que no podría estudiar más me acosté sin desnudarme siquiera. Me levantaré por la mañana y ya empezaré. De hecho pensé que me bastaría con los diez últimos días para el inglés y las matemáticas, los pájaros comenzarán a cantar en los árboles y, como no habrá nadie, tú irás a la playa desierta, Nilgün. Yo también iré. ¿Quién podría impedírmelo? Al principio creí que me desvelaría y que mi corazón volvería a ahogarme, pero luego comprendí que iba a dormirme.

Al despertar el sol me daba en el brazo y mi camisa y mis pantalones estaban empapados en sudor. Me levanté al momento y miré: mi madre y mi padre no se habían levantado todavía. Fui a la cocina y estaba comiendo pan y queso cuando llegó mi madre.

—¿Dónde estabas?

—¿Dónde iba a estar? Aquí. Me he pasado la noche estudiando.

—¿Tienes hambre? Voy a preparar té, ¿quieres, hijo?

—La verdad es que me voy ahora mismo.

—¿Adónde vas tan temprano y sin dormir?

—Voy a dar un paseo para despejarme. Luego volveré a seguir estudiando. —Estaba a punto de salir, la miré, había empezado a sentir pena de mí—. Ah, mamá, ¿puedes darme cincuenta liras?

Me miró un tanto indecisa y por fin dijo:

—¡Ay! ¿Qué haces con el dinero? De acuerdo, de acuerdo. ¡Pero no se lo digas a tu padre!

Entró en su dormitorio y volvió: dos billetes de veinte y uno de diez. Le di las gracias, fui a mi habitación, me puse el bañador debajo de los pantalones y salí por la ventana para que mi padre no se despertara con el ruido. Luego me volví a mirar y mi madre me observaba por un lateral de la otra ventana. No te preocupes, mamá, sé lo que voy a ser en la vida.

Bajé caminando por el asfalto. A mi lado pasaban coches que subían la cuesta a toda velocidad. Tipos encorbatados con las chaquetas colgadas a un lado que corren a cien kilómetros por hora a enredar y a timarse unos a otros en Estambul sin ni siquiera verme. ¡Tampoco yo os hago caso, cornudos encorbatados!

Todavía no había nadie en la playa.

Como el vigilante y el vendedor de entradas aún no habían llegado, entré sin pagar. Caminé con cuidado para que mis zapatillas de suela de goma no se llenasen de arena hasta las rocas y hasta donde terminaba la playa y comenzaba el muro de una casa y me senté en una esquina del muro donde no daba el sol. Desde aquí veré a Nilgün cuando entre por la puerta. Contemplo el fondo del mar tranquilo: los tordos de roca dan vueltas balanceándose de acá para allá entre las algas. Los asustadizos mújoles huyen al menor movimiento. Contuve el aliento.

Mucho después: un tipo se puso las aletas y las gafas de bucear, armó su fusil dentro del agua y, ¡hala!, se lanzó a perseguir a los mújoles. ¡Me revienta que esos tíos de mierda los persigan! Luego el agua volvió a calmarse y de nuevo vi los mújoles y los peces de roca. Después el sol me dio de lleno.

Cuando era pequeño, cuando por aquí no había otras casas aparte de la suya, antigua y extraña, y la nuestra en la colina, Metin, Nilgün y yo veníamos aquí y yo entraba en el agua hasta media pierna y esperábamos para pescar tordos o babosos. Pero lo que venía era un pez de roca y Metin me decía que lo tirara y que se fuera pero ya se había comido el cebo y no me iba a resignar a tirarlo, así que lo echaba en el cubo; luego, al llenarlo de agua, Metin se burlaba de mí. «No soy tacaño, hijo», le decía yo; Nilgün quizá me oyera o quizá no. «No soy tacaño, pero le voy a pedir cuentas del cebo a ese pez de roca.» Metin lo escondía. «Mira, Nilgün. ¡Qué tacaño es! No le pone un plomo al sedal sino una tuerca.» «Muchachos —decía Nilgün—, luego volved a echar esos peces al mar, sería una pena. ¡Por favor!» Es difícil ser amigo de ellos, lo sé bien. Puedes hacer sopa con el pez de roca, si le añades patatas y cebolla.

Luego contemplé un cangrejo. Los cangrejos van pensativos y absortos porque siempre andan ocupados en algo. ¿Por qué mueves así las patas y las pinzas, tú? Es como si todos los cangrejos supieran mucho más que yo: son todos unos viejos enteradillos de nacimiento. Son viejos incluso los pequeños de vientre blanco y suave.

Después la superficie del mar se movió y ya no pudo verse el fondo y el agua se enturbió cuando la multitud comenzó lentamente a entrar y salir de ella. La vi una de las veces que miré hacia la puerta: entraste con tu bolsa en la mano, Nilgün. Te acercaste a este lado de la playa, caminabas en mi dirección.

Se acercaba, se acercaba y de improviso se detuvo, se quitó el vestido amarillo y mientras yo me decía «su biquini era azul», extendió una toalla, se tumbó y desapareció de repente de la vista. Luego sacó un libro de la bolsa y empezó a leer. Podía verle la cabeza y la mano que sostenía el libro en el aire. Pensé.

Estaba sudando. Había pasado mucho rato y continuaba leyendo. Para refrescarme me eché agua en la cara. Pasó mucho rato más y seguía leyendo.

Y si voy y le digo: «Hola, Nilgün —pensé—, he venido a darme un baño. ¿Cómo estás?». Pero supuse que se enfadaría: por alguna extraña razón caí en la cuenta de que era un año mayor que yo. Ya iré luego, en otro momento.

Después Nilgün se puso en pie y echó a andar hacia el agua: pensé que era muy hermosa. Saltó de repente y comenzó a nadar. Nada en línea recta, hacia mar abierto, sin que le importe haber dejado atrás sus cosas. No te preocupes, Nilgün, yo cuido de ellas; porque seguía nadando sin volverse a mirar atrás. Si alguien quisiera podría revolvértelas, pero yo estoy vigilando, no les pasará nada.

Entonces me levanté y me acerqué a las cosas de Nilgün. Nadie miraba. Además, Nilgün es amiga mía. Me incliné y miré la portada del libro que había dejado sobre su bolsa: una tumba cristiana y a su lado dos viejos que lloran, *Padres e hi-*

jos, pone. Debajo del libro está el vestido amarillo. Veamos qué hay en la bolsa. Como solo sentía curiosidad, la registré muy rápidamente para que nadie me viera y no pensaran mal: un bote de crema, cerillas, unas llaves calientes por el sol, otro libro, el monedero, horquillas, un pequeño peine verde, gafas de sol, una toalla, un paquete de Samsun y otro bote pequeñito. Vi que Nilgün seguía nadando a lo lejos. Mientras lo estaba dejando todo tal cual estaba para que nadie pensara mal, cogí de repente aquel pequeño peine verde y me lo metí en el bolsillo. Nadie me vio.

Regresé a las rocas y esperé. Luego Nilgün salió del agua, caminó a toda prisa y se envolvió en la toalla. No parecía una muchacha inteligente un año mayor que yo, sino una niña pequeñita. Después se secó, rebuscó un poco en su bolsa y de improviso se puso el vestido amarillo y se fue a toda velocidad.

Por un instante me quedé sorprendido; creí que lo hacía para huir de mí. Luego eché a correr y la observé desde atrás: regresaba a casa. En el momento en que echaba a correr para atajar y salir delante de ella, me sorprendió desviándose de repente porque quedó a mis espaldas y era como si ahora me siguiera ella a mí. Torcí a la derecha al llegar a la tienda, me escondí detrás de un coche y la miré mientras aparentaba anudarme los cordones de las zapatillas: entró en la tienda.

Crucé al otro lado de la calle. Nos encontraremos de frente cuando vuelva a casa. Entonces se me ocurrió, me lo saqué del bolsillo, se lo devolvería: «Nilgün, ¿es tuyo este peine?», le preguntaría. «Sí, ¿dónde lo has encontrado?» «Ha debido de caérsete.» «Y ¿cómo has sabido que era mío?» No, no puedo decirle eso. «Se te cayó en el camino, vi cómo se te caía y lo cogí», le diré. Esperaba a la sombra del árbol. Había sudado mucho.

Poco después salió de la tienda y vino en mi dirección. Estupendo, yo también caminé hacia la tienda, pero no podía mirarle a la cara, miraba al suelo, a las zapatillas de goma que poco antes me había anudado. De repente levanté la cabeza.

—¡Hola! —la saludé. «¡Qué guapa es!», pensé.

—¡Hola! —me respondió sin sonreír lo más mínimo.

Yo me detuve, pero ella no.

—¿Vas a casa, Nilgün? —Mi voz sonó extraña.

—Sí. —Y continuó andando sin decir otra cosa.

—¡Adiós! —grité a sus espaldas. Luego grité otra vez—. ¡Saluda de mi parte al tío Recep!

Me sentí avergonzado. Ni siquiera se volvió para decir: «De acuerdo». Me quedé allí parado mirándola. ¿Por qué habría hecho eso? Quizá lo haya comprendido todo, pensé, pero ¿qué había que comprender? ¿Es que no saluda uno a un amigo de la infancia que se encuentra en la calle? ¡Qué raro! Eché a andar dándole vueltas a la cabeza. Es verdad lo que dicen: la gente ha cambiado, ya ni te saludan. Luego me acordé de que llevaba cincuenta liras en el bolsillo, Nilgün ya habría llegado a su casa: ¿qué estará pensando? Voy a llamarla por teléfono y a contárselo todo, me dije, que me salude como antiguamente, no te pido otra cosa. Caminaba pensando en lo que le diría por teléfono. «Te quiero», le diré. ¿Y qué pasa? También pensé en otras cosas. En la gente asquerosa que anda por las calles y que va a la playa. ¡Qué complicado es el mundo!

Entré en Correos, cogí la guía y miré. Ponía: Darvinoğlu, Selâhattin, familia de. Para no confundirme escribí en un papel c/ de la Costa, Cenn., n.º 12. Compré una ficha por diez liras, fui a la cabina, marqué el teléfono pero al llegar al último número mi dedo giró el nueve en lugar del siete. No obstante, no colgué. Sonaba el número equivocado pero como yo no colgaba la ficha de diez liras cayó estruendosamente en la caja cuando lo cogieron.

—¿Diga? —preguntó una voz cualquiera de mujer.

—¿Oiga? ¿Con quién hablo? —pregunté.

—Es la casa de Ferhat bey. ¿Quién llama?

—¡Un amigo! —respondí—. Quería hablar un rato.

—Muy bien —contestó la voz. Sentía curiosidad—. ¿De qué?

—¡De un asunto importante! —Pensé en qué más podía decir. Mis diez liras habían volado.

—¿Quién es usted? —me preguntaba ella.

—¡Se lo diré a Ferhat bey! Pásame a tu marido.

—¿A Ferhat? ¿Quién es usted?

—Sí. ¡Pásamelo ya! —Miré por el cristal de la cabina, el funcionario estaba ocupado: le estaba dando unos sellos a alguien.

—¿Quién es usted? —insistía.

—Te quiero —le dije—. ¡Te quiero!

—¿Qué? ¿Quién es?

—¡Puta ricachona! Los comunistas se están apoderando del país y vosotros andáis medio desnudos. ¡Puta! Te...

Colgó. Yo también colgué lentamente. Miré, el funcionario estaba dando la vuelta de los sellos. Salí con toda tranquilidad. Ni siquiera me miró. Por lo menos no me preocupé por haber perdido tontamente las diez liras. Salí de Correos pensando mientras andaba: aún me quedan cuarenta liras; si uno puede divertirse tanto con diez, con cuarenta podrá divertirse cuatro veces más. A eso le llaman matemáticas y me hacen repetir un año porque decidieron que no lo había comprendido. Muy bien, señores, yo sé esperar, cuidado, no vayan a arrepentirse al final.

XIII

La señorita Nilgün regresó de la playa, Faruk bey la estaba
esperando. Se sentaron y les serví el desayuno. La una leía el
periódico y el otro dormitaba; desayunaron charlando y
riéndose. Luego Faruk bey cogió su enorme maletín y se fue
al archivo de Gebze; Nilgün se retiró a leer por donde el gallinero. Metin seguía durmiendo. Subí sin recoger los restos del
desayuno de la mesa. Llamé a la puerta de la señora y entré.

—Voy al mercado, señora. ¿Quiere algo?

—¿Al mercado? ¿Hay algún mercado aquí?

—Hace años que abrieron unas tiendas. Ya lo sabe. ¿Qué
quiere?

—¡No quiero nada de ellos!

—¿Qué vamos a poner a mediodía?

—No sé. Prepara algo que se pueda comer.

Bajé, me quité el delantal, cojo la bolsa de red, las botellas
vacías, los corchos y me voy. No me dice qué es lo que se
puede comer, sino lo que no se puede. Antiguamente me correspondía a mí pensar y encontrar algo, pero han pasado
cuarenta años. ¡Ya sé lo que come! Hace más calor ahora y
sudo. Las calles han comenzado a llenarse de gente pero aún
hay quien se marcha para llegar a tiempo a su trabajo en Estambul.

Subí la cuesta, las casas comenzaron a escasear, empeza-
ban los huertos y los cerezos. Me sentía muy a gusto allí pero

no me entretuve. Entré en el camino de tierra y poco después vi su casa y la antena de televisión del tejado.

La mujer de Nevzat y la tía Cennet ordeñaban las vacas.

Es muy agradable verlo en invierno cuando la leche desprende vapor. Ahí estaba Nevzat. Inclinado sobre la motocicleta apoyada en el otro muro de la casa. Fui hasta él.

—¡Hola!

—¡Hola! —me contestó, pero no se volvió a mirarme.

Tenía el dedo metido en algún lugar de la motocicleta y la estaba hurgando.

Nos callamos un momento y luego, por decir algo, le pregunté:

—¿Está estropeada?

—¡No, hombre! ¿Cómo se va a estropear?

Presume de su motocicleta y se lleva a matar con todo el barrio a causa del estruendo que hace. La compró dos años atrás con lo que ganaba de jardinero y con la venta de la leche. Por las mañanas reparte la leche con la motocicleta pero le digo que no nos deje, que yo mismo vengo y así charlamos.

—¿Has traído dos botellas?

—Sí. Han venido Faruk bey y sus hermanos.

—Muy bien. Ponlas ahí.

Le obedecí. Sacó de dentro el embudo y el medidor. Primero la echa en el medidor y luego, con el embudo, en la botella.

—Llevas dos días sin venir al café.

No le respondí.

—¡Ah! No le hagas caso a esos sinvergüenzas. Maleducados.

Pensé.

—Esto, ¿será verdad lo que escribía ese periódico? —me preguntó por fin—. ¿Existiría una casa de los enanos?

Todos habían leído el artículo del periódico.

—Tú te molestaste enseguida y te fuiste. ¿Pero cómo te enfadas con esos sinvergüenzas? ¿Adónde fuiste?

—Al cine.

—¿Qué ponían? ¡Cuéntamelo!

Se lo conté. Cuando terminé había llenado todas las botellas y comenzó a taponarlas con los corchos.

—No se encuentran corchos. Están muy caros. Al vino malo le ponen tapones de plástico. Así que yo les digo que no los pierdan. Si los pierden, diez liras. Yo no soy Leche Pinar. Y si no les interesa, que les den a sus hijos leche con química.

Siempre dice lo mismo. Estuve a punto de sacarme del bolsillo los corchos que me había dado Faruk bey pero por alguna extraña razón cambié de idea de repente.

—Todo está muy caro —le dije solo para que se alegrara.

—¡Sí, señor! —Se excitaba según iba llenando las botellas a toda velocidad.

Hablaba de la carestía de la vida, de los buenos y hermosos tiempos pasados, yo me aburría y no le escuchaba.

—Me voy a repartirlas —me dijo después de llenar todas las botellas y colocarlas en la caja—. Si quieres te dejo en casa. —Pisó el pedal poniendo en marcha la motocicleta con estruendo y se sentó en ella—. ¡Vamos! —gritó.

—No, iré andando —le contesté.

—Muy bien. —Y se marchó a toda velocidad en su motocicleta.

Miré la nube de polvo que dejaba tras de sí hasta que salió al asfalto. Y me avergoncé. Camino con las botellas de leche en la bolsa. Poco después me volví a mirar atrás. La mujer de Nevzat y la tía Cennet continuaban ordeñando. «La tía Cennet conoció la peste», me decía mi madre. Los días de la peste: me lo contaba y yo sentía miedo. Se acabaron los huertos y las cigarras y comenzaron las casas. Lugares que no han cambiado en años. Luego, en septiembre, comenzaban a venir para cazar, con sus perros salvajes y bien alimentados que saltaban de los coches enloquecidos. «¡No os acerquéis a ellos, niños, no vayan a dispararos!» ¡Una lagartija al pie de una grieta en un muro! ¡Se escapó! «¿Sabes según qué deja su cola la lagartija, hijo mío? —me preguntó Selâhattin bey—. ¿Según qué principio?» Yo callaba y le miraba temeroso: mi padre, cansado, hundido, gastado. «Espera, te lo escribo en un papel y te lo doy», y escribió Charles Darwin y me entregó el papel, aún lo conservo. En sus últimos días me dio otro papel: «Esta es la lista de lo que nos falta y nos sobra, hijo mío, solo puedo dejarte esto, quizá algún día lo entiendas». Cogí el papel y lo miré: estaba en alfabeto antiguo. Me observaba de cerca con sus ojos sanguinolentos por la bebida, se había pasado el día entero en su habitación trabajando en la enciclopedia y estaba cansado. Bebía por las tardes, y además, una vez por semana, bebía en exceso y perdía el control; se paseaba borracho por el huerto, por su habitación o por la orilla del mar, a veces durante varios días, hasta desplomarse. En esos días la señora se encerraba en su dormitorio como si no fuera a salir de él nunca más. Fui a la carnicería. Había mucha gente, pero no estaba la preciosa morena.

—Vas a tener que esperar un momento, Recep —me dijo Mahmut.

El peso de las botellas me había cansado y me vino bien sentarme. Luego, cuando encontraba dónde se había quedado dormido, iba a despertarle temeroso para que la señora no lo viera y no comenzara de nuevo y también para que no se quedara allí al relente: «Beyefendi, ¿por qué está aquí acostado? Va a llover, se va a enfriar, váyase a casa, acuéstese en su cama», le decía. Gruñía, protestaba y maldecía con su voz de anciano: «¡Maldito país! ¡Maldito país! ¡Todo para nada! Si hubiera podido terminar esos volúmenes, si por lo menos hubiera podido enviar ese artículo mucho antes a İstepan. ¿Qué hora es? Toda la nación duerme, todo el Oriente duerme, no, no ha sido para nada, pero no me encuentro bien. ¡Ah, si hubiera tenido una mujer como yo quería! ¿Cuándo murió tu madre, Recep, hijo mío?». Por fin se levantaba, me agarraba del brazo y yo me lo llevaba. Por el camino murmuraba: «¿Cuándo crees que despertarán? Los muy imbéciles duermen con su estúpida tranquilidad. Duermen con la alegría primitiva de creer que el mundo se adecua a los cuentos primitivos y a los sofismas de sus mentes, enterrados en la tranquilidad de las mentiras. Voy a coger un palo y les voy a despertar golpeándoles en la cabeza. ¡Cretinos! ¡Apartaos de esas mentiras, despertad y ved!». Luego, mientras subíamos a su habitación, él apoyado en mí, la puerta de la señora se abría despacio desde dentro y sus ojos, disgustados y curiosos, desaparecían en la semioscuridad tan rápido como habían aparecido. Entonces decía: «¡Ah, mujer estúpida! Pobre, estúpida y cobarde mujer, me das asco. Acuéstame en mi cama, Recep, y cuando me despierte tenme preparado el café, quiero ponerme a trabajar enseguida, tengo que darme prisa, han cambiado el alfabeto, se ha trastocado todo mi plan para la enciclopedia, no he podido ponerla en el buen camino en quince años», y luego se dormía hablando. Le observaba un rato cómo dormía y salía en silencio de la habitación.

Me había quedado absorto. Me di cuenta de que el niño de una de las mujeres me contemplaba como hechizado. Estaba harto. Me propuse pensar en alguna otra cosa pero no pude aguantarlo más, así que me levanté y cogí mis botellas.

—Vuelvo luego.

Salí, voy a la tienda de ultramarinos. La curiosidad del niño era insoportable. Cuando era pequeño yo mismo sentía curiosidad de mí. Pensaba que probablemente se debía a que mi madre me había tenido sin estar casada, pero eso fue después, después de que mi madre me dijera que mi padre no era mi padre.

—¡Tío Recep! —me dijo alguien—. ¿No me has visto?

Era Hasan.

—Te juro por Dios que no. Estaba en otra cosa. ¿Y tú, qué haces por aquí?

—Nada.

—Hala, vete a casa y estudia, Hasan. ¿Qué vas a hacer por aquí? No son sitios para ti.

—¿Por qué no?

—No te lo tomes a mal, hijo, lo digo para que te vayas a estudiar.

—No puedo estudiar por el día, tío. Hace mucho calor. Estudio de noche.

—Estudia por las noches y también por las mañanas. Quieres estudiar, ¿no?

—Claro que sí. Tampoco es tan difícil como crees. Estudiaré de firme.

—¡Ojalá! Vamos, ahora vete a casa.

—¿Ha venido Faruk bey? He visto el Anadol blanco y... ¿Cómo están? ¿Han venido también Nilgün y Metin?

—Sí. Están bien.

—Dale recuerdos a Nilgün y Metin. La verdad es que los he visto hace nada. Antes éramos amigos.

—Se los daré. ¡Vamos, vete a casa!

—Ahora mismo me voy. Pero quiero pedirte algo, tío Recep. ¿Puedes darme cincuenta liras? Voy a comprar un cuaderno y son muy caros.

—¿No será que fumas?

—Te digo que se me ha acabado el cuaderno.

Dejé las botellas en el suelo, saqué un billete de veinte liras y se lo di.

—Esto no es suficiente.

—Vamos, vamos. Mira que me enfado.

—Bueno. Me compraré un lápiz. ¿Qué voy a hacerle? —Se detuvo justo cuando se marchaba—. No se lo cuentes a mi padre, ¿de acuerdo? Se preocupa por nada.

—¡Ah! Pues no le preocupes.

Se fue. Recogí las botellas y fui a la tienda de Nazmi. No había nadie pero Nazmi estaba ocupado. Escribía algo en un cuaderno. Luego me miró y hablamos un rato.

Me preguntó por ellos. Le respondí que estaban bien. ¿Y Faruk bey? ¿Para qué iba a contarle que bebía? De hecho ya lo sabe, cada tarde viene a llevarse una botella tras otra. ¿Y los demás? También han crecido. «Veo a la muchacha —me dijo—. ¿Cómo se llamaba?» Nilgün. «Viene por las mañanas a comprar el periódico. Ha crecido.» Sí, ha crecido. «El que ha crecido de veras es el otro», le dije. «Sí, Metin.» También lo había visto y me contó cómo lo había encontrado. Eso, lo que llamamos una charla entre amigos. Nos contamos cosas que el otro ya sabe y nos agrada: todo son palabras y frases vacías, ya lo sé, pero que me entretienen y me relajan. Lo pesó todo y lo envolvió. «Escríbemelo en un papel», le pedí. En casa lo paso al cuaderno y a finales de mes, o cada dos o tres meses en invierno, se lo enseño a Faruk bey. «Aquí están las cuentas, Faruk bey. Esto es tanto, aquello hace esto, repáselas porque quizá haya algún error en las cuentas.» Pero no las repasa. «Muy bien, Recep, muchas gracias —me dice—. Esto son los gastos de la casa y esta tu mensualidad», y me alarga de su cartera unos billetes húmedos y arrugados que huelen a cuero. Me los guardo en el bolsillo sin contarlos, muchas gracias, y enseguida quiero hablar de otra cosa.

Nazmi escribió la cuenta en un papel, me lo dio y yo le pagué. Cuando salía de la tienda me preguntó de repente:

—Conoces a Rasim, ¿no?

—¿Rasim el pescador?

—Sí. Ayer se murió.

Me miraba pero no le contesté. Cogí la vuelta, la bolsa y mis paquetes.

—Fue del corazón. Lo enterrarán pasado a mediodía, cuando lleguen sus hijos.

Así es siempre, más allá de nuestras palabras y nuestras frases.

XIV

Cuando llegué a Gebze eran las nueve y media, las calles se habían calentado y no quedaba el menor rastro de la frescura de la mañana. Entré directamente en la prefectura, redacté una instancia y la firmé. Un funcionario la registró sin leerla y yo fantaseé con un historiador, trescientos años después de mí, que encontraría entre las ruinas la instancia e intentaría darle algún significado. La historia es un trabajo así de curioso.

Curioso, pero que requiere paciencia, pensé. Y así, enorgulleciéndome de mi resistencia, comencé a trabajar con más confianza. Enseguida atrajo mi atención la historia de dos tenderos que se habían matado mutuamente en una pelea. Los parientes de los que habían participado en la pelea, una vez terminado el funeral y ya bien enterrados, se acusaban mutuamente en el tribunal. Una serie de testigos explicaban con todo detalle cómo el 17 de Cemaziyülevvel de 998 se habían lanzado el uno contra el otro armados de cuchillos en medio del mercado. Como aquella mañana me había llevado las tablas de conversión de fechas de la Hégira a las de la era cristiana, las abrí para consultarla. ¡El 24 de marzo de 1590! Así que los hechos habían ocurrido en invierno. No obstante, mientras lo escribía, ante mis ojos aparecía un ardiente y cálido día de verano. Quizá fuera un día soleado de marzo. Luego leía la historia de un esclavo árabe, comprado por mil ásperos y que posteriormente se había comprobado que tenía una herida en el pie; leí el acta del proceso que el comprador pretendía iniciar para devolvérselo al vendedor. Estaba claro que el comprador estaba muy, muy irritado cuando dictó cómo había sido engañado por las palabras del vendedor y cuando describía lo profunda que era la herida del esclavo. Después leí unos documentos relacionados con un poderoso terrateniente al que Estambul tenía en su punto de mira. Según se deducía en otro lugar de los registros del juzgado, el mismo hombre había sido procesado veinte años antes por corrupción mientras era vigilante del muelle. Luché por sacar de los firmanes cuáles eran los enredos efectuados en Gebze por aquel hombre llamado Budak. Ya no seguía el rastro de la peste, sino el suyo. Creí entender que en determinado momento había simulado poseer una tierra inexistente registrándola y que, tras dos años de pagar los impuestos correspondientes de su propio bolsillo, la había cambiado por un huerto y se había quitado de encima al nuevo propietario de la tierra inexistente después de tejer un complejo plan. O bien se trataba simplemente de que los registros judiciales no contradecían aquella historia que mi mente le había adjudicado a Budak. Sudé la gota gorda para inventarme aquella historieta que los registros confirmaban en ciertas partes. Me alegró enormemente ver que mi historia era confirmada por otros documentos. Budak se había dedicado a la producción y al comercio ilegal de vino en el establo de otro con las uvas que conseguía del huerto. Leí con agrado cómo había atacado, con más violencia aún que la que ellos habían utilizado, a algunos de sus empleados en dicho comercio que habían declarado contra él en el juicio. Luego me enteré de que había encargado construir una pequeña mezquita en Gebze. Entonces me sorprendió recordar que el profesor de historia le dedicaba a él y a aquella mezquita algunas páginas del libro en el que hablaba de los personajes famosos de Gebze. El Budak que él imaginaba era completamente distinto al mío: en ese libro aparecía un otomano respetable, serio, digno de figurar en los libros de texto oficiales de historia de los institutos. Mi Budak era un timador afortunado y astuto. Estaba pensando si podría inventarme un nuevo cuento más complejo que no contradijera los documentos que se referían a Budak cuando Riza me anunció que comenzaba el descanso de mediodía.

Salí, y para huir del calor de la calle nueva crucé por el pasaje de los terebintos hasta el mercado antiguo. Caminé hacia arriba, hasta la mezquita. Hacía mucho calor, en el patio no había nadie y solo se oía el ruido del martillo en el mecánico de carrocerías algo más allá. Di media vuelta y, como todavía no me apetecía comer, me encaminé al café. Mientras pasaba ante una bocacalle un niño gritó «¡Gordo!» a mis espaldas. No me volví a ver si los otros se reían. Llegué al café y me senté.

Pedí un té, encendí un cigarrillo y comencé a pensar cómo era el trabajo de un historiador. Debía de ser algo más que escribir artículos y crear historias de una serie de sucesos. Quizá fuera así: buscamos la razón de un puñado de hechos, luego los explicamos con otros y la vida no nos da de sí para explicar esos nuevos hechos con otros más. Nos vemos obligados a dejar el trabajo en algún momento y otros lo continúan donde lo hemos dejado, pero antes de empezar siempre dicen que hemos explicado los sucesos con una serie de hechos erróneos. Yo hice lo mismo en mis tesis de doctorado y de titular al mencionar los libros de los que me habían precedido. Y creo que tenía razón. Todo el mundo opina sin cesar que tal historia era de otra manera o que habría que explicarla mediante una distinta. Pero ya conocen de antemano esa otra historia. Lo único que hay que hacer es ir a buscarla a los archivos hasta encontrarla. Así presentamos nuestras historias ante los demás con fastuosos artículos adornados con notas a pie de página y números de registro de documentos en pomposas reuniones, nos enseñamos los artículos los unos a los otros, los defendemos e intentamos demostrar que nuestra historia es mejor refutando las de los demás.

Me aburría. Regañé al muchacho que aún no me había

traído mi té. Luego pensé lo siguiente para tranquilizarme: todo eso que has reflexionado sobre lo que hacen los historiadores no es más que un cuento. Cualquiera podría asegurar que lo que hacen los historiadores es algo bien distinto. Y, de hecho, lo dicen: dicen que es necesario encontrar lo que debemos hacer en el presente investigando el pasado, que creamos ideologías y que le proporcionamos a la gente razonamientos sobre lo que es cierto y lo que es falso en relación con el mundo y con ellos mismos. Pensé que también deberían decir que entretenemos y divertimos a la gente. Estoy convencido de que esa distracción es el lado más atractivo de la historia. Pero mis colegas la cubren para no desprestigiar su encorbatada seriedad y pretenden diferenciarse de sus hijos. Por fin llegó mi té, le eché azúcar y contemplé cómo se disolvía. Me fui al restaurante después de fumarme otro cigarrillo.

Dos años atrás también almorzaba en este restaurante; un lugar silencioso, cálido y agradable. Tras un cristal templado y cubierto de vapor, las *musakkas*, las hojas de parra rellenas, los estofados con verduras y otros platos de berenjenas esperan alineados en sus fuentes, en una grasa de igual densidad. Un montón de albóndigas medio desmayadas que sacan sus espaldas de la grasa recuerdan a los búfalos que se meten en el barro en el calor del verano. Se me abrió el apetito. Pedí una *musakka* de berenjenas, arroz y un plato de estofado y me senté. Cuando el camarero, con chanclas de plástico y calcetines, me preguntó, le respondí que quería tomar una cerveza.

Me bebí la cerveza y comí con toda tranquilidad, saboreando la comida y mojando pan. De repente se me ocurrió pensar en mi mujer y me entristecí. Me angustia pensar que mi mujer va a tener un hijo de su nuevo marido. Sabía que iba a ocurrir así, lo presentí, pero, no obstante, no me agrada enterarme y saberlo con toda certeza. En los primeros meses de nuestro matrimonio poníamos cuidado para no tener hijos. Poníamos tanto cuidado como para perder totalmente el gusto al asunto ya que Selma estaba en contra de medicamentos y aparatos. Luego nos fuimos despreocupando con el tiempo. Un año después, en cierta ocasión, hablamos de hijos, de que ya iba siendo hora de tenerlos. Así que comenzamos a poner cuidado en tenerlos pero, por alguna razón, no funcionaba. Después, un día Selma vino a decirme que ya era hora de que fuéramos al médico y me dijo también, para darme valor, que ella iría antes. Yo me opuse y le repliqué que no pensaba enredarme con esos animales llamados médicos para ese tipo de asuntos. No sé si Selma fue al médico o no. Quizá fuera a escondidas, pero tampoco me dio demasiado tiempo para pensarlo porque poco después nos separamos.

El camarero se llevó los platos vacíos. Pregunté qué tenían de postre, había *kadayıf*, me trajo un plato. Pedí otra cerveza, «va bien con el *kadayıf*, ¿no?», le dije al camarero y me reí. Él no se rió y yo me quedé sentado pensativo.

Ahora se me vinieron a la mente mi madre y mi padre. Estábamos en el este, en Kemah. Aún no existían ni Nilgün ni Metin. Mi madre se encontraba bien de salud y podía ocuparse ella misma de los asuntos de la casa. Vivíamos en un edificio de piedra de dos pisos; las escaleras se ponían frías como el hielo y a mí me daba miedo salir de mi habitación, cuando tenía hambre no me atrevía a levantarme y a bajar solo a la cocina, sufría el castigo a mi glotonería soñando insomne con la comida de la cocina. La casa de piedra tenía un pequeño balcón; en las claras y frías noches de invierno se veía desde allí un valle blanquísimo entre las montañas. Cuando aumentaba el frío oíamos los aullidos de los lobos, decían que de noche bajaban a la ciudad y contaban que, con el hambre, aquellos monstruos llamaban a las puertas. Que no había que abrir sin preguntar antes quién era. Una noche ocurrió así, mi padre abrió la puerta con la pistola en la mano. Y otra vez, en primavera, salió con la pistola en persecución del zorro que acostumbraba a comerse los pollitos. Pero nunca vimos al zorro, solo oíamos sus ruiditos. Mi madre me dijo que también las águilas, como los zorros, robaban pollitos. Entonces pensé de repente que nunca había visto un águila como aquellas y lo lamenté. Poco después me di cuenta de que ya hacía rato que debía haber regresado al archivo y me levanté de la mesa.

Me animé al sumergirme entre los mohosos papeles y comenzar a husmear entre ellos. Empecé a leer a la buena de Dios. La risa se apoderó de mí cuando leí que Yusuf había contraído una deuda y que, después de pagarla, recuperó al asno que había dejado en prenda, pero en el camino de vuelta notó que el animal cojeaba de la pata posterior derecha y así comenzó un pleito con Hüseyin. Sabía que me reía porque me había bebido tres cervezas y me encontraba algo achispado, pero no pude impedir reírme de nuevo cuando lo leí otra vez. Luego leí todo lo que caía en mis manos sin que me importara si lo había leído antes o no. No escribía nada en el cuaderno. Simplemente leía a gusto y riéndome, pasando de un documento a otro y de una página a la anterior. Poco después me pareció notar cierto nerviosismo: era como oír una canción que te gustara mucho después de que se hubiera pasado de moda. Por un lado recapacitaba una serie de cosas confusas sobre mí y mi vida y por otro intentaba prestar atención a las otras historias que desfilaban ante mí. El administrador de una fundación piadosa y un molinero no estaban de acuerdo respecto a las ganancias del molino, se personaron en el juzgado y presentaron una buena pila de números muy detallados sobre el mismo molino. El secretario del juzgado escribió obediente las cifras, como yo hice en mi cuaderno. Cuando llené una página con las cifras que mostraban las rentas mensuales y por temporada del molino, las cantidades de trigo y cebada molidas y las ganancias del año anterior, miré con un placer infantil la lista que sostenía en la mano y me sentí muy excitado.

Después volví a la lectura con más confianza: un barco cargado de trigo había desaparecido después de atracar por última vez en el muelle de Karamürsel. De la misma forma que no había llegado a Estambul, tampoco hubo quien diera noticia de él. Decidí que el barco se había hundido con su carga cerca de Tuzla, en aquellos escollos, y que ninguno de los que navegaban en él sabía nadar. Luego leí el acta del juicio abierto por Abdullah, hijo de Dursun, contra los tintoreros Kadri y Mehmet a quienes había entregado cuatro piezas de paño, pero no escribí nada. No entendía por qué Abdullah quería que se las devolvieran. El vendedor de encurtidos İbrahim el Devoto había vendido en Gebze el 19 de Şaban de 991 (7 de septiembre de 1583) tres pepinos en vinagre por un áspero, fue denunciado y se levantó acta del hecho en el juzgado. Tres días más tarde también pasó a las actas que la carne de vacuno vendida por 13 ásperos por el carnicero Mahmut pesaba 140 dirhems de menos y yo lo pasé a mi cuaderno. Sentí curiosidad por saber lo que pensarían los de la facultad si encontraran luego mi cuaderno y lo leyeran. Se preocuparían, especialmente porque no podrían afirmar que todo aquello eran invenciones mías. Si pudiera encontrar una buena historia, entonces sí que se quedarían estupefactos. De hecho, ese Budak mío que tanto había subido después de comerciar en vino se ajustaba como un guante a una historia como aquella. Comencé a buscar un título atrayente para aquella historia que embellecería con notas a pie de página y números de documentos: Un prototipo del sistema de Notables: el gran Budak de Gebze. ¡No estaba mal! Si fuera no solo Budak, sino Budak bajá quizá fuera aún mejor. ¿Se habría convertido luego en bajá? Quizá escribiera un artículo sobre cómo había llegado a serlo y al principio del artículo trazaría una visión general sobre el primer cuarto del siglo XVI. Pero perdí todo el placer al pensar en los aburridos detalles del artículo y luego, por un momento, creí que iba a llorar. Iba a justificarme diciendo que se trataba de la cerveza pero ya se me habían pasado los efectos. ¿Qué voy a hacerle? Sigo leyendo.

Leo la orden emitida para capturar al caballero llamado Tahir, hijo de Mehmet, que había comenzado a dedicarse al bandolerismo. Leo, pero no escribo, las órdenes relativas a impedir que los animales de las aldeas cercanas se comieran los productos de la huerta de esa parte del feudo de Ethem bajá y cómo debía procederse con el caso de Nurettin, que aseguraba que su padre había matado de una paliza a su esposa creyendo que él había muerto durante la peste. Luego pasé tal cual al cuaderno una larga lista en la que aparecían los precios del mercado. Después leí que Pir Ahmet, hijo de Ömer, se comprometía en presencia del jeque Fethullah, adjunto del juez, a devolver en ocho días la deuda que tenía contraída con Mehmet, el propietario de los baños. Luego leí el acta que se había levantado relativa a que a Hizir, hijo de Musa, le olía el aliento a vino. Entonces quise reírme pero para eso debería haber bebido más cerveza. Durante largo rato leí muy seriamente los registros del juzgado sin pensar ni escribir nada, lo que más me gustaba era leer atento como si estuviera tras la pista de algo, como si buscara algo, aunque ya no creyera que pudiera encontrar nada. Por fin me detuve cuando se me cansó la vista y miré a la ventana del sótano, en la que se reflejaba el sol. Los pensamientos y las imágenes venían sin cesar de acá para allá y se plantaban ante mí:

¿Por qué me hice historiador? Cuando tenía diecinueve años sentí curiosidad por un tiempo, eso era todo. Mi madre murió en primavera y mi padre abandonó la prefectura sin esperar a la jubilación y se instaló en Cennethisar. Y yo me pasé aquel verano en Cennethisar revolviendo entre los libros de mi padre y pensando en lo que había leído mientras paseaba por los jardines y la orilla del mar. A los que me preguntaban les respondía que iba a ser médico, sí, mi abuelo también era médico. Pero de repente, en otoño me matriculé en historia. ¿Cuántos hay que, como yo, escojan la historia como profesión voluntariamente? De repente me enfadé: Selma decía que la enfermedad de enorgullecerme de mi propia estupidez era una parte inseparable de mi personalidad. Pero le gustaba que yo fuera historiador. Quizá a mi padre no le gustara porque bebió cuando se enteró de que me había matriculado en historia. Pero quizá no fuera por eso porque bebía de todas formas. La abuela le reprendía para que no bebiera. Al pensar en la abuela pensé también en la casa y en Nilgün y miré la hora: casi las cinco. Ya no siento en absoluto el efecto de la cerveza. Poco después, al no sentir ya ningún placer en la lectura, me levanté sin esperar a Riza, me monté en el coche y regresé a casa. Por el camino pensé en charlar un rato con Nilgün, que estaría sentada leyendo algún libro por la parte del gallinero. Y si Nilgün no se presta, abriré el Evliya Çelebi que tengo en la mesilla, lo leeré, olvidaré, beberé, llegará la hora de la cena, comeré y volveré a beber.

XV

Me llené la boca con el último trozo de sandía y me levanté de la mesa rápidamente.

—¿Adónde va este sin terminar de cenar? —preguntó la abuela.

—No se preocupe, abuela —le respondió Nilgün—. Metin ya ha terminado.

—Llévate el coche si quieres —me dijo Faruk.

—Si lo necesito, ya vendré a llevármelo —le contesté.

—Decías que mi destartalado Anadol aquí perdía mucho, ¿no es cierto?

Nilgün lanzó una carcajada. Yo no respondí. Subí y cogí las llaves, la cartera en cuyo interior estaban las catorce mil liras que había ganado trabajando un mes con el calor del verano y que me daban una sensación de superioridad y seguridad, le di una última limpiada a los mocasines americanos que tanto me gustaban, me eché sobre los hombros el jersey verde que me había traído de Londres el marido de mi tía y gracias al cual pasó un buen rato contando cómo lo había comprado el día que me lo regaló, y bajé. Vi a Recep cuando salía por la puerta de la cocina.

—¿Adónde va sin tomarse las berenjenas, señorito?

—Me lo he comido todo, hasta la sandía.

—¡Alabado sea Dios!

Pensaba mientras caminaba: salía por la puerta del jardín

y aún podía oír cómo se reían Nilgün y Faruk. Eso es lo único que van a hacer durante toda la noche: el uno provocará a la otra para que todo lo encuentre gracioso y poco después la otra le ayudará a encontrar alguna otra gracia y así permanecerán sentados durante horas a la pálida luz de la lámpara olvidando su propia estupidez decidiendo que el mundo entero es mucho más injusto, absurdo y estúpido que ellos, y en eso Faruk se habrá terminado la media botella de *rakı* y quizá, si Nilgün todavía no se ha acostado, le hablará de la mujer que dejó escapar y probablemente cuando yo vuelva al final de la noche me encuentre a Faruk durmiendo la mona sentado a la mesa y me sorprenda cómo cree ese tipo tener el derecho a pincharme cada vez que me presta su asqueroso coche. Si eres tan listo y tan inteligente, ¿cómo es que dejaste escapar a una mujer tan bonita y con la cabeza tan en su sitio? Viven sobre un solar que valdría al menos cinco millones si lo vendieras pero los platos en los que comen tienen los bordes descascarillados, los tenedores y los cuchillos están desparejados, en lugar de salero usan un viejo bote de medicamentos cuya tapa ha agujereado el enano con un clavo oxidado y aguantan sin protestar que la pobre abuela, a sus noventa años, coma desparramándolo todo por todos lados. Andando andando llegué a casa de Ceylan. Su madre y su padre veían la televisión, como el resto de los ricos subdesarrollados y los pobres que no tienen otra forma de entretenerse, ya habían llegado todos, solo faltaba el jardinero que de la mañana a la noche regaba el jardín como si le hubieran esposado a la manguera. Me senté y les escuché:

—¿Ahora qué hacemos, muchachos?

—Dentro de nada mi padre y mi madre se acostarán y podremos poner un vídeo.

—No, mujer. No nos vamos a quedar toda la noche aquí atrancados.

—Yo quiero bailar —dijo Gülnur y se movió un poco siguiendo una música imaginaria.

—Nosotros vamos a jugar al póquer —intervino Fikret.

—Yo no juego.

—Vamos a tomar un té a Çamlica.

—¡Cincuenta kilómetros!

—Yo también quiero bailar —dijo Zeynep.

—Vamos a una película turca y nos cachondeamos.

—¡Decidid ya algún sitio!

Yo contemplaba cómo se reflejaba a lo lejos, en el mar tranquilo, la luz del faro al encenderse y apagarse en la isla y reflexionaba oliendo el perfume a madreselvas, a muchachas y el aroma que flotaba en el aire.

Pensaba en que quería a Ceylan, pero un sentimiento que era incapaz de descifrar me alejaba de ella al mismo tiempo: sabía que tenía que hablarle de mí mismo tal y como lo había estado planeando en la cama hasta que amaneciera, pero según meditaba me parecía cada vez más como si ese «yo» del que tenía que hablarle no existiera. Eso que llamo yo eran como cajas dentro de otras cajas: como si en mi interior siempre hubiera algo más; quizá pudiese encontrar mi auténtico yo detrás de ese algo y pudiera sacarlo a la superficie, pero de cada una de las cajas no surgía el Metin real, el original, sino otra caja que lo ocultaba. Pensé lo siguiente: el amor le arrastra a uno a la hipocresía, pero como creía estar enamorado creía que podía librarme de ese sentimiento de continua hipocresía. ¡Ah, si por fin se acabara esta espera! Pero sabía que no sabía lo que esperaba. Recordé mis cualidades superiores para calmarme y las conté una a una pero eso tampoco me distrajo.

Luego eché a andar con los otros, que por fin habían llegado a una decisión. Subimos a los coches y fuimos, con gran alboroto, a la discoteca del hotel. No había nadie excepto algunos turistas estúpidos. Se burlaron de los turistas que venían de vacaciones a este sitio apático y sin alma habiendo tantos otros en el inmenso mundo.

—¡Catetos alemanes subnormales!

—Quiero divertirme, muchachos. ¿Qué hacemos?

Luego bailaron un rato y yo bailé con Ceylan pero no

pasó nada. Me preguntó cuánto eran veintisiete por trece y setenta y ocho por ochenta y uno, le contesté y se rió despreocupada y cuando comenzó la música rápida dijo que se aburría y fue a sentarse. Yo subí y, cruzando silenciosos pasillos enmoquetados, fui al servicio, tan limpio que resultaba sorprendente y al verme en el espejo pensé en que todo eso me pasaba, maldita sea, porque creía estar enamorado de una muchacha y me dio asco de mí mismo. Probablemente Einstein no fuera así cuando tenía dieciocho años. Probablemente tampoco el gran Rockefeller fuera así a mi edad. Luego me sumergí en un largo sueño de riquezas: con el dinero que había ganado en América acababa comprándome un periódico en Turquía, pero no lo hundía como nuestros estúpidos ricachones; me iba estupendamente como propietario de periódico, llevaba una vida como la del Ciudadano Kane, era un hombre legendario que vivía solo, pero, maldita sea, también tenía en la cabeza convertirme en el presidente del club de fútbol Fenerbahçe. Luego pensé que cuando me hiciera rico olvidaría todas estas simplezas y estos simples sueños y odié a los ricos, pero Ceylan me confundió la mente. Luego olí mi camisa allí donde ella había apoyado su mano mientras bailábamos y salí de los servicios. Me la encontré en las escaleras. Íbamos a otro sitio, nos montamos en los coches.

La parte delantera del Alfa Romeo de Fikret, que recuerda a la cabina de un piloto, tiene todo tipo de botones, agujas, indicadores, señalizadores y luces de colores que se encienden y se apagan. Las miré absorto un rato. Antes de salir a la carretera Estambul-Ankara el coche de Turgay nos apretó las tuercas. Luego los tres coches decidieron echar una carrera hasta el cruce de Göztepe. Pasábamos compitiendo junto a camiones y autobuses, bajo pasos de nivel, entre gasolineras, fábricas, curiosos que nos miraban desde la cuneta, cafés, gente sentada tranquilamente en sus terrazas, mecánicos, huelguistas, vendedores de sandías, puestos de bocadillos y restaurantes. Fikret tocaba el claxon continuamente y de vez en cuando se excitaban y gritaban y se reían. Fikret no frenó cuando se encendió la luz roja en un cruce sino que se desvió por la carretera lateral y se lanzó a toda velocidad sobre un Anadol, nos libramos de estrellarnos cuando en el último momento el Anadol se arrojó a la cuneta.

—¡Se ha cagado de miedo, se le han puesto los pelos de punta!

—Los hemos pasado —gritó Ceylan—. Los hemos pasado a todos. ¡Acelera, Fikret!

—Muchachos, yo no quiero matarme, quiero pasarlo bien —dijo Zeynep.

—¿Quieres pasarlo bien?

—A esto le llaman Alfa Romeo. ¡Hay que saber darle lo que se merece!

—¡Bravo, hombre! Písale más, ya me da igual todo.

—¡El Anadol es el coche de los pobres!

Yo pensaba en que ya veríamos qué pasaba al final, pero no pasó nada. Ganamos la carrera y luego nos desviamos hacia Suadiye y salimos a la calle Bağdat. Me gusta mucho esta calle porque no puede ocultar lo espantosa que resulta y porque expone abiertamente su falsedad. Parece que quiera proclamar que la vida no es sino una continua hipocresía: ¡como si sobre todo estuviera escrito claramente que es falso! ¡Horribles mármoles en los edificios! ¡Horribles paneles de plexiglás! ¡Horribles apliques que cuelgan de los techos! ¡Horribles pastelerías bien iluminadas! Me gustan todas las cosas horribles que no se ocultan. ¡Yo también soy falso, qué bien! ¡Todos somos falsos! No miré a las muchachas que paseaban por la calle por si encontraba alguna bonita y me destrozaba el corazón. Si tuviera un Mercedes echaría la red en las aceras y seguro que pescaría alguna. ¡Te amo, Ceylan! ¡A veces hasta amo la vida! Aparcamos y entramos en una discoteca. No es eso lo que dice en la puerta, sino club, pero cualquiera que saque doscientas cincuenta liras y las pague puede entrar.

Cantaba Demis Roussos y bailé con Ceylan pero no hablamos demasiado y no ocurrió nada. Se aburría, estaba absorta y muy triste y miraba a un lejano punto invisible del horizonte como si tuviera otras cosas en la cabeza distintas a mí y entonces, por alguna extraña razón, me dio pena de ella y se me vino a la mente lo mucho que podría quererla.

—¿En qué piensas? —le pregunté.

—¿Eh? ¿Yo? ¡En nada!

Bailamos un rato más. Entre nosotros se había producido una ruptura que debía ser ocultada y era como si quisiéramos enmascararla abrazándonos. Pero yo notaba que todos aquellos pensamientos solo eran ilusiones. Poco después se acabó aquella música que pretendía ser triste y solo llegaba a llorica, comenzó la música rápida y la pista se llenó con una multitud que se agitaba ardorosa con la ambición de divertirse. Ceylan se quedó con ellos, yo me senté y contemplé pensativo a los que bailaban a toda velocidad mientras se derramaban sobre ellos luces multicolores.

¡Se sacudían doblando las rodillas y balanceaban la cabeza como gallinas estúpidas! ¡Cretinos! ¡Juro que todo esto no lo hacen porque les guste, sino porque lo hacen los demás! ¿Acaso piensan mientras bailan que en ese momento están bailando? Porque los movimientos extraños lo son aún más si no oyes la música. Mientras bailo pienso que lo que hago es una tontería y como lo creo, me angustio, pero me consuelo diciéndome que por desgracia me veo obligado a hacer esos extraños movimientos para gustarle a esa chica y así mi mente parece razonar como la de esos imbéciles, pero en realidad no es así y como resultado consigo ser como los demás y como yo mismo a un tiempo. ¡Pocos son los que lo logran! ¡Me alegro! Poco después fui a unirme a aquel tonto baile para que no dijeran que sentado aquí solo estaba representando el papel de muchacho pensativo y sumergido en sus meditaciones.

Por suerte no tuve que sudar demasiado. Enseguida volvimos a sentarnos y empezaron otra vez, mucho calor, mucha gente, he sudado mucho, me aburro mucho, me divierto mucho, muy bien, muy mal, pero también se cansaron de hablar porque la música estaba demasiado alta. Comprendieron demasiado tarde que lo que decían no valía el aliento que gastaban. Luego concluyeron que allí no había más que hacer, me aburro, vámonos, vamos a algún sitio, ¡vamos!

Nos levantamos. Fikret fue el que pagó. Vedat y yo aparentamos querer compartir la cuenta o al menos pagar lo que nos correspondía pero, como esperábamos, Fikret no nos dejó ni mencionar el dinero. Mientras tanto vi que los demás golpeaban las ventanillas del BMW de Turgay y se reían, así que fui a mirar: ¡Hülya y Turan se habían quedado dormidos abrazados en el asiento de atrás! Zeynep lanzó una carcajada feliz y admirada como si le excitara la fuerza de un cariño que ella sintiera.

—¡Pero si no se han bajado en ningún momento del coche! —dijo luego.

Pensé en que unos chicos de mi edad podían quedarse dormidos abrazados como si fueran «verdaderos amantes».

Subimos a los coches y nos fuimos. Turgay detuvo el suyo en el puesto de sandías de la esquina al salir a la carretera de Ankara. Salió el mismo Turgay y habló algo con el vendedor a la luz de la lámpara de gas. El vendedor se volvía a mirar a los tres coches que esperaban. Turgay se nos acercó y llamó a Fikret por la ventanilla.

—Dice que no nos vende. Que no tiene.

—La culpa es nuestra —le respondió Fikret—. Hemos venido demasiada gente.

—¿Que no tiene? —preguntó Gülnur—. ¿Y qué hacemos ahora?

—Si os resignáis a beber una copa, compraremos algo en cualquier sitio.

—No, no quiero beber. Vamos a una farmacia.

—¿Y qué vas a comprar en una farmacia?

—¿Qué opinan los otros? —preguntó Fikret.

Turgay fue hasta el otro coche. Regresó poco después.

—Dicen que compremos bebida. —Se paró cuando ya iba a irse—. ¡Todavía no se han llenado las cunetas!

—Bien —contestó Fikret—. Entendido.

Salimos a la carretera. Antes de llegar a Maltepe le echaron el ojo a un coche de matrícula alemana, tenía la baca llena de maletas y la parte de atrás hundida.

—¡Y es un Mercedes! —gritó Fikret—. ¡Vamos, muchachos!

Lanzó una señal con los intermitentes al coche de Turgay y frenó quedándose algo atrás. Lo vimos: el BMW de Turgay adelantaba al Mercedes pero luego, en lugar de acelerar como cualquier coche que adelanta, se desvió ligeramente hacia la derecha presionando al Mercedes contra la cuneta, el Mercedes se bamboleó mientras tocaba el claxon, después, para no chocar contra el BMW de Turgay, inevitablemente metió una rueda en la cuneta, más baja que la calzada. Todos se rieron. Les recordaba a un pobre perro cojo que corriera. El BMW de Turgay aceleró y se alejó. Y cuando el Mercedes por fin pudo liberar la rueda:

—¡Vamos! ¡Te toca a ti, Fikret!

—Todavía no. Que se recupere un poco.

Solo había una persona en el coche: pensé que sería un emigrante que regresaba de Alemania y no quise pensar más.

—Ni se os ocurra mirar hacia ese lado, muchachos —dijo Fikret.

Primero comenzó a adelantar al Mercedes, como había hecho Turgay, y luego se desvió poco a poco a la derecha. Las chicas se rieron tontamente cuando el Mercedes comenzó a tocar el claxon como un loco pero quizá tuvieran también un poco de miedo. La rueda del emigrante volvió a meterse en la cuneta cuando Fikret dobló a la derecha aún más y todos reventaban de las carcajadas cuando de nuevo comenzó a cojear.

—¿Habéis podido ver la cara del tipo?

Aceleramos y nos alejamos de allí. Poco después el coche de Vedat debió de conseguirlo también porque oímos la desesperada bocina chillona del Mercedes sonar con rabia. Nos encontramos en una gasolinera. Apagaron las luces y nos escondimos. Patalearon y se rieron cuando el Mercedes del emigrante pasó lentamente ante nosotros.

—¡Qué pena! Me da lástima el hombre —dijo Zeynep.

Luego se contaron unos a otros, excitados y divertidos, lo que había ocurrido, se lo volvieron a contar y acabé por aburrirme. Fui al puesto de bebidas y bocadillos, pedí una botella de vino y le dije que la abriera.

—¿Eres de Estambul? —me preguntó el dependiente.

El interior del puesto estaba iluminado como el escaparate de una joyería. Por algúna extraña razón me apeteció sentarme un rato allí, escuchar a la mujer que cantaba a la turca en el transistor y olvidar. Por mi cabeza pasaban pensamientos confusos, relativos al amor, el mal, el cariño y el éxito.

—Sí, soy de Estambul.

—¿Y adónde vais?

—De paseo.

El dependiente sacudió su cansada cabeza comprensivo y somnoliento.

—¡Ah, claro! ¡Con las chicas!

Iba a responderle algo, me esperaba tomándoselo tranquilamente como si fuera importante y yo estuviera a punto de contárselo, pero las bocinas de los coches empezaron a sonar. Me monté a la carrera. «¿Dónde estabas, hombre? No vamos a alcanzarle por tu culpa.» Yo creía que ya se había terminado todo, pero no. Fuimos a toda velocidad y lo volvimos a ver después de Pendik, subía lentamente una cuesta, como un camión cansado. En esta ocasión, primero Turgay se metió por su izquierda y mientras lo empujaba hacia la derecha, Vedat se colocó a ese lado y nosotros detrás acercándonos tanto como para casi tocar su parachoques. Así lo encerramos en un tridente del que solo podía salir yendo más rápido que nosotros. Poco después quiso librarse acelerando pero no pudo despegarse. Lo arrastrábamos tocando el claxon sin parar, con los faros en su nuca. Después abrieron las ventanas y pusieron la música a todo volumen, sacaban los brazos y golpeaban las puertas de los coches, gritaban, cantaban asomándose por las ventanillas. No sé cuánto rato fuimos así, como locos, en medio de aquel alboroto aumentado

157

por el sonido del claxon que tocaba preocupado el Mercedes, sorprendido por haber sido atrapado, entre casas, suburbios y fábricas. Por fin, cuando al emigrante se le ocurrió reducir la velocidad, comenzaron a apilarse autobuses y camiones detrás de nosotros, así que nos vimos obligados a dejarle tras despedirnos por última vez de él. Al pasarle me di media vuelta y miré la cara del emigrante, ensombrecida entre las luces lejanas: parecía que ya ni nos veía. Le habíamos hecho olvidarse de su vida, sus recuerdos y su futuro.

No pensé, bebí un poco de vino.

Pasamos sin detenernos por la desviación a Cennethisar. Luego decidieron darle a un Anadol en el que iba una anciana y ridícula pareja pero cambiaron de opinión. Al pasar por delante de las casas de citas que había poco después de la gasolinera, Fikret tocó el claxon y apagó y encendió los faros pero nadie preguntó nada. Tras avanzar un poco, Ceylan dijo:

—¡Mirad lo que voy a hacer!

Al darme la vuelta y mirar a mi espalda, vi que Ceylan sacaba sus piernas desnudas por la ventanilla de atrás del coche. Vi que sus largas piernas morenas se movían lentamente bajo las luces de los coches que nos seguían, que caían sobre ellas como si fueran focos de un escenario, con cuidado, a propósito, como unas piernas profesionales y pareciendo buscar desesperadamente algo en el vacío. Sus pies estaban descalzos, blanquísimos y bailoteaban ligeramente arriba y abajo para oponerse al viento. Luego Gülnur cogió a Ceylan de los hombros y tiró de ella hacia dentro.

—¡Estás borracha!

—¡Ni borracha ni nada parecido! —contestó Ceylan lanzando una alegre carcajada—. ¿Tanto he bebido? ¡Cuánto me divierto! ¡Qué bien me lo estoy pasando!

Después todos nos callamos. Como si fuéramos a una importante misión a Ankara desde Estambul, seguimos largo rato entre miserables urbanizaciones de vacaciones, fábricas, olivares y huertos de cerezos sin hablar, como si no escucháramos la música que seguía sonando, tocando estúpidamente y sin mayor interés la bocina mientras adelantábamos camiones y autobuses. Yo pensaba en Ceylan, pensaba que podría quererla lo que me quedara de vida solo porque lo había hecho.

Nos detuvimos en una gasolinera después de pasar Hereke y bajamos de los coches. Compramos vino malo y bocadillos en el puerto. Nos los tomamos mezclándonos con los cansados y temerosos viajeros que se habían bajado de un autobús. Vi que Ceylan había ido hasta la cuneta y que se comía absorta su bocadillo contemplando cómo pasaban los coches como los que se llenan la barriga mirando un arroyo, y observándola pensé en mi futuro.

Poco después vi a Fikret que se acercaba a Ceylan lentamente en la oscuridad. Le alargó un cigarrillo y se lo encendió. Empezaron a hablar. No estaban muy lejos de mí pero no podía oír lo que decían con el ruido del tráfico y sentía aún más curiosidad. Luego esa extraña curiosidad se transformó en un extraño miedo. Comprendí de inmediato que para vencerlo tenía que ir junto a ellos; pero allí, en la oscuridad, como si fuera en un sueño, sentí una insultante y vergonzosa timidez. No obstante, aquel sentimiento de derrota no duró demasiado, a pesar de todo. Poco después volvimos a subir a los coches y avanzamos en el interior de la noche sin pensar en nada.

XVI

Cuando cesa todo ese desagradable alboroto, cuando cesa ese
escándalo de playas, motoras, niños, canciones, radios, borrachos, insultos, televisores y coches que me hincha la cabeza durante todo el día y el último coche pasa ante la puerta
del jardín a grito pelado, me levanto lentamente de la cama,
me detengo detrás de las contraventanas y presto atención al
exterior: no queda nadie, todos duermen cansados. Solo el
viento, algún ligero movimiento del mar, los árboles que susurran y, a veces, cuando ellos tampoco suenan, un grillo cercano, una corneja asustada o un perro descarado. Entonces
empujo despacio las contraventanas y los escucho, escucho
largamente el silencio. Luego siento un escalofrío al pensar
que he vivido noventa años. Una brisa que brota de la hierba
sobre la que cae mi sombra parece enfriarme las piernas y me
da miedo: ¿Y si regreso y me encierro en la cálida oscuridad
de mi edredón? Pero me quedé allí para escuchar algo más el
silencio expectante: esperé como si fuera a ocurrir algo, como
si me hubiera citado con alguien, como si el mundo fuera a
mostrarme algo nuevo. Después cerré las contraventanas, regresé a mi cama, me senté en un lado y escuchando el tictac
del reloj a la una y veinte, pensé: en esto también se equivoca-
ba Selâhattin. En efecto, ¡nunca hay nada nuevo!

«Cada día es un nuevo mundo —me decía Selâhattin por
las mañanas—. El mundo vuelve a nacer cada mañana, como

nosotros, y eso me excita de tal manera que a veces me despierto antes de que salga el sol y pienso que saldrá poco después y que todo será nuevo y que yo me renovaré también al tiempo que aparecen todas esas novedades y veré cosas que no sabía, estudiaré, aprenderé y después de aprender veré de otra manera lo que ya sabía y me excita de tal forma, Fatma, que quiero saltar de la cama en ese preciso instante y correr al jardín para observar cómo nace el sol, quiero ver cómo todas las plantas y los insectos se mueven y cambian al salir el sol, y luego quiero subir corriendo al momento para escribir todo lo que he visto. Fatma, ¿por qué no sientes tú lo mismo? ¿Por qué no dices nada? ¿En qué piensas? Mira, mira, Fatma, ¿has visto la oruga? ¿Qué ha hecho? ¡Un día se convertirá en mariposa y echará a volar! Ah, uno debería escribir solo lo que ha visto, lo que ha visto y experimentado, entonces yo también podría quizá ser un auténtico hombre de ciencia, como esos europeos, como por ejemplo Darwin, qué gran tipo, pero por desgracia uno no puede llegar a nada en este apático Oriente, ¿no puede? ¿Y por qué no? Teniendo en cuenta que tengo manos, ojos y un cerebro para observar y experimentar, que, gracias a Dios, funciona mejor que el de cualquier otro en este país, sí podría. Fatma, ¿has visto cómo abren las flores los albaricoqueros? Te preguntarás por qué huelen así. Bien, ¿qué es el olor? ¿Qué es lo que nos produce ese sentido? ¿Has visto cómo crece sola, qué sinvergüenza es la higuera, Fatma? ¿Cómo se comunican las hormigas? ¿Te has fijado, Fatma, cómo crece el mar antes del ábrego y cómo se retira antes de que sople el mistral? Uno siempre tiene que fijarse, que observar, porque solo así avanza la ciencia y solo así podremos educar nuestras mentes; en caso contrario seríamos como los que dormitan en los rincones de los cafés, como ovejas», decía y cuando empezaba a tronar antes de que lloviera parecía volverse rabioso de felicidad, salía a toda velocidad de su demoníaca habitación, bajaba las escaleras saltando de dos en dos los escalones, salía al jardín, se tumbaba de espaldas en la tierra y contemplaba las nubes hasta quedarse empapado. Yo comprendía que escribiría también sobre las nubes y que estaba buscando una razón para escribir porque decía: «Cuando todos sepamos que cada cosa tiene su propia razón de ser ya no quedará lugar para Dios en las mentes, porque la razón de las flores que se abren, de las gallinas que ponen, del mar que sube y baja, de los truenos y la lluvia no es la voluntad de Dios, como creen, sino lo que voy a escribir en mi enciclopedia. Entonces entenderán que solo son las cosas las que producen otras cosas y que nada proviene de las manos de Dios. Y aunque ahí arriba exista un Dios verán que no puede hacer otra cosa que estar sentado mirando porque nuestra ciencia le ha arrebatado todas sus funciones. Dime, Fatma, ¿puede ser considerado Dios alguien que solo tiene fuerzas para contemplar lo que ocurre en el mundo sin poder intervenir? Ah, te callas, ¿no? Porque tú también has comprendido que ya no existe Dios. Ya veremos cuando los que son como tú algún día lean un poco de lo que escribo y lo entiendan. ¿Me escuchas?».

No, no te escucho, Selâhattin, pero él ya no hablaba para mí: «Cuando comprendan que nada viene de manos de Dios verán todo lo que tienen en las suyas. ¿Y qué será de ellos, Fatma, cuando vean que tienen en sus manos el miedo y el valor, el delito y el castigo, la inmovilidad y el movimiento, el bien y el mal?». Eso decía y se ponía en pie de repente como si no estuviera sentado a la mesa delante de las botellas sino ante su escritorio y comenzaba a gritar paseando arriba y abajo: «Entonces les pasará como a mí en aquellos primeros años; el miedo les atará, no se creerán sus propios pensamientos, les aterrorizarán las ideas que se les pasen por la cabeza, se dejarán llevar por el pánico al pensar lo que piensan y sentirán culpa y miedo temblando de pavor de que los degüellen cuando comprendan que otros pueden pensar lo mismo y entonces se irritarán conmigo, que les he traído desde allí hasta aquí, pero como no les quedará otro remedio vendrán corriendo a mí, sí, a mí, para librarse lo antes posible de ese pánico, vendrán a mis libros, a mi enciclopedia en cuarenta y ocho volúmenes y comprenderán que lo auténticamente divino son esos tomos, soy yo, Fatma. Sí, ¿por qué yo, el doctor Selâhattin, no puedo ser el nuevo Dios de todos los musulmanes en lugar de Él? Porque ahora nuestro dios es la ciencia, ¿me oyes, Fatma?».

¡No! Porque creo que incluso oírte es pecado, porque me he comido las patatas con carne picada y los insulsos puerros que ha cocinado Recep, he cogido mi cuenco de *aşure* y me he retirado a la habitación lateral, pequeña y fría. Allí me siento con las piernas juntas para que no se me queden frías y me tomo lentamente mi *aşure* con la cucharilla. Granos de granada, judías, garbanzos, higos secos, maíz, negras uvas pasas y pistachos todo regado por encima con agua de rosas. ¡Qué agradable, qué bueno!

No me viene el sueño. Me levanto de la cama. Me apetece *aşure*. Fui hasta la mesa y me senté: sobre ella hay un frasco de colonia, no es de cristal pero se ve lo que contiene. La primera vez que lo vi ayer a mediodía creí que era cristal pero comprendí que no en cuanto lo toqué, me dio asco. «¿Qué es esto?», pregunté. «No había frascos de cristal, abuela», me contestó Nilgün y comenzaron a darme friegas en las muñecas sin escucharme. Una cosa que sale del plástico puede que os reanime a vosotros, pero no a mí. No se lo dije porque no lo entenderían. ¡Vuestras podridas almas, que ya nacieron muertas, son de plástico! Si se lo hubiera dicho quizá se habrían reído.

Se ríen: ¡qué raros son estos viejos! Se ríen. ¿Cómo está, abuela? Se ríen. ¿Sabe lo que es la televisión? Se ríen. ¿Por qué no baja a sentarse con nosotros? Se ríen. ¡Qué bonita es su máquina de coser! Se ríen. ¡Tiene pedal y todo! Se ríen. ¿Por qué se lleva el bastón a la cama cuando se acuesta? Se ríen. ¿Le damos un paseo en coche, abuela? ¡Qué bonitos los bordados de su bata! Se ríen. ¿Por qué no ha votado en las elecciones? Se ríen. ¿Por qué está siempre revolviendo en su armario? Se ríen. Y si les pregunto que por qué se ríen cada vez que me miran, se ríen de nuevo y contestan que no se ríen y se ríen. Quizá porque su padre y su abuelo lloraron a lo largo de toda su vida. Ya estaba harta.

¿Y si despierto al enano y le pido *aşure*? Golpea el suelo con el bastón, despierta, enano. «Señora —me dirá—, ¿a estas horas? ¿Y en esta época del año? Ahora no piense más, duérmase tranquilamente y mañana por la mañana yo...» «¿Qué haces aquí si no vas a cumplir mi encargo? ¡Lárgate!» Se iría de inmediato, con ellos: «Sufro mucho, muchachos. ¡Sufro mucho con esta abuela vuestra!». Bien, entonces, ¿por qué sigues aquí? ¿Por qué continúa aquí el enano y no se ha largado como hizo su hermano? «Porque, señora —me diría—, como usted ya sabe, cuando el difunto Doğan bey nos dijo: "Recep, İsmail, tomad este dinero, tomadlo, vivid como queráis, yo ya estoy harto de tener remordimientos por las faltas y los pecados de mi padre y mi madre, tomad este dinero", el inteligente İsmail, gracias, hermano, respondió que muy bien y con el dinero se compró el solar de la cuesta y se construyó una casa, ya sabe cuál, ayer pasaron por delante yendo al cementerio. ¿Por qué se hace ahora de nuevas, señora? Como si no fuera usted la que le dejó a él cojo y a mí enano.» ¡Cállate! De repente me ha dado miedo. Y, además, les engaña a todos. A todos. A mi Doğan porque era como un ángel: ¿qué le dijisteis, bastardos, para engañar a mi niño y arrebatarme el dinero de las manos? Y a ti, hijo mío, te repito que no queda nada más: ven si quieres, mira mi joyero, no queda nada por culpa del borracho de tu padre. «Madre, por favor, no hables así de mi padre, malditos sean el dinero y los diamantes, todas las desgracias son a causa del dinero, dame ese joyero que lo tire al mar, no, lo usaré para algo útil, madre, mira, ¿sabes?, estoy escribiendo unas cartas, conozco al ministro de Agricultura, en el colegio estaba una clase después de la mía, estoy preparando unos proyectos de ley, te juro, madre, que esta vez servirá para algo de verdad. Bueno, bueno, quédate con el joyero, tuyo es, no lo quiero, pero no te metas en si bebo o no.» Me levanté de la mesa, fui hasta el armario, saqué la llave, abrí la puerta y sentí el olor del armario. Lo había puesto en el segundo cajón. Lo abrí: ahí está. Olí el joyero sin abrirlo y después de haberlo abierto volví a olerlo, completamente vacío, y recordé mi infancia.

Ya es primavera en Estambul y soy una jovencita de catorce años y mañana por la tarde vamos de paseo. «¿Dónde vais, vamos a ver?» «Vamos a casa de Şükrü bajá, padre. ¿Conoces a sus hijas Türkân, Şükran y Nigân? Me lo paso muy bien con ellas, nos estamos riendo todo el rato: tocan el piano, hacen imitaciones, leen poesía y a veces me leen también novelas traducidas. Las quiero mucho.» «Muy bien, bravo, pero ya es muy tarde, duérmete ya, Fatma.» De acuerdo, me duermo, me duermo pensando que al día siguiente iremos allí. Mi padre cierra la puerta y el aire que levanta la puerta al cerrarse me trae el olor de mi padre, me duermo pensando en todo aquello en mi cama y al amanecer me encuentro el precioso día en mi cabecera: como el olor del joyero. Pero de improviso me aparté con miedo: basta, estúpida caja, yo sé lo que es la vida. La vida se introduce en tu interior, te atrapa por todos lados y, ¡Dios mío!, te destroza, muchacha tonta. En ese momento me enfadé de tal forma que estuve a punto de tirar el joyero pero logré contenerme. ¿Cómo podría luego dividir el tiempo? El tiempo volvería a escondidas. Esta vez lo oculté en el tercer cajón, cerré el armario, ¿le he echado la llave?, miré otra vez, sí, lo he cerrado con llave. Después me tumbé en la cama. El techo sobre mi cama. Sé por qué no puedo dormirme. El techo es verde. Porque todavía no ha pasado el coche que sigue al último coche. Pero la pintura verde está desconchada. Cuando llegue oiré el ruido de pasos y sabré que se han acostado. Por debajo se ve el amarillo. Y cuando lo sepa creeré que el mundo entero es solo para mí y me dormiré a gusto bajo el amarillo que sale debajo de la pintura verde. Pero no puedo dormirme, pensaba en los colores, en el día que de improviso me descubrió el secreto de los colores.

«El secreto de las pinturas y los colores es muy simple, Fatma —me dijo un día Selâhattin y me señaló la banda de siete colores que había colocado en la rueda trasera de la bicicleta de mi Doğan después de ponerla al revés sobre la mesa del comedor—. ¿Lo ves, Fatma? Aquí hay siete colores, pero mira ahora lo que va a pasar con tus siete colores.» Le dio al pedal con fuerza y una astuta alegría, los colores se mezclaron y se convirtieron en blanco, aquello me sorprendió y me asustó y él correteó por la habitación de acá para allá lanzando carcajadas. Y en la cena me explicó orgulloso aquellos principios suyos que poco tiempo después dejaría de lado: «Fatma, solo escribo lo que he visto con mis propios ojos, es por principios, en mi enciclopedia no puede entrar ninguna información que no haya comprobado experimentalmente». Pero luego olvidó aquella frase que tanto repetía porque decidió que la vida era breve y que su enciclopedia sería larga y ya eran los años inmediatamente anteriores a que descubriera la muerte: «Nadie tiene el tiempo suficiente como para experimentarlo todo, Fatma —decía—. Ese laboratorio que he ido creando en el lavadero solo es un capricho infantil, el que pretenda probar de nuevo experimentalmente todo ese tesoro de conocimientos descubierto y sacado a la luz por los occidentales, o es un imbécil o un narcisista», decía. Como si supiera que yo pensaba: «Tú eres las dos cosas, Selâhattin». Luego gritaba con rabia, irritado consigo mismo. «Ni el gran Diderot pudo acabar su enciclopedia en diecisiete años, Fatma, porque era un narcisista, ¿qué necesidad tenía de discutir con Voltaire y Rousseau? Imbécil, ellos eran tan grandes hombres por lo menos como tú y si uno no admite que algunos grandes hombres pueden pensar y descubrir algunas cosas antes que uno mismo, todo queda a medias. Yo soy modesto, admito que los europeos lo han descubierto todo antes que nosotros y que lo han estudiado hasta el menor detalle. ¿No es una tontería volver a investigar y descubrir lo mismo? ¡Para saber que un centímetro cúbico de oro pesa 19,3 gramos y puede comprarlo todo, incluidas las personas, ya no me hace falta coger una balanza y volver a pesarlo ni llenarme los bolsillos de oro y mezclarme de nuevo entre esos sinvergüenzas de Estambul! Las verdades solo se descubren una vez: el cielo también es azul en Francia, las higueras también dan fruta en agosto en Nueva York y de la misma forma que de los huevos que ponen las gallinas en nuestro gallinero salen pollitos, te lo juro, Fatma, hoy mismo también salen pollitos en China y si el vapor de agua hace girar las máquinas en Londres también las mueve aquí y si en París no existe Dios, tampoco aquí y el hombre es idéntico en cualquier sitio, e igual, y la república será siempre el mejor sistema y la ciencia el principio de todo.»

Después de proclamar todo aquello Selâhattin dejó de encargar extrañas máquinas e instrumentos a los herreros y fabricantes de estufas de Gebze y de implorarme para poder pagarles a tiempo y de llamar al judío; dejó de echar cubo tras cubo de agua a los recipientes que había unido con tubos de estufa para demostrar el funcionamiento de las fuentes y de perder el tiempo mirándolos como los locos que buscan la paz y observan el estanque del patio del manicomio, de volar cometas que se empapaban con la lluvia y se caían para demostrar qué era la electricidad, de jugar con lupas, cristales, embudos, tubos humeantes, frascos de colores y catalejos: «Te he causado muchos gastos con las tonterías del lavadero, Fatma, tenían razón al decirme que eran todo chiquilladas, te pido perdón, creer que contribuiría a la ciencia con un laboratorio de aficionados montado en casa no solo era un capricho infantil sino también una niñería provocada por no haber entendido lo sublime que es la ciencia, toma la llave, lleváoslo todo Recep y tú, tiradlo al mar, vendedlo si queréis, haced lo que queráis. ¡Ah! Llevaos también esas placas, mi colección de insectos, los esqueletos de peces, las flores y hojas que tan estúpidamente sequé, ese ratón muerto metido en formol, el murciélago, la serpiente y la rana; coge todos esos botes, Fatma. ¡Ay, Dios! ¿Qué es lo que te da asco ahora? ¿Qué es lo que te da miedo? Bueno, bueno, llama a Recep y librémonos cuanto antes de estas tonterías, de hecho, ya no me queda sitio para los libros, mejor, porque es una estupidez creer que viviendo en Oriente vamos a conseguir descubrir algo nuevo y poder decirlo. ¡Pero si ellos ya lo han descubierto todo y no queda nada nuevo que decir! Mira qué frase: ¡no hay nada nuevo bajo el sol! Fatma, escucha, ¿te das cuenta? Ni siquiera esa frase es nueva, hasta eso, maldita sea, lo hemos aprendido de ellos. ¿Me comprendes? Además, ya no queda tiempo; me he dado cuenta de que no puedo condensar mi enciclopedia en cuarenta y ocho tomos, lo mejor será reunir todo ese amplio material en cincuenta y cuatro tomos, pero, por otro lado, estoy impaciente porque esta obra llegue a las masas. ¡Cómo desgasta escribir una obra de verdad! Y sé que no tengo derecho a recortarla, Fatma, porque por desgracia no me conformo con ser un pobre de espíritu cualquiera como esos imbéciles que muestran una parte minúscula, un extremo de un pico de la verdad, en un librito de cien páginas y luego andan años presumiendo. Miras esos panfletos de Abdullah Cevdet, ¡qué tipo tan superficial, tan simple! Y, además, ha malinterpretado a De Passet y no ha leído a Bonnesance y, sobre todo, usa de manera equivocada la palabra *fraternité*, pero ¿qué es lo que vas a corregir de esos tipos? Y, si los corriges, ¿quién lo va a entender? Cretinos, a este pueblo imbécil tienes que contárselo todo de la forma más simple para que lo entienda, por eso me desespero intentando explicar esos descubrimientos científicos y coloco en mis escritos, aquí y allá, refranes y dichos para que esos animales lo entiendan», y estaba recordando que Selâhattin gritaba aquello cuando de repente oí el gruñido del coche que seguía al último coche.

Se detuvo ante la puerta del jardín. La oí al abrirse la puerta mientras el motor aún rugía: ¿qué extraña y desagradable música era aquella? Luego hablaron y les escuché.

—Mañana por la mañana en casa de Ceylan, ¿de acuerdo? —gritó uno.

—¡De acuerdo! —le gritó a su vez Metin.

Luego el coche se puso en marcha chillando de dolor y se largó bramando. Después Metin cruzó el jardín, abrió la puerta de la cocina sin dudar ni un segundo, entró, subió la escalera pequeña de cinco escalones, cruzó lo que Selâhattin llamaba «el comedor», subió también la otra, la de diecinueve escalones, y cuando pasó por delante de mi puerta pensé en llamarle: «Metin, Metin, ven aquí, ven, hijo mío, cuéntame, ¿dónde has estado? ¿Qué hay fuera? ¿Qué hay en el mundo a estas horas de la noche? Vamos, cuéntame, entretenme», le diría pero ya se ha metido en su habitación. Antes de que cuente hasta cinco se habrá desnudado y se lanzará sobre la cama de tal manera que temblará toda la casa, y ya ha temblado y antes de que vuelva a contar hasta cinco, lo juro, se habrá dormido, tres, cuatro, cinco, ya está, qué a gusto duerme con su sueño de muchacho, porque, ¡qué bien duermes si eres joven! ¿Verdad, Fatma?

Pero yo no podía dormir así ni cuando tenía quince años. Esperaba algo, un paseo balanceándonos en un coche de caballos, tocar el piano, que vinieran las hijas de mi tía, que luego se fueran, que comiéramos y que nos levantáramos después de comer y una nunca sabe qué es esa espera más intensa que acaba con todas las demás ni lo que esperamos con esa espera. Luego, al pasar noventa años, he comprendido que todas ellas han llenado mi mente como el agua clara que acumulan en un estanque de mármol cientos de pequeños grifos y al acercar mi cuerpo a la frescura del estanque en el silencio de una calurosa y tranquila noche de verano, me veo a mí misma y veo que estoy llena de mí y me gustaría soplarme en el aire para que el agua clara no se ensucie, como si no quisiera que cayera polvo sobre su superficie. Era una niña ligera, pequeña, delicada.

Siento curiosidad por saber si a veces alguien puede permanecer toda su vida siendo una niña pequeña: sí, una niña como yo no quiere crecer y hundirse en el pecado y es eso lo único que desea, ¿cómo merecerlo y cómo conseguirlo? En Estambul, cuando era niña, en una ocasión que fui de visita a su casa escuché una novela francesa traducida al turco que leían por turnos Nigân, Türkân y Şükran: había un monasterio cristiano; no querías ensuciarte y subías a lo alto de la colina, entrabas en él y esperabas. «Pero qué extraño y qué feo», pensé yo mientras escuchaba aquel libro que leía Nigân, «allí están tan juntos, tan juntos, como gallinas perezosas y apáticas que no quisieran poner.» Luego me dio asco al pensar que crecían y perdían su frescura: todas aquellas cosas cristianas, la cruz, los ídolos, los crucifijos; ¡curas de barba negra y ojos rojos que se pudren entre sus muros de fría piedra! Eso no me gusta. Yo quiero seguir igual sin que nadie me vea.

¡No, no puedo dormirme! Miro al techo inútilmente. Me di la vuelta, me levanté despacio, caminé hasta la mesa y contemplé la bandeja como si la viera por primera vez: esta noche el enano me ha dejado melocotones y guindas. Cogí una guinda, me la metí en la boca, era como una enorme cuenta de rubí, la mantuve un poco entre las mandíbulas, luego la mordí y la mastiqué lentamente esperando que su zumo y su sabor me llevaran a alguna parte, pero en vano. Aquí sigo. Escupí el hueso y probé con otra, luego otra, y otras tres y cuando me saco los huesos de la boca aún sigo aquí. Está claro que va a ser una noche difícil.

XVII

Al despertarme me di cuenta de que el sol me había trepado hasta el hombro. Los pájaros ya habían empezado a cantar en los árboles y mis padres a discutir dentro.

—¿A qué hora se acostó anoche Hasan? —preguntaba mi padre.

—No lo sé —le respondía mi madre—. Yo ya me había dormido. ¿Quieres más pan?

—No. A mediodía vendré a ver si está en casa.

Luego ellos se callaron pero los pájaros no: desde donde estaba tumbado escuché los pájaros y los coches de los que corrían hacia Estambul. Luego me levanté, saqué del bolsillo de mi pantalón el peine de Nilgün y volví a acostarme. Me quedé un rato tumbado mirando el peine a la luz del sol que entraba por la ventana y pensando. Me sentí incómodo cuando se me ocurrió que aquella cosa que sostenía en la mano se había paseado por los rincones más escondidos de la selva del cabello de Nilgün.

Después salí silenciosamente por la ventana, me eché un poco de agua del pozo y me sentí mejor: ya no pienso como a medianoche que no puedo estar con Nilgün, que pertenecemos a mundos distintos. Entré, me puse el bañador, los pantalones y las zapatillas con suela de goma, me metí el peine en el bolsillo y justo iba a salir cuando oí el ruido de la puerta. Estupendo: mi padre se va. Eso quiere decir que durante el desayuno no tendré que escuchar lo difícil que es la vida y lo importante que es el título de bachiller acompañando a los tomates, al queso y a las aceitunas. Siguen hablando en la puerta.

—Dile que como hoy no se siente a estudiar... —decía mi padre.

—Ayer por la noche sí que estudió —le respondió mi madre.

—Yo salí al jardín y miré por la ventana. Estaba sentado a la mesa pero no estudiaba. Estaba claro que tenía la cabeza en otra parte.

—Sí que estudia, sí que estudia.

—Él sabrá —contestó el lotero cojo—. Si no lo hace, volveré a ponerlo de aprendiz con el barbero.

Luego oí que se alejaban sus pies, el uno fuerte, el otro débil. Cuando se marchó repiqueteando tac-tic, tac-tic, salí, fui a la cocina y comencé a desayunar.

—Siéntate —me dijo mi madre—. ¿Por qué comes de pie?

—Voy a salir. De todas formas, por mucho que estudie, da igual. He oído a papá.

—No le hagas caso. Vamos, siéntate y come como es debido. Voy a ponerte té, ¿quieres?

Me miraba con cariño. De repente pensé en lo mucho que quería a mi madre y lo poco que quería a mi padre. Me dio pena de ella y recordé que no tengo ningún otro hermano porque en tiempos mi padre le pegaba. ¿A qué crimen se debía este castigo? Pero mi madre es mi hermana, pensé: no somos como madre e hijo, sino como hermanos, e instalaron a ese cojo en casa para castigarnos y nos dijeron que viviéramos si podíamos con el dinero de los billetes de lotería que vendiera. Bueno, no lo pasamos demasiado mal, en mi clase los hay más pobres que nosotros, pero ni siquiera somos propietarios de una tienda. De no ser por los tomates, las judías, pimientos y cebollas del huerto mi preciosa madre no conseguiría dinero del tacaño lotero para nada que echar a la olla y quizá nosotros dos pasáramos hambre. De repente, cuando se me ocurrió aquello, me propuse explicárselo todo a mi madre: el mundo, cómo éramos un juguete de las grandes potencias, los comunistas, los materialistas, los imperialistas, los demás y cómo nos veríamos obligados a mendigar a naciones que antiguamente había sido esclavas nuestras. Pero no lo entendería: solo se queja de su mala suerte, pero no piensa por qué es así. Aún me mira, ya estoy harto.

—No, mamá. Me voy ahora mismo, tengo que hacer.

—Muy bien, hijo. Tú sabrás.

¡Mi hermosa, mi buena madre! Pero luego...

—Pero vuelve antes de que sea tarde y ponte a estudiar, estudia antes de que tu padre venga a mediodía.

—Bueno.

Por un momento pensé si pedirle dinero, pero no se lo pedí, salí, subo la cuesta. Ayer me dio cincuenta liras. Y mi tío Recep otras veinte. Llamé dos veces por teléfono, veinte, más quince del *lahmacun*, me quedan treinta y cinco. Me saqué el dinero del bolsillo para comprobarlo. Sí, en efecto, hay treinta y cinco liras y para hacer esa cuenta no hacen falta ni logaritmos ni raíces cuadradas, pero la intención de los que me han suspendido y todos esos profesores y señoritos es otra: quieren suspenderme, quieren que me arrastre y que a fuerza de arrastrarme aprenda a doblegarme y que así me acostumbre a conformarme con poco. Sé que el día que veáis que me he acostumbrado diréis alegres y contentos: «Ha aprendido lo que es la vida». Pero no aprenderé esa vida suya, señores. En cuanto me caiga en las manos una pistola, ya os enseñaré: entonces os explicaré qué es lo que quiero hacer. Pasaban con sus coches a toda velocidad a mi lado, cuesta arriba. Me di cuenta de que en la fábrica de enfrente también hay huelga. Se me crisparon los nervios y me apeteció hacer algo, me apetecía por lo menos ir a la sede pero me dio miedo quedarme allí solo. ¿Qué pasa porque vaya sin Mustafa ni Serdar? Pensé: solo, puedo ir incluso a Üsküdar. Dadme una misión buena y decente, no me basta con hacer pintadas en los muros y vender invitaciones en el mercado, dadme un trabajo importante, les diré. Un día las televisiones y los periódicos hablarán de mí. Pensaba.

Al llegar a la playa miré por la tela metálica, Nilgün no estaba. Caminé un poco y volví a pensar, y luego pensé un poco más paseando por las calles. Desayunaban sentados en sus terrazas y sus pequeños jardines; madres, hijas e hijos. El jardín de algunos es tan pequeño y la mesa está tan cerca del camino que puedo contar las aceitunas de los platos. Si pudiera reunirlos a todos en la playa, poneos en fila criaturas perezosas, y subirme a algún lugar alto y explicárselo todo: «¿No os da vergüenza? ¿No os da vergüenza? ¿No os da miedo del infierno? El infierno, ¿está claro? ¿Pero es que no tenéis conciencia, criaturas bobas, miserables, inmorales? ¿Cómo es que podéis vivir sin pensar en otra cosa que no sea vuestra propia tranquilidad y las ganancias de vuestra tienda o vuestra fábrica? No lo entiendo, pero yo os enseñaré. ¡Fuego, ametralladoras!». Ya ni siquiera traen películas históricas. Haré algo, organizaré un buen follón, no me olvidarán. Llegué ante la casa de Nilgün y vi que no había nadie. ¿Y si llamo por teléfono y le explico todo eso? ¡Sueños! Regresé a la playa pero seguía sin estar. Poco después vi a mi tío Recep con la bolsa de red en la mano. Al verme cambió de dirección y vino hacia mí.

—¿Qué haces otra vez por aquí?

—Nada. Ayer estudié mucho y hoy paseo un poco.

—Vamos, vuélvete a casa, hijo. Aquí no tienes nada que hacer.

—¡Ah! No me gasté las veinte liras que me diste ayer, tío. No le dan a uno un cuaderno por veinte liras. Ya tengo lápiz y no quiero otro. Un cuaderno son cincuenta.

Me metí la mano en el bolsillo, encontré el billete de veinte y se lo alargué.

—No lo quiero. Te lo di para que estudies. Para que estudies y te conviertas en un gran hombre.

—Los grandes hombres no se hacen gratis. Porque hasta un cuaderno vale cincuenta liras.

—Bueno. —Sacó un billete de treinta liras y me lo dio—. ¡Pero no vayas a fumar!

—Si crees que voy a fumar, no te lo acepto. —Esperé un poco y luego cogí el billete—. Bueno, gracias. Dale recuerdos a Metin, Nilgün y los demás. Han venido, ¿no? Tengo que irme a estudiar. El inglés es muy difícil.

—¡Claro que sí! —respondió el enano—. ¿Te crees que la vida es fácil?

Eché a andar para que ahora no empezara como mi padre. Luego me volví a mirar: se había dado media vuelta y se alejaba balanceándose pesadamente. Me dio pena. Todo el mundo agarra las bolsas de las asas y este de la boca para que no arrastre por el suelo. Pobre enano. Pero me había preguntado qué era lo que hacía yo allí. Siempre me dice lo mismo. Como queriendo que aquí puedan pecar tranquilamente y no se incomoden al verme. Caminé un poco más para no volver a encontrarme con el enano, luego me detuve, esperé un rato y el corazón me dio un salto al regresar a la playa: hacía rato que Nilgün había llegado y estaba tumbada en la arena. ¿Cuándo has llegado? Está recostada como ayer y mira el libro que sostiene con el brazo estirado sin mover la cabeza. Me había quedado boquiabierto cuando

—¡Eeeh! —me gritó uno—. ¡Que te vas a caer!

¡Me asusté! Me volví a mirar: era nuestro Serdar.

—¿Qué hay, hombre? —me preguntó—. ¿Qué haces aquí?

—Nada.

—De mirón, ¿no?

—No, tenía que hacer.

—No me mientas. Estabas mirando ahí dentro como si quisieras comerte algo. ¿Te parece bonito? Esta tarde se lo voy a contar a Mustafa. ¡Ya verás!

—No —repetí—. Estoy esperando a alguien que conozco. ¿Y tú qué haces?

—Voy al taller. —Me señaló la caja de herramientas que llevaba en la mano—. ¿Y quién es ese conocido?

—Tú no lo conoces.

—No existe ningún conocido ni nada parecido. Estás ahí mirando a las chicas sin que te dé vergüenza alguna. Bueno, ¿a quién conoces?

—De acuerdo, voy a enseñarte a cuál, pero mira con disimulo.

La señalé con la punta de la nariz y él miró.

—Está leyendo. ¿Y de qué la conoces?

—De aquí —le contesté, y se lo expliqué—. Hace mucho, cuando aún no había por aquí ni una casa de cemento, estaban solo la nuestra, su vieja y extraña casa y la tiendecita verde en lo que ahora es el mercado. No había nadie más. Ni el barrio alto, ni las fábricas, ni el barrio nuevo, ni Esentepe. Ni estos chalets de verano, ni la playa. Entonces el tren no pasaba entre fábricas y depósitos sino entre jardines y huertos. ¡Pues eso!

—¿Era esto bonito entonces? —me preguntó pensativo.

—Muy bonito. En primavera los cerezos florecían de otra manera. Metías la mano en el mar y los peces te venían ellos solos a la palma, si no era un mújol era un besugo.

—¡No te pases! Vamos, dime por qué esperas a esa chica.

—Voy a darle una cosa. Tengo algo suyo.

—¿Qué?

Lo saqué y se lo enseñé.

—Este peine es suyo.

—Es un peine barato —me dijo—. Ellos no usan peines así. ¡Déjame que lo vea!

Se lo di para que lo cogiera, lo observara, comprendiera y se fastidiara. Cogió el peine y, maldita sea, empezó a doblarlo.

—¿Estás enamorado de esa muchacha?

—No. ¡Ten cuidado que lo vas a romper!

—¡Te has puesto colorado! Así que te has enamorado de esa pija.

—¡No lo dobles! ¿No sería una pena si lo rompes?

—¿Por qué? —Y de repente se metió el peine en el bolsillo, dio media vuelta y se marchó.

Eché a correr tras él.

—Vamos, Serdar, ya está bien de bromas. —No me respondió—. No te pases, devuélveme el peine. —Seguía sin contestarme—. Hombre, ¿te parece un buen momento? ¿No te da vergüenza?

—¡Pero si no me has dado nada, hermano! —gritó justo mientras cruzaba entre la multitud a la puerta de la playa—. Vamos, deja de seguirme. ¿Te parece bonito?

Todo el mundo me miraba, a izquierda y derecha. No dije nada. Me quedé algo atrás y solo le seguí de lejos, en silencio. Luego me di cuenta de que no había nadie por los alrededores, eché a correr, le atrapé del brazo y se lo doblé. Comenzó a manotear. Entonces le retorcí el brazo bien para arriba para hacerle el mayor daño posible.

—¡Animal! —gritó. Se le cayó la caja de herramientas—. Espera, que te lo doy.

Se sacó el peine del bolsillo y lo tiró al suelo.

—¡Qué entenderás tú de bromas, so bestia!

Recogí el peine, no le había pasado nada, y me lo guardé en el bolsillo.

—¡No entiendes de nada! ¡Subnormal! ¡Chacal!

Y si le doy un guantazo en la cara, ¿qué? Di media vuelta y fui hacia la playa. Me insultaba a mis espaldas y luego dijo a grito pelado que yo estaba enamorado de una ricachona. No sé si alguno de los que iban y venían le oyó. Sentí vergüenza.

Al llegar a la playa miré y Nilgün ya se había ido. Me estaba dejando llevar por la preocupación cuando me di cuenta: no, no se había ido, mira, su bolsa todavía está allí. Saqué el peine del bolsillo, espero a que salga del agua.

Cuando salga iré hasta ella y le diré: «Se te ha caído este peine, Nilgün, me lo encontré por el camino y te lo he traído. ¿No lo coges? ¿O es que no es tuyo?». Lo cogerá y me dará las gracias. «No tiene importancia —le diré—. Ni siquiera hace falta que me des las gracias. Ahora me lo agradeces, pero ayer ni te dignaste saludarme.» Se disculpará. «Tampoco hace falta que te disculpes —le diré—, ya sé que eres una buena persona, vi con mis propios ojos cómo rezabas con tu abuela en el cementerio.» Eso le diré y cuando me pregunte qué otras cosas hago le contestaré: «Me quedan las matemáticas y el inglés para septiembre. Tú vas a la universidad, si eres buena en eso, ¿podrías ayudarme?». «Claro que sí —me responderá—. Ven a casa.» Y así quizá vaya a su casa y a nadie que nos vea sentados a una mesa estudiando se le pasará por la cabeza pensar que procedemos de ambientes distintos.

Luego la vi entre la multitud. Había salido del agua y se estaba secando. Sentí como si mis pies quisieran echar a correr. Cuando caminó hacia la puerta después de ponerse su vestido amarillo y coger la bolsa, me aparté de la playa y anduve a toda velocidad hacia la tienda. Poco después me volví a mirar atrás y vi que Nilgün también iba hacia la tienda detrás de mí. Bien.

—¡Dame una Coca-Cola! —dije al entrar.

—¡Ahora mismo! —me contestó el dueño.

Pero empezó a hacer cuentas con una vieja que había allí como si quisiera que Nilgün me atrapara sin hacer nada. En fin, se deshizo de la vieja, me abrió la botella y me la dio mirándome de manera extraña. Se la arrebaté de las manos con rapidez y me retiré a un rincón de la tienda, espero. Tú entrarás, yo estaré bebiendo de mi botella. ¡Qué casualidad que nos encontremos en la tienda! «Hola —le diré—. ¿Cómo estás? ¿Me enseñas inglés?» Esperé, esperé y no te vi cuando entraste, Nilgün, porque estaba mirando la botella y por eso todavía no te he saludado. Bueno, tú tampoco me has visto todavía. ¿O es que sí me has visto pero sigues sin dignarte saludarme? Pero no te miraba.

—¿Tiene peines? —preguntaste de repente, Nilgün.

—¿Qué tipo de peines?

Me ruboricé.

—He perdido el mío —dijiste—. Uno cualquiera.

—Solo tengo de estos. ¿Le sirven?

—Vamos a ver.

Luego se produjo un silencio y como ya no podía soportarlo más, me volví a mirarte, Nilgün. Te vi la cara de perfil:

¡qué hermosa eres! Tu piel es como la de una niña pequeña y tu nariz chata.

—Bien —contestaste—. Me llevo uno de estos.

Pero el dueño de la tienda no te respondió y fue a atender a la mujer que entraba en ese momento. Entonces miraste a tu alrededor y yo tuve miedo: quizá porque podrías creer que quería ignorarte, fui yo el primero en hablar.

—¡Hola!

—¡Hola! —me contestaste.

Pero sentí un profundo dolor porque al verme tu cara no pareció alegre, sino incómoda; lo noté y pensé: «Así que no te gusto, así que te aburro». Y por lo tanto me quedé paralizado con la botella de Coca-Cola en la mano. Permanecimos frente a frente en la tienda como dos extraños.

Luego pensé: «Tiene razón. Tiene razón en no querer ni verme porque nuestros ambientes son distintos». Pero también me sorprendía, me sorprendía que la gente no se dignara saludar, que sin razón alguna mirara de forma poco amistosa: ¡todo depende del dinero, todo apesta, todo va mal! ¡Maldita sea! Pensé en regresar y estudiar las matemáticas. ¡De acuerdo, padre, ahora me siento, estudiaré matemáticas, conseguiré el título de bachiller y te lo tiraré a la cara!

Nilgün compró un peine rojo y yo creí que iba a echarme a llorar de repente pero después me sorprendió aún más. Porque dijo lo siguiente:

—Quiero un periódico. El *Cumhuriyet*.

Me asombré de veras y la miré estúpidamente. Contemplaba cómo compraba el periódico y cómo salía tranquilamente, como una niña pequeña que ignorara lo que eran el crimen y el pecado, y de repente eché a correr tras ella con la botella en la mano.

—¡Así que lees el periódico de los comunistas! —le dije.

—¿Qué? —me respondió Nilgün y por un momento no me miró mal.

Me miró como queriendo comprender algo, por fin entendió lo que le había dicho, retrocedió temerosa y se alejó sin hablar.

«No te dejaré», pensé. Que me lo explicara todo y yo también le explicaría. Me disponía a seguirla cuando me di cuenta de que continuaba tendiendo en la mano aquella tonta botella de Coca-Cola. ¡Maldita sea! Volví atrás, la pagué, esperé estúpidamente a que me diera la vuelta y no creyera nada raro pero el muy asqueroso quizá me hizo esperar a propósito para que te escaparas, no lo sé.

Cuando salí de la tienda y miré, Nilgün ya había desaparecido, hacía rato que había doblado la esquina. Si hubiera corrido tras ella la habría alcanzado, pero no corría, sino que solo caminaba con rapidez porque había mirones, una multitud de imbéciles que iban a la playa o al mercado y que comían helados. Subí la cuesta andando a toda velocidad, bajé, di algunos pasos a la carrera, volví a caminar y por fin, cuando ya no había nadie, corrí. Pero al doblar la esquina vi que aunque corriera con todas mis fuerzas no la alcanzaría. No obstante, continué, anduve hasta la puerta y miré a través de la verja: entraba en casa después de cruzar el jardín.

Me senté allí mismo, bajo el castaño que había enfrente, y pensé un rato. Pensé con temor en los comunistas, en los disfraces que usaban, a quiénes eran capaces de engañar y cómo. Después me puse en pie, me metí las manos en los bolsillos y regresaba cuando... ¡En el bolsillo seguía teniendo aquel peine verde! Lo saqué, lo miré, me pregunté si lo rompería. No, ni siquiera me apetecía romperlo. Donde comenzaba la acera había un cubo de basura. Y allí tiré tu peine verde, Nilgün. Seguí andando sin mirar atrás. Hasta la tienda. Y entonces se me ocurrió:

¿Y si tenemos una charla, señor tendero? ¿No te habíamos advertido que no vendieras ese periódico? ¿Qué castigo prefieres? ¡Dime, vamos a ver! Quizá lo confiese abiertamente: «Soy comunista y esa muchacha es también comunista. ¡Y le vendo ese periódico porque tengo mis creencias!». De repente sentí mucha pena por Nilgün porque de pequeña era una buena chica. Entré furioso en la tienda.

—¿Otra vez tú? —me dijo el tendero—. ¿Qué quieres?

Esperé un poco porque tenía otros clientes. Pero, volvió a preguntarme y, además, los clientes me miraban.

—¿Yo? Esto... Quiero un peine, para el pelo.

—Bueno. Tú eres el hijo de İsmail el lotero, ¿no? —Sacó la caja y me los enseñó—. Esa muchacha compró uno rojo hace nada —comentó.

—¿Qué muchacha? —pregunté—. Yo solo quiero un peine cualquiera.

—Bueno, bueno. Escoge el color que quieras, vamos.

—¿Y qué valen?

Como fue a atender a los demás clientes y me dejó tranquilo pude observar uno a uno los peines de la caja. Luego compré uno rojo, exactamente del mismo color que el tuyo, Nilgün. Costaba veinticinco liras. Se las pagué. Salí y pensé que ahora teníamos peines iguales. Luego caminé hasta llegar a donde terminaba la acera. Allí seguía el cubo de basura de poco antes y no había nadie que mirara. Metí el brazo y saqué de allí el peine verde, que no se había ensuciado. No me había visto nadie. ¡Y qué si me hubieran visto! Ahora tengo dos peines en el bolsillo, Nilgün, uno tuyo y el otro igual al tuyo. Me gustó pensar eso. Luego pensé que si cualquiera de esos tipos, cualquiera, hubiera visto lo que había hecho, el muy imbécil habría sentido pena y se habría reído bastante de mí. ¡Pero no voy a dejar de hacer lo que me apetezca porque esos bobos, esos cretinos, esos imbéciles, vayan a reírse de mí! Soy libre y paseo por la calle pensando en ti.

XVIII

Son casi las cinco. Hace mucho que el sol se refleja en las ventanas del húmedo y mohoso sótano. Dentro de poco recogeré mis cosas en el maletín y saldré a buscar la peste al aire libre. Estoy completamente confuso. Hace un momento pensaba que podría vagar sin objeto entre los documentos, que podría conseguirlo sin darme cuenta. Ahora tengo mis sospechas de ese extraño triunfo... Hace un momento la historia era una masa vaporosa de miles de millones de hechos sin relación unos con otros que se formaba en mi cabeza... ¡Quizá si abro el cuaderno y leo de nuevo rápidamente lo que he escrito pueda volver a atrapar esa sensación! Aquí está:

Leo los resultados de un censo extraordinario efectuado en seis aldeas de los feudos del visir İsmail bajá en los alrededores de Çayirova, Eskihisar y Tuzla dependientes de la provincia de Gebze; leo que Hizir denuncia a İbrahim, a Abdülkadir y a sus hijos porque han quemado y saqueado su casa; leo los decretos enviados para que se construya un muelle en la costa de Eskihisar; leo que una aldea en las proximidades de Gebze, con una producción de diecisiete mil ásperos, que antiguamente había pertenecido al caballero Ali, pero que le había sido confiscada y concedida a Habib ya que el primero no había participado en una expedición de guerra, debía ser concedida a un tercero porque se había comprobado que tampoco Habib había ido a la guerra; leo que el criado

İsa había cogido treinta mil ásperos, una silla de montar, un caballo, dos espadas y un escudo de su señor Ahmet y se los había entregado para su custodia a un tal Ramazan, que Ramazan protegía a İsa y que Ahmet los había denunciado; leo que un tal Sinan había muerto y que, a causa del pleito por la herencia, Çelebioğlu Osman, uno de los implicados, había hecho que el juzgado levantara acta de sus pertenencias: leo las detalladas declaraciones de Mustafa, Yakup y Hüdaver relativas a que un caballo recuperado de unos ladrones, que habían sido capturados, y que había sido llevado a los establos del brigadier, era el caballo de Süleyman hijo de Dursun, vecino de Gebze y creo que se despierta en mí esa sensación tan agradable: el último cuarto del siglo XVI se agita en mi mente; todos los hechos de un cuarto de siglo están entre mis circunvoluciones cerebrales sin que los una ninguna relación de causalidad. Cuando almorzaba me parecieron una galaxia infinita de gusanos en un vacío sin gravedad, los gusanos de los hechos se agitaban en aquel vacío de la misma forma que erraban por mi cerebro pero no se relacionaban ni se tocaban. Pensé en mi mente como en una nuez podrida de gusanos. ¡Si me rompieran el cráneo y miraran podrían verlos paseándose por entre las circunvoluciones!

Pero tampoco aquel entusiasmo me duró demasiado. ¡La brumosa galaxia se dispersó y desapareció! Mi testaruda mente, siguiendo su antigua costumbre, ahora vuelve a esperar lo habitual de mí: ¡como si tuviera que encontrar un cuento corto que reuniera todos los hechos! ¡Como si tuviera que inventarme una historieta verosímil! ¡La estructura de nuestro cerebro debe cambiar no solo para poder ver y comprender la historia, sino también el mundo y la vida! ¡Ah! Esa pasión por oír cuentos nos engaña a todos, nos arrastra a un mundo de sueños. Y eso, mientras todos vivimos en un mundo real, fuerte y rebosante de salud.

Mientras almorzaba por un momento creí haber encontrado una solución a ese problema. Pienso en esa historia de Budak que desde ayer me ronda la mente. Después de haber leído algunos documentos esta mañana, adquirió una nueva dimensión: creo que Budak encontró algún camino para meterse bajo el ala protectora de un bajá de Estambul. También tenía en mente algunos otros detalles extraídos del libro escrito por el profesor de instituto: todos eran del tipo de los que engañan a los aficionados a los cuentos, a los que intentan comprender el mundo a través de historietas.

Proyecté escribir al respecto un libro sin principio ni fin, partiendo de las aventuras de Budak, sobre el Gebze del siglo XVI. El libro se basaría en un único principio: incluiría todas las informaciones de ese siglo relacionadas con Gebze y sus alrededores que pudiera encontrar sin atender a un orden de importancia. Así, en el libro se alinearían los precios de la carne con los desacuerdos comerciales, los raptos de muchachas con las revueltas, las guerras con los matrimonios, los bajás con los asesinatos, sin relación entre ellos, juntos, tranquilos y modestos, tal y como están en los archivos. Y sobre ellos ajustaré la historia de Budak; pero no porque le dé más importancia que a lo demás, sino para poder darles al menos algo a los que buscan cuentos en los libros de historia. Y así mi libro tomaría forma gracias al esfuerzo de una descripción infinita. Cuando terminé de almorzar, y quizá un poco también por el efecto de las cervezas que me había bebido, me sumergí en las brumas de aquel proyecto; me parecía sentir el entusiasmo infantil por el trabajo que sentía en mi juventud. «Iré también al Archivo de la Presidencia —me decía—. No dejaré de revisar ningún documento y todos los hechos encontrarán su lugar, uno a uno. A cualquiera que durante semanas y meses lea mi libro de principio a fin, le dará la impresión de ver esa masa brumosa que yo he sentido trabajando aquí y cuando lo termine, como yo, susurrará excitado: "Esto es historia; esto es historia y vida".»

Aquel absurdo proyecto que podía durar treinta años, no, hasta el fin de mis días, aún vivió un rato más ante mis ojos adoptando formas de estupidez, valor, pérdida de visión y crisis nerviosas. Pensé con un escalofrío en la cantidad de páginas que iba a escribir. Después sentí que toda aquella visión sagrada, que, precisamente porque eso me había parecido, no era más que un proyecto que olía a engaño y estupidez, se hundía poco a poco.

Y, lo más importante, en cuanto empezara a plasmar sobre el papel lo que me proponía escribir me encontraría con el primer problema. Fuera cual fuese mi intención, lo que escribiera debía tener un comienzo. Luego, escribiera como escribiese, debía ordenar de alguna manera los hechos. Y todo eso significaría inevitablemente para el lector un sentido y una clasificación. Y si quería evitarlo, nunca sabría por dónde empezar y qué paso dar después. Porque la inteligencia humana, dependiente de viejas costumbres, encontraría una clasificación en cualquier orden y un símbolo en cualquier hecho y así la historia que yo pretendía salvar se mezclaría inevitablemente con los demás hechos. Entonces pensé con desesperación: «¡No hay manera de plasmar con las palabras la historia tal como fue, y menos la vida!». Luego pensé que lo único que podía hacerse para encontrar una solución era cambiar la estructura de nuestros cerebros: «¡Tenemos que cambiar nuestras vidas para poder ver la vida tal y como es!». Me habría gustado poder explicarlo mejor, pero no encontraba la manera. Salí del restaurante y regresé aquí.

Y durante toda la tarde he pensado lo mismo: ¿es que no hay alguna forma de escribir el libro, de despertar en la gente el efecto que pretendo? De vez en cuando leo lo que he escrito en el cuaderno para revivir en mi interior ese sentimiento que creo no poder explicar a nadie.

Mientras leo, intento no dejarme llevar por ninguna historia tal y como quiero hacer en mi libro, que la lectura sea un poco sin objetivo... Poco antes creí que podría haberlo conseguido pero ahora dudo de ese extraño triunfo. El sol ha bajado aún más, pasan de las cinco, salgo ya de este mohoso sótano sin esperar a Riza, buscaré la peste al aire libre.

Me monté en el Anadol. Salí con la cabeza vacía de la ciudad en cuyo archivo de la prefectura he trabajado tres días, como si me alejara de un lugar que me hubiera socavado por dentro hasta dejarme hueco a fuerza de años de vivir en él. Poco después me desvié de la carretera Estambul-Ankara hacia la estación de Gebze. Desciendo en dirección al Mármara entre olivares, higueras y cerezos. La estación, que apesta a república y burocracia, está en el extremo de una pradera que se extiende hasta la misma Tuzla. Recuerdo que en algún lugar de esta llanura deben de encontrarse las ruinas de un caravasar. Aparqué el coche y bajé por las escaleras a la estación.

Obreros que regresan a sus casas, jóvenes con tejanos, señoras con la cabeza cubierta con pañuelos, un anciano que dormita en un banco, una mujer que riñe a su hijo esperan el tren que vendrá de Estambul para regresar. Camino hasta el extremo del andén y bajo a la vía. Ando a lo largo de ella siguiendo los raíles escuchando los chisporroteos de los cables eléctricos y saltando los cambios de aguja. Cuando era pequeño me gustaba andar siguiendo la vía. Y, también cuando era pequeño, creo que hace veinticinco años, fue cuando por primera vez vi las ruinas. Tenía ocho o nueve años y Recep me llevaba de paseo, supuestamente para cazar. Llevaba en las manos la escopeta de aire comprimido que el marido de mi tía me había traído de Alemania y solo podría haber herido alguna corneja si tiraba de muy cerca, ¡pero yo no era un buen tirador, en absoluto! Recep y yo llegamos hasta un sitio por aquí, recogíamos moras caminando a lo largo de un arroyo. De repente apareció ante nosotros un pequeño muro y luego vimos enormes piedras bien talladas dispersas por un amplio espacio. Un verano, cinco años más tarde, ya sin que Recep me acompañara y con la edad suficiente como para pasear sin miedo, regresé y volví a verlo: estuve un buen rato contemplando las piedras y el fragmento de muro sin intentar imaginarme lo que pudieran ser, sin pensar en otra cosa excepto en lo que veía, solo mirando las piedras y el muro. Así que en algún lugar cerca de la vía existía un arroyo, luego ramas, un espacio abierto, una pradera... ¿Cuánto quedará de aquello? Camino mirando a mi alrededor.

Creo recordar que una carta que cayó en mis manos el año pasado mientras husmeaba en el archivo y que estaba fechada mucho después que las actas judiciales y los registros provinciales mencionaba un caravasar en el lugar de las ruinas. En aquella carta, que ahora creo recordar que había sido escrita a finales del siglo XIX o quizá a principios del XX, se hablaba con una frialdad sorprendente de una serie de muertes ocurridas en algún lugar por aquí y de que podía tratarse de peste. Y lo más chocante era que la carta no parecía hablar de este país, sino de otro, de algo ajeno a la administración del Estado. Lo que me produjo esa impresión fue el extraño nombre del estado que había justo al lado de la fecha y un sello igualmente extraño. En aquel momento leí la carta a toda velocidad y a causa de un despiste momentáneo y por la costumbre, la arrojé entre los otros documentos sin tomar nota de la fecha ni del número. Inmediatamente después, por supuesto, me arrepentí y busqué la carta para leerla de nuevo, busqué durante una hora poniéndolo todo patas arriba pero no pude encontrarla. Al volver a Estambul aumentó aún más mi curiosidad. Montones de preguntas relativas a esa carta que casi llamaría irreal me rondaban la cabeza. ¿Quién habría colocado allí aquel trozo de papel sin relación alguna con el resto de los documentos y registros? En la carta se hablaba de muertes, de epidemia y de peste. ¿Había leído en realidad las palabras peste o pestilencia o es que simplemente me las había imaginado? ¿Y ese Estado? ¿Cómo podría haber existido algo así? Luego me vinieron de repente a la cabeza las ruinas. Quizá porque había leído que encerraban a los enfermos en algún sitio, quizá porque se mencionaba un caravasar, o quizá por ambas cosas, no lo sé.

Por fin encontré el arroyo: despedía un pesado y repugnante olor a podrido pero todavía podía dar cobijo a las ranas. No croaban; parecían adormecidas por el veneno y la suciedad, permanecían inmóviles como pegotes de brea sobre la hierba y las hojas. Las más animadas se lanzan al agua con una pereza insolente al oír el ruido de mis pasos. Vi también un recodo que hacía el arroyo y lo recordé. También las higueras. ¿Pero no eran muchas más antiguamente? De improviso lo interrumpió todo el muro de una fábrica borrando mis recuerdos y me abandonó al presente. Pero no quiero ni siquiera dudar de que el año pasado leí una carta como aquella.

Si lo que leí en aquella carta realmente indica algo que ocurrió en tiempos, eso significa que tengo esperanzas de ganar algunos años y continuar viviendo sin perder por completo mi confianza en eso que llamo «historia». Tal vez incluso más. Creo que gracias a la peste podría derribar un puñado de cuentos. Dejo de lado la creencia de que en el siglo XIX ya no existían casos de peste; solo con la existencia de un Estado fundado por aquí, podría refutar de un plumazo una cantidad increíble de «realidades históricas». Y así quedarían en el aire todas esas historias cuya existencia se acepta sin dudar como si en lugar de ser productos de ficción fueran tan reales como un vaso de agua o una maceta. Y así montones de historiadores convencidos comprenderán sin la menor duda que lo que hacen es contar cuentos y se volverán tan incrédulos como yo. Y yo, que estaré preparado para afrontar la crisis teórica que se produzca ese día, cazaré con mis artículos y ataques a todos aquellos que estén desprevenidos. Parado junto a la vía intenté imaginar con todo detalle aquel día victorioso tan parecido a un sueño, pero sin entusiasmarme demasiado. Me resulta más divertido seguir las huellas, correr en persecución de un hecho que demostrar que nuestro trabajo solo consiste en contar cuentos. Si pudiera encontrar algunas pistas convincentes, consagraría tranquilamente toda mi vida a una investigación que demostrara que en los últimos cuatro siglos el centro del Imperio otomano no era Estambul sino otro lugar. Siempre he envidiado a İbrahim bey que pasó veinte años completos de su vida investigando como un detective quién, dónde y cuándo se proclamó sultán y acuñó moneda durante el período del interregno.

El tren que apareció al extremo de la vía se acerca creciendo repentinamente, pasa a mi lado y se aleja. Caminé a lo largo del arroyo pensando en los apestados. El hecho de que se me viniera este lugar a la cabeza después de leer la carta quizá se debiera a que creía haber leído en ella que los apestados habían sido encerrados durante un tiempo en un caravasar. Un extraño e intenso sentimiento que se forma en mi corazón me dice que si encuentro aquel muro y los montones de piedras, podré conseguir que me parezcan un caravasar, que si encuentro el caravasar podré ir en busca de la peste y que yendo en busca de la peste podré encontrar el Estado. Es como si mi fe en la historia dependiera de que encontrara esos trozos de piedra. Pero no sé si todo es un juego de mi imaginación a la que le agrada crear todas esas tensiones por el extraño placer de hacerme sufrir.

Camino siguiendo los muros de fábricas y pequeños talleres sobre los que hay escritas pintadas políticas con grandes letras para que las lean los viajeros del tren. Ahora que el arroyo comienza a apartarse de la vía debería encontrar por aquí las piedras y los restos del muro, lo recuerdo bien. La historia debe de estar por aquí, en este lado del camino que conduce a Cennethisar, antes de las tiendas de los gitanos, entre las chabolas, los montones de basura, los bidones metálicos y las higueras. Las gaviotas, que me vigilan por encima de los montones de basura al ver que me acerco, elevan el vuelo silenciosamente, como un paraguas que hinchara el viento, y se alejan en dirección al mar extendiendo las alas. Oigo los motores de los autobuses alineados en el patio lateral de la fábrica de más allá: se trata de obreros que regresan a Estambul y que se suben lentamente a ellos. Más allá hay un puente que cruza sobre la vía y el arroyo; veo montones de hierro abandonados a que se oxiden, latas, chabolas cubiertas con techos fabricados con las mismas latas, niños que juegan a la pelota y una yegua con su potro; deben de ser los caballos de los gitanos. No es eso lo que busco.

Vuelvo atrás pero mis pies me pasean por los mismos lugares. Con la falta de objetivo de un gato que ha olvidado lo que busca, camino siguiendo los muros, entre la vía y el arroyo, sobre hierbas podridas, muertas a causa de los líquidos venenosos que han vertido sobre ellas, junto a espinos que aún no han muerto, un hueso imposible de identificar de la calavera o el esqueleto de un cordero, hacia las chabolas después de darle una patada al hueso y a una oxidada lata de conservas siguiendo un alambre de espinos. Nada, nada.

Tal vez estoy intentando imaginar que vivían aquí las personas mencionadas en las notas que reposan en mi maletín y en los documentos de aquel mohoso sótano porque me considero capaz de atribuirles lo que no ha ocurrido, pero pensé, con el placer de que mis esperanzas no resultaran en vano, que entonces el arroyo no olería así. Después vi a la estúpida gallina que me miraba algo más adelante en la enormidad de un alto edificio de viviendas. ¡Po Pollo! Me mira desde el enorme anuncio de una granja avícola sostenido por unas barras de acero. Enseguida se nota que es un plagio de una revista extranjera con sus pantalones cortos con tirantes en un intento de hacerla simpática, pero solo resulta estúpida y local, una imitación desesperada. Granja. Po Pollo. Una mirada imbécil que quiere ser astuta. No mires más. Me apetecía dar media vuelta e irme, pero aún no.

Me acerco a una de las chabolas pensando que podría haberse construido con piedras arrancadas a las ruinas del caravasar. El patio de atrás: cebollas y ropa tendida y un arbolillo, pero las paredes son débiles, construidas con ladrillos podridos y muertos, de una época que ya ha conocido las máquinas y no con las fuertes piedras talladas que busco. Me detuve allí observando estúpidamente la pared de la chabola, sintiendo cómo se ocultaban las cosas y el tiempo que busco, encendí un cigarrillo, contemplé estúpidamente cómo la cerilla caía al suelo, a mis pies, junto a la hierba muerta, a las ramas secas y a una pinza de plástico para la ropa partida en dos. Echo a andar. Cristales de botella, cachorros de perro que corren detrás de su madre, trozos podridos de cuerda, tapones de gaseosa, hierbas y hojas agotadas, hartas. Han usado como blanco una señalización a un lado de las vías. Luego vi la higuera, la miré esperando que me recordara algo pero no hacía otra cosa que estar allí parada. A su sombra hay higos que se han caído sin madurar de los que se elevan las moscas para luego volver a posarse. Más allá dos vacas pasean sus hocicos sobre la hierba. Miré admirado la yegua de los gitanos cuando decidió echar una corta carrera, pero se detuvo enseguida, el potro siguió adelante, luego se acordó de su madre y volvió atrás. Hay papeles a la orilla del arroyo entre restos de neumáticos, botellas y botes de pintura; ¡y una bolsa de plástico vacía! Nada tiene personalidad. Me apetece beber, sé que voy a regresar dentro de poco. Dos cuervos pasan justo por encima de mí sin que yo les importe, se alejan. Esta es la ancha pradera en cuyo otro extremo murió el Conquistador. Murió allá por donde está la escuela de agricultura. En el jardín de atrás de una fábrica hay enormes contenedores, han extraído el metal que había interior, los han agrupado y los han sacado a la venta. En casa leeré a Evliya Çelebi. Una rana estúpida se da cuenta de mi presencia mucho después que sus compañeras. ¡Chop! ¡El barro del agua podrida! Hablaré con Nilgün. ¿La historia? La historia es... Fragmentos de teja han teñido la tierra de rojo. Una mujer recoge la ropa tendida en el patio de su chabola. «Son cuentos», le diré. «¿De dónde te sacas eso?», me preguntará. Me detengo a mirar el cielo. Todavía siento en mi espalda los ojos de la gallina que me observan con su mirada estúpida: Po Pollo. ¡Po Pollo! Ladrillos, azulejos y paredes podridas con pintadas políticas. ¡No hay muros de piedra! Antes, cuando era niño... Me detuve; caminé decidido como si de repente hubiera recordado algo, pasó otro tren, observé los materiales de construcción abandonados, los moldes de madera para los adobes, no, no hay nada, ni donde los árboles, ni en los patios de las casas, ni entre los hierros oxidados, el plástico, los huesos, el cemento, ni entre las vallas de alambre de espino. Pero, no obstante, continúo caminando porque sé lo que busco.

XIX

Comen en silencio sentados a la mesa a la pálida luz de la lámpara. Una cena silenciosa: primero Nilgün y Faruk bey charlan y se ríen, luego Metin se levanta y se marcha sin terminar de masticar lo que tiene en la boca y los otros pretenden hablar un poco con la señora que le ha preguntado adónde iba y que no ha recibido una sola palabra por respuesta: «¿Cómo está, abuela? ¿Cómo está?», le dicen y como no les queda nada más que decir, continúan: «Mañana la montaremos en el coche y la sacaremos de paseo. Han construido viviendas por todas partes, casas nuevas, edificios de cemento, carreteras, puentes. Venga y se lo enseñaremos, abuela», le dicen, pero la señora guarda silencio, a veces refunfuña pero no pueden distinguir palabras en sus susurros porque la señora murmura mirando hacia abajo como si culpara a lo que mastica y sin formar palabras, y si levanta la cabeza del plato es como si fuera para sorprenderse; para sorprenderse de que sean incapaces de comprender que su abuela no puede sentir sino asco. Entonces, como yo, comprenden otra vez que deberían callarse, pero se les olvida y provocan su irritación y al recordar que no deben irritarla susurran como ahora:

—Otra vez estás bebiendo mucho —dijo Nilgün.

—¿Qué es lo que estáis murmurando? —preguntó la señora.

—Nada. ¿Por qué no come berenjenas, abuela? Recep las ha asado esta tarde. ¿Verdad, Recep?

—Sí, señorita.

La señora agrió el gesto para demostrar su disgusto y que no le gusta que la engañen y se le quedó esa expresión en la cara por la pura costumbre; una cara de anciana decidida a no olvidar nunca lo que le asquea aunque haya olvidado por qué le disgusta... Se callan y yo espero dos o tres pasos más allá, detrás de la mesa. Lo de siempre: una cena a la pálida luz de la lámpara a cuyo alrededor giran estúpidas mariposas nocturnas en la que no se oye otra cosa que el tintineo de tenedores y cuchillos. El jardín también se vuelve más silencioso, a veces se sienten los grillos, a veces el susurro de los árboles y a lo lejos, a lo largo de todo el verano, a la gente que vive más allá del muro del jardín, luces multicolores colgadas en los árboles, sus coches, sus helados, sus saludos... En invierno no están y entonces me gustaría gritar pero no puedo, me gustaría hablar con la señora, pero ella no habla y yo guardo silencio y la miro sorprendido de cómo puede ser tan silenciosa una persona y me dan miedo los lentos movimientos de su mano paseándose por encima de la mesa. Siento como si quisiera chillar: ¡sus manos son como arañas viejas y traidoras, señora! Mucho antes también estaba el silencio de Doğan bey, la cabeza gacha, encogido, como un niño; y ella le reñía. Y mucho antes el alboroto más anciano que ronco de Selâhattin bey lanzando maldiciones sin cesar aunque a duras penas le llegaba el aire a los pulmones... «¡Este país, este maldito país...!»

—¡Recep!

Querían la fruta. Me llevé los platos sucios, cogí la sandía que había cortado previamente, la subí y la dejé en la mesa. Empezaron a comerla sin el menor ruido, luego bajé a la cocina, puse agua al fuego para fregar y cuando volví a subir aún seguían comiendo sin hablar. Quizá ya habían comprendido que las palabras no servían para nada o quizá no querían malgastar el aliento, como los del café. Pero también hay mo-

mentos en que las palabras emocionan, lo sé. Uno te saluda,
te escucha, le cuentas tu vida, luego él te cuenta la suya, le escucho y así podemos ver nuestras vidas a través de los ojos
del otro. Nilgün se comía las pipas de la sandía, como su madre. La señora me alargó el cuello.

—¡Desátamela!

—¿Y por qué no se queda sentada un rato más, abuela?
—le preguntó Faruk bey.

—Ya me la llevo yo, Recep, no te... —me estaba diciendo
Nilgün cuando la señora se puso en pie en cuanto la desaté la
servilleta y se apoyó en mí.

Subíamos los escalones y nos detuvimos en el noveno.

—Faruk está bebiendo otra vez, ¿no? —me preguntó.

—No, señora. ¿De dónde se lo ha sacado?

—No les encubras. —Levantó el bastón por encima de su
cabeza como si se dispusiera a golpear a un niño, pero no hacia mí. Seguimos subiendo.

—¡Diecinueve, gracias a Dios! —Entró en su habitación,
la acosté y le pregunté si quería algo. Quería fruta.

—¡Cierra la puerta!

Cerré y bajé. Faruk bey había puesto sobre la mesa la botella que escondía y estaban charlando.

—Hay un montón de ideas extrañas que me rondan la cabeza —dijo.

—¿Las que me cuentas cada tarde? —le preguntó Nilgün.

—Sí, ¡pero todavía no te las he contado todas!

—Bueno, retuerce un poco las palabras, vamos a ver.

Faruk la miró como ofendido:

—Mi cabeza se parece a una nuez podrida de gusanos
—dijo poco después.

—¿Qué?

—Sí. Es como si tuviera gusanos y orugas en el cerebro.

Recogí los platos sucios, bajé a la cocina y empiezo a fregar. «Los gusanos y las orugas anclan por vuestros intestinos
—decía Selâhattin bey—, si coméis carne cruda, si paseáis
descalzos. Gusanos, ¿entendéis?» Acabábamos de llegar del

pueblo, no le entendíamos. Mi madre había muerto, Doğan bey tuvo pena de nosotros y nos trajo aquí: «Recep, tú ayudarás a mi madre en las faenas de la casa y que İsmail viva contigo, en el piso bajo, instalaos en esta habitación, luego ya haré algo para vosotros. ¿Por qué vais a pagar vosotros los pecados de esos dos? ¿Por qué?». Yo guardaba silencio... «Y vigila a mi padre, bebe demasiado, ¿de acuerdo, Recep?» Yo seguía callado y no pude ni decir: «De acuerdo, Doğan bey». Luego nos dejó aquí y se fue al servicio militar. La señora protestaba, yo aprendía a cocinar y Selâhattin bey venía de vez en cuando a preguntarme: «Recep, ¿cómo es la vida en la aldea? Dime, ¿qué hacen allí? ¿Tenía mezquita? ¿Ibas tú a ella? ¿Por qué crees tú que ocurre eso que llaman terremoto? ¿Qué es lo que produce las estaciones del año? ¿Tienes miedo de mí, hijo mío? No lo tengas, yo soy tu padre. Ni siquiera sabes tu edad, bueno, tienes trece años y tu hermano İsmail doce. Tienes razón al temerme y callar. Nunca he podido ocuparme de vosotros, sí, me vi forzado a enviaros a la aldea, con esos cretinos, pero yo también tenía mis obligaciones, escribo una obra gigantesca, que contiene todos los conocimientos. ¿Has oído alguna vez lo que es una enciclopedia? Ah, qué pena, ¿cómo podrías haberlo oído? Bueno, bueno, no tengas miedo, cuéntame, ¿cómo murió vuestra madre? Qué buena mujer era, tenía toda la belleza de nuestro pueblo. ¿Te lo contó todo? ¿No te lo contó? Bueno, tú friega los platos, si Fatma te hace algo malo, sube enseguida a mi despacho, dímelo, ¿de acuerdo? ¡No tengas miedo!». No lo tuve. Lavé los platos, trabajé, cuarenta años. Me sumergí en mis pensamientos. Cuando terminé, coloqué los platos en su sitio, estaba cansado, así que me quité el delantal y me senté, me propuse descansar pero me vino a la cabeza el café, me levanté y salí junto a ellos. Seguían hablando.

—No entiendo —decía Nilgün— como después de leer tantos papeles y documentos en el archivo, vienes a casa y te pasas la tarde examinándote el cerebro.

—¿Y qué es lo que tendría que examinar?

—Los hechos. Lo que ocurrió, las razones...

—Pero están en el papel...

—En el papel, pero corresponden a algo en el mundo real, ¿no?

—Sí.

—¡Pues escribe eso!

—Pero cuando leo no se desarrollan en el mundo real, sino en mi cabeza. Me veo obligado a escribir lo que tengo en la cabeza. Y lo que tengo son gusanos.

—¡Tonterías! —contestó Nilgün.

No podían entenderse. Contemplaron el jardín en silencio. Como si estuvieran un poco tristes y desdichados pero también con curiosidad. Sin ver dónde miraban, sin ver el jardín, la higuera ni la hierba donde se ocultan los grillos, como si observaran sus propios pensamientos: ¿qué es lo que veis en vuestra mente? Al final siempre queda lo mismo, dolor, tristeza, esperanza, curiosidad, espera y, si no pones cierta distancia, tu mente se desgasta de la misma forma que una rueda de molino se muele a sí misma, ¿dónde he oído yo eso? Y entonces, ¡resulta que te has vuelto loco! «El doctor Selâhattin era un médico inofensivo, pero cuando se metió en política lo desterraron de Estambul, se enterró entre los libros y se volvió loco.» Mentirosos, sacos de rumores; no, no estaba loco, lo vi con mis propios ojos: ¿qué otro pecado tenía aparte de sentarse a beber después de la cena y de perder los estribos de vez en cuando? Se pasaba el día sentado a su mesa escribiendo. Luego, a veces venía a hablar conmigo. «El mundo es como la manzana de aquel árbol prohibido —me dijo un día—, no puedes arrancarla y comértela porque crees en vanas mentiras y tienes miedo; arranca la fruta de la sabiduría de la rama y no temas, Recep, hijo mío. Mira, yo la he arrancado y me he liberado, vamos, puedes dominar el mundo. Respóndeme.» Tuve miedo y me callé. Me conozco. El demonio me da miedo. No sé cómo ellos pueden vencer su miedo ni para qué. Voy a salir a pasear un poco. ¿Voy al café?

—¿Como un gusano? —dijo Nilgün enfadada.

—Exactamente —replicó Faruk—. Un montón de hechos sin causa. Después de mucho pensar y leer se retuercen en mi cabeza.

—Sin causa, dices.

—No estoy lo bastante convencido como para establecer relaciones entre ellos. Intento que los propios hechos se relacionen sin que yo intervénga, pero no resulta. Y cuando encuentro una causa, enseguida noto que se trata de algo que mi mente les atribuye. Entonces los hechos se parecen a terribles gusanos y orugas. Se retuercen entre las circunvoluciones de mi cerebro como si se balancearan en el vacío...

—¿Y por qué crees que ocurre? —preguntó Nilgün.

—Escucha lo que voy a decirte —respondió Faruk—. Creo que hoy lo he comprendido: para poder ver la vida y la historia tal y como son, debemos cambiar la estructura de nuestros cerebros.

—¿Cómo?

—No sé cómo. Pero nuestros cerebros se parecen a un glotón que continuamente buscara historias para engullirlas. ¡Tenemos que librarnos de esa afición a los cuentos! Y entonces seremos libres. ¡Entonces veremos el mundo tal y como es! ¿Me entiendes?

—No.

—Tiene que haber una forma de poder explicarlo, pero no la encuentro.

—Busca y encontrarás —le contestó Nilgün.

En un primer momento Faruk bey se calló, luego apuró el vaso y de repente dijo:

—Me he hecho viejo.

Guardaron silencio: ahora no era porque no pudieran entenderse, sino como si estuvieran satisfechos de haber comprendido que estaban de acuerdo en no entenderse. A veces dos personas se callan y su silencio es más elocuente que si hablaran. Si yo tuviera a alguien así, si yo tuviera también un amigo que...

—Faruk bey —dije—. Me voy al café. ¿Quieren algo?

—¿Perdón? No, gracias, Recep.

Bajé al jardín, sentí el frescor de la hierba y en cuanto cru-cé la puerta comprendí que no iría al café. Los viernes por la noche hay demasiada gente y no me apetece arriesgarme a la incomodidad de siempre. ¡No, gracias! No obstante seguí caminando, anduve hasta el café sin ver a nadie, ni siquiera a İsmail vendiendo lotería. Subí al espigón sin asomarme a las iluminadas ventanas del café, no había nadie, me senté y con-templé pensativo el movimiento de las bombillas de colores colgadas de los árboles en el agua; me dejé llevar por mis re-flexiones. Luego me levanté y miré hacia la farmacia mientras subía la cuesta: ahí está Kemal bey, sentado en su mostrador observando a los despreocupados que comen sus bocadillos gritando a la luz del puesto de enfrente. No me vio. Mejor no molestarle. Regresé rápidamente a casa sin ver ni saludar a nadie. Después de cerrar la puerta del jardín los vi al otro lado del alboroto y los árboles, bajo la pequeña y pálida lámpa-ra de la terraza. Una junto a la mesa, el otro ligeramente aleja-do de ella balanceándose lentamente sobre las patas trase-ras de la silla que a duras penas aguanta su peso; hermano y hermana; como si temieran moverse y hacer ruido para no asustar la nube de vida infeliz que acumulan alrededor de sí mismos y para así poder aspirar aún más tristeza en sus pul-mones. Quizá también para no irritar la mirada inculpadora de la vieja que pasea vagamente tras las contraventanas abier-tas. Luego me pareció ver esa mirada, pero ella no me vio a mí: por un momento apareció en la ventana la sombra incle-mente y traidora de la señora, parecía como si tuviera el bas-tón en la mano, su sombra cayó sobre el jardín pero se retiró de pronto como si se apartara del pecado. Subí en silencio la escalera de la terraza.

—Eso que llamas cuentos no son cuentos, ¡son reali-dades! —decía Nilgün—. Son necesarias para explicar el mundo.

—Me sé todas esas historias y las contrarias —replicó Fa-ruk bey un tanto triste.

—¿Y qué? Tampoco tú tienes ninguna historia mejor.

—¡Ya sé que no! —respondió Faruk bey aburrido—. Pero esa no es una razón suficiente como para que me crea entusiasmado las demás.

—¿Por qué?

—¡Hay que librarse de todos los cuentos! —Faruk bey parecía muy excitado.

—¡Buenas noches nos dé Dios! —les dije—. Voy a acostarme.

—Por supuesto —me contestó Nilgün—. Tú acuéstate, Recep. Yo recogeré la mesa mañana por la mañana.

—Luego vienen los gatos —dijo Faruk bey—. Lo sé, vienen poco antes del amanecer sin que les importe que yo esté aquí, los muy sinvergüenzas.

Bajé a la cocina, saqué unos albaricoques de la despensa y los acompañé con unas cerezas que habían sobrado de ayer, lo lavé todo y lo subí.

—Señora, le he traído la fruta.

No me contestó. La dejé sobre su mesa, cerré la puerta, bajé, me lavé y me fui a mi habitación. A veces noto enseguida que huelo. Me puse el pijama, apagué la luz, luego abrí cuidadosamente la ventana y me acosté; espero la mañana con la cabeza en la almohada.

Mañana saldré temprano a caminar. Luego iré al mercado, quizá vea de nuevo a Hasan y después quizá a algún otro, hablaremos, ¡tal vez me escuchen! ¡Si por lo menos pudiera hablar bien! Entonces me escucharían. «Faruk bey —diría entonces—, bebe usted mucho, por ese camino, Dios no lo quiera, acabará muriéndose de una hemorragia estomacal, como su padre y como su abuelo.» De repente se me vino a la cabeza que Rasim se había muerto, mañana a mediodía iré al entierro. Subiremos la cuesta detrás del ataúd al calor del mediodía. Veré a İsmail, que me dirá: «¡Hola, hermano! ¿Por qué no te pasas nunca por casa?». ¡Siempre las mismas palabras! Recuerdo cuando mi madre y mi padre el de la aldea nos llevaron a İsmail y a mí al médico. «Un caso de enanismo provocado por palizas recibidas a temprana edad», dijo el médico. Y luego: «Sáquenlo a que le dé el sol. Que le dé el sol en la pierna al pequeño y quizá se le arregle». «Bien, ¿y su hermano mayor?», preguntó mi madre. «Él no tiene arreglo —contestó el médico—. No crecerá más, pero que se tome estas pastillas, tal vez le sirvan de algo.» Me tomé las pastillas pero no sirvieron de nada. Pensé un poco en la señora, en su bastón y en su crueldad. ¡No pienses, Recep! Luego pensé en aquella preciosa mujer. Todas las mañanas, a las nueve y media, iba a la tienda y después me la encontraba en la carnicería. Ya no se la ve. ¡Alta, de cintura estrecha, morena! Y qué bien olía. Incluso en la carnicería. Me habría gustado hablar con ella: «¿No tiene ningún criado, señora, que hace usted misma la compra? ¿No es rico su marido?». ¡Qué bonita estaba mirando cómo la máquina picaba la carne! ¡No pienses, Recep! Mi madre también era morena. Pobre madre mía. Mira cómo estamos. Yo vuelvo a estar en esta casa, mira, mira, todavía en la misma casa. Piensas mucho. ¡No pienses tanto y duerme! Pero si por las mañanas no pienso. ¡Si pudiera dormirme! Bostecé lentamente y de improviso me di cuenta con un estremecimiento: no se oye el menor ruido, nada. ¡Qué extraño! Como en las noches de invierno. Las frías noches de invierno, cuando siento escalofríos, me cuento historias. ¡Piensa en alguna! ¿Alguna de los periódicos? No, un cuento de los que contaba mi madre: había una vez un sultán que tenía tres hijos, pero antes de eso no tenía ninguno y el sultán estaba muy triste porque quería un hijo y le imploraba a Dios. «¿Ni siquiera como nosotros?», pensaba yo mientras mi madre me lo contaba. «¿Ni siquiera tenía hijos como nosotros el sultán?» Pobre sultán, me daba pena y yo quería aún más a mi madre, a İsmail y a mí mismo. A nuestra habitación, a nuestras cosas... Si existiera un libro de cuentos como los de mi madre, si tuvieran las letras grandes, si lo leyera, si lo leyera, si mientras lo leía me quedara dormido y soñara con ellos y con el pobre sultán... ¿Eran felices? Sí, todos lo eran antiguamente. Uno es feliz en sus sueños. Aunque a veces siente miedo. No importa, por la mañana te alegras de recordar ese miedo, ¿no? ¿No te gusta el miedo del sueño? Te gusta tanto como te gusta pensar en la preciosa morena que veías en la tienda. Vamos, ahora duerme tranquilamente pensando en la hermosa morena.

XX

Después de cenar, una vez que mi padre se hubo marchado temprano a los restaurantes con sus billetes, yo también me fui de casa sin avisar a mi madre. Al llegar al café, miré: todos habían llegado, también estaban dos chicos nuevos y Mustafa les estaba hablando. Me senté a escuchar sin atraer la atención de nadie: «Sí —decía Mustafa—. Las dós superpotencias quieren repartirse el mundo y el judío Marx miente porque lo que guía al mundo no es la lucha de clases, sino el nacionalismo y la más nacionalista es Rusia, y además imperialista». Luego les explicó cómo las grandes potencias, para dividirnos, para destrozar nuestro frente unido contra el comunismo, habían iniciado mediante sus agentes el debate de «¿Qué eres antes, musulmán o turco?». «Esos agentes están en todas partes, se han infiltrado entre nosotros —decía—. Sí, por desgracia pueden estar incluso entre nosotros.» Entonces guardamos silencio un rato. Después Mustafa les contó cómo antiguamente siempre habíamos estado unidos y que por eso aún podríamos hacer vomitar sangre a esos traicioneros, calumniadores e imperialistas europeos que decían «Por donde pasa el bárbaro turco no crece la hierba», y a mí me pareció oír el ruido de las herraduras de nuestros caballos haciendo temblar a los cristianos en las frías noches de invierno. Luego me enfadé mucho de repente porque uno de esos tontos novatos que acababan de unirse al movimiento comentó:

—Bueno, hombre, y si se encuentra petróleo aquí, ¿seríamos ricos y levantaríamos el país como los árabes?

¡Como si todo consistiera en el dinero, en lo material! Pero Mustafa volvió a hablarles pacientemente, yo no escuché, ya me sé todo eso, yo ya no soy nuevo. Por allí había un periódico, lo cogí, lo leí y miré también las demandas de trabajo. Luego Mustafa les dijo que volvieran más tarde. Y ellos nos saludaron respetuosamente y se fueron para demostrar que habían aprendido que la disciplina era una obediencia sin límites.

—¿Vamos a hacer pintadas esta noche? —le pregunté.

—Sí —me contestó Mustafa—. Anoche también fuimos, ¿dónde estabas?

—En casa. Estudiando.

—¿Estudiando? —dijo Serdar—. ¿O andabas de mirón por ahí?

Sonrió mostrando los dientes de una manera sucia. Yo no le hago caso, pero me daba miedo que Mustafa le tomara en serio.

—Esta mañana lo atrapé delante de la playa mirando a una muchacha. Una chica de la alta sociedad, está enamorado de ella. Hasta le ha robado el peine.

—¿Se lo ha robado?

—Mira, Serdar —repliqué—. ¡No me llames ladrón o acabaremos mal!

—Bueno, entonces fue la chica quien te dio el peine.

—Sí, ella me lo dio, por supuesto.

—¿Y por qué iba ella a darte el peine?

—Hijo mío, tu cabeza no da para comprender esas cosas.

—¡Lo ha robado! ¡El muy imbécil se ha enamorado! ¡Lo ha robado!

De improviso me irrité. Me saqué del bolsillo los dos peines.

—Mira. Hoy me ha dado otro. ¿Sigues sin creerme?

—Déjame que lo vea.

—Toma. —Le alargué el peine rojo—. ¡Espero que esta mañana aprendieras lo que te puede pasar si no me lo devuelves!

—Este peine es muy distinto al verde —comentó—. ¡Este no es de los que pueda usar esa muchacha!

—Vi con mis propios ojos cómo lo usaba. Y en el bolso lleva otro.

—Entonces, este no te lo dio ella.

—¿Por qué no? ¿Es que no puede haber comprado dos iguales?

—Pobrecillo. El amor le ha hecho perder la cabeza, no sabe lo que dice.

—¡Lo que pasa es que no te crees que la conozca! —grité.

—¿Quién es esa chica? —preguntó de repente Mustafa. Me quedé sorprendido, así que Mustafa nos estaba escuchando, pensé.

—Este se ha enamorado de una muchacha de la alta sociedad —contestó Serdar.

—¿De veras?

—La situación es grave, muchacho —continuó Serdar.

—¿Quién es esa chica?

—Porque no deja de robarle peines.

—¡No! —repliqué.

—¿No qué? —preguntó Mustafa.

—Ella me dio el peine.

—¿Por qué?

—Yo tampoco lo sé. Probablemente porque quería hacerme un regalo.

—¿Quién es esa chica? —insistió Mustafa.

—Cuando me regaló el peine verde yo quise regalarle algo también y compré este rojo. Pero, como ha dicho Serdar, es verdad que este peine es peor, no vale lo que el verde.

—O sea, ¿que te dio los dos? —dijo Serdar.

—¡Te estoy preguntando que quién es esa chica! —gritó Mustafa.

—La conozco desde pequeño —le respondí avergonzado—. Tiene un año más que yo.

—Es la hija del dueño de la casa donde su tío está de criado —intervino Serdar.

—¿Es verdad eso? ¡Respóndeme!

—Sí, mi tío trabaja en su casa.

—¿Y esa muchacha de la alta sociedad no deja de regalarte peines?

—¿Es que no puede? Ya te digo que la conozco.

—¿Te estás dedicando a robar, imbécil? —gritó de repente Mustafa.

Me quedé helado: todo el mundo le había oído. Empecé a sudar, guardé silencio, incliné la cabeza y me habría gustado no estar allí. Si hubiera estado en casa nadie se habría metido conmigo; saldría al jardín, contemplaría las luces a lo lejos y me emocionaría viendo las escalofriantes luces de los barcos silenciosos que se alejan.

—¿Eres un ladrón? ¡Responde!

—No, no soy un ladrón ni nada parecido. —Luego se me ocurrió algo y primero me reí y después se lo dije—. Bueno. ¡Te contaré la verdad! Todo era una broma. Esta mañana le conté una trola a Serdar para ver qué decía, pero no la entendió. Sí, fui yo quien compró el peine rojo. El que quiera puede ir a la tienda y preguntar si los tienen iguales. Y el peine verde es de ella. Se le cayó por el camino, yo lo encontré y estaba esperándola para devolvérselo.

—¿Es que eres criado suyo para tener que esperarla?

—No. Soy su amigo. Cuando éramos pequeños...

—El muy imbécil está enamorado de una chica de la alta sociedad —dijo Serdar.

—No. No lo estoy.

—Si no lo estás, ¿por qué esperas a su puerta?

—Porque si cojo algo que no me pertenece y no se lo devuelvo a su propietaria, entonces sí que sería un ladrón, por eso.

—Este tío debe de creerse que somos tan idiotas como él —dijo Mustafa.

—Ya lo ves. ¡Está enamorado hasta los huesos!

—¡No!

—¡Cállate, imbécil! —gritó de improviso Mustafa—.

Y no le da vergüenza. Y yo que me creía que podría llegar a algo. Cuando vino y me dijo que quería que le diéramos asuntos más importantes me convenció y pensaba que tenía madera. Pero se ha convertido en esclavo de las chicas pijas.

—¡No es verdad!

—¿Cuántos días llevas como un sonámbulo? ¿Estabas anoche en su puerta mientras nosotros hacíamos pintadas?

—No, no lo estaba.

—¡Y además vas a ensuciar nuestro nombre con tus robos! ¡Basta ya! ¡Lárgate de aquí!

Nos callamos un rato. Yo pensaba que ojalá estuviera en casa, en casa, abriendo el libro de matemáticas tranquilamente.

—¡Y todavía sigue sentado el muy sinvergüenza! —continuó Mustafa—. ¡No quiero ni ver a ese tío!

Le miré.

—Déjalo, hombre. No le des más importancia de la que tiene —le dijo Serdar.

Le miré.

—¡Llévatelo de aquí! ¡No quiero tener delante a un enamorado de una pija!

—¡Perdónale! —le pidió Serdar—. Mira cómo tiembla. Yo le enderezaré. Siéntate, Mustafa.

—¡No! Me voy.

Se iba de veras.

—¡No, hombre! Vas a sentarte.

Mustafa, de pie, jugueteaba con su cinturón. Pensé en levantarme y darle una buena. ¡Lo mataré! Pero, en fin, si no quieres quedarte solo tienes que explicarte para que no te malinterpreten.

—Es imposible que esté enamorado de ella, Mustafa.

—Esta noche vendréis vosotros —le dijo Mustafa a los otros. Luego se volvió hacia mí—. Y a ti no volveremos a verte por aquí. Ni nos conoces ni nunca nos has visto.

Reflexioné un momento.

—¡Espera! —dije de repente sin que me importara el temblor de mi voz—. Escúchame, Mustafa, y lo entenderás.

—¿Qué?

—Yo no puedo enamorarme de ella porque esa chica es una comunista.

—¿Qué? —repitió.

—¡Sí! Lo juro, lo he visto con mis propios ojos.

—¿Qué has visto? —gritó y se acercó a un paso.

—El periódico. Lee el *Cumhuriyet*. Todos los días compra y lee el *Cumhuriyet*. Siéntate, Mustafa, para que te lo cuente. —Y me callé para que la voz no me temblara.

—¡Idiota, subnormal! ¿Es que te has enamorado de una comunista? —gritó.

Por un segundo creí que iba a golpearme. Si me hubiera pegado lo habría matado.

—No. Yo no puedo enamorarme de una comunista ni de nada que se le parezca. Cuando lo estaba, todavía no sabía que era comunista.

—¿Cuando estabas qué?

—¡Cuando creía que estaba enamorado de ella! Siéntate, Mustafa, para que te lo explique.

—De acuerdo, me siento. ¿Sabes que acabarás mal si me mientes?

—Pero primero siéntate y escúchame. No quiero que me malinterpretes. Ahora te cuento. —Luego guardé silencio un poco—. ¡Dame un cigarrillo!

—¿También has empezado a fumar? —me preguntó Serdar.

—¡Callaos y dadle un cigarrillo! —ordenó Mustafa y por fin se sentó.

Yaşar me lo dio y no notó que me temblaba la mano porque fue él quien encendió la cerilla. Luego pensé un poco al ver que los tres esperaban curiosos a que empezara a hablar.

—Cuando la vi en el cementerio estaba rezando —comencé—. Pensé que no podía ser una niñata porque llevaba un pañuelo en la cabeza y tenía las manos abiertas hacia Dios, como su abuela...

—¿Pero qué dice este? —me interrumpió Serdar.

—¡Cállate! —le dijo Mustafa—. ¿Y qué tenías tú que hacer en el cementerio?

—A veces dejan allí flores. Y si mi padre lleva un clavel en la solapa cuando sale por las noches los de los restaurantes le compran más billetes. A veces me dice que vaya a buscar.

—Bueno.

—Cuando aquella mañana fui allí a por flores, la vi ante la tumba de su padre. Llevaba la cabeza cubierta y abría las manos a Dios.

—¡Está mintiendo! —intervino Serdar—. Esta mañana la vi en la playa: estaba completamente desnuda.

—No, llevaba bañador. Pero cuando estaba en el cementerio yo todavía no sabía que era como es.

—Bueno, ¿y ahora es comunista esa chica? ¿O es que me estás enredando?

—No. Si te lo estoy explicando... Cuando la vi allí, rezando, yo me..., lo acepto, me asombré un poco. Porque de niña no era así. La conozco desde que era pequeña. No era mala, pero tampoco buena. Vosotros no les conocéis. Y así, pensando pensando, por fin acabó por confundírseme la cabeza. Sentía curiosidad por ella, por cómo sería ahora y tal. Y fui tras ella por curiosidad, comencé a seguirla, también un poco por divertirme.

—¡Vago, haragán, inútil! —dijo Mustafa.

—¡Está enamorado! —me disculpó Yaşar.

—¡Cállate! —le ordenó Mustafa—. ¿Y cómo te enteraste de que era comunista?

—Siguiéndola. No, ya no la seguía. En cierto momento, por casualidad, entró en la tienda donde yo estaba tomándome una Coca-Cola y compró un *Cumhuriyet*. Por eso lo comprendí.

—¿Solo por eso?

—No, no solo por eso. —Guardé silencio un momento y luego proseguí—. Todas las mañanas va a comprar el *Cumhuriyet* y no compra ningún otro periódico. Ni siquiera lo dudé. Además, ha cortado sus amistades con los niñatos de por aquí.

—Así que todas las mañanas va a comprar el *Cumhuriyet*
—repitió Mustafa—. Y tú nos lo ocultabas porque todavía
estás enamorado de ella y la sigues, ¿no?

—No. Ha sido esta mañana cuando lo ha comprado.

—No me mientas o te vas a llevar un guantazo. Acabas de
decir que todas las mañanas compra el *Cumhuriyet*.

—Cada mañana iba a la tienda y allí compraba algo, pero
yo no sabía lo que era. Solo esta mañana he visto que lo que
compraba era el *Cumhuriyet*.

—Este está mintiendo —dijo Serdar.

—Lo sé. Dentro de nada lo va a lamentar. Ha ido detrás
de la muchacha aun sabiendo que era comunista. ¿Y qué pasa
con estos peines, eh? Dime la verdad.

—Te la estoy diciendo. Uno se le cayó mientras la seguía
y entonces lo recogí del suelo. Que no lo robé, vaya... El otro
es de mi madre, lo juro.

—¿Y por qué llevas el peine de tu madre?

Di una calada al cigarrillo y luego me callé porque sabía
que, dijera lo que dijese, no tenían la menor intención de
creerme.

—¡Te estoy hablando!

—Bueno —le respondí—. Pero de todas formas no me
creeréis. Os juro que ahora os estoy diciendo la verdad. Sí,
este peine rojo no es de mi madre. Hace un momento lo dije
porque me daba vergüenza. Este peine rojo lo compró la chica hoy en la tienda.

—¿Al mismo tiempo que el periódico?

—Al mismo tiempo que el periódico. Podéis preguntarle
al tendero.

—¿Y luego te lo dio?

—¡No! —Me callé un momento antes de seguir—. Después de que ella se fuera yo compré uno de esos peines rojos
para mí.

—¿Por qué? —chilló Mustafa.

—¿Por qué? ¿No entiendes por qué?

—¡Le voy a dar un guantazo en la boca! —dijo Serdar.

Yo sí que le habría enseñado de no ser por Mustafa. Pero Mustafa continuaba gritando.

—¿Por qué estás enamorado, imbécil? Ya sabías que era comunista. ¿Es que eres un espía?

Pensé que ya no creería nada de lo que dijera y me callé un rato pero seguía gritando tanto que decidí repetir por última vez que ya no estaba enamorado de una comunista para que me creyera de una vez por todas. Tiré el cigarrillo al suelo y lo apagué pisándolo como hace la gente despreocupada. Luego le quité de las manos el peine rojo a Serdar, lo doblé, lo retorcí y dije:

—Si encontraras un peine tan bueno y tan barato por veinticinco liras, tú tampoco dejarías escapar la ocasión, supongo.

—¡Que Dios te maldiga, mentiroso subnormal! —chilló Mustafa.

Así que decidí callarme definitivamente. Ya no tengo la menor intención de hablar con ustedes, señores, ¿entendido? De hecho, me queráis con vosotros o no, dentro de poco me vuelvo a casa. Me sentaré a estudiar matemáticas y un día iré a Üsküdar y les diré que me den un trabajo importante: «Los de Cennethisar no hacen otra cosa que llamarse espías unos a otros. ¡Dadme un trabajo importante!». Sí, dentro de nada me vuelvo a casa; ahora voy a seguir leyendo ese periódico que dejé a medias. Lo abrí y leo mi periódico sin prestarles la menor atención...

—¿Qué hacemos ahora, señores? —dijo Mustafa.

—¿Con el tendero que sigue vendiendo el *Cumhuriyet*? —preguntó Serdar.

—No. No hablaba del tendero. Lo que os decía es qué podemos hacer con este estúpido enamorado de una comunista.

—¡Perdónale, hombre! No te lo tomes tan en serio. Ya está arrepentido.

—O sea, ¿que le deje que se convierta en un cebo de los comunistas? —gritó Mustafa—. Al momento iría corriendo y le contaría todo a la muchacha.

—¿Le damos una paliza? —susurró Serdar.

—¿Y no vamos a hacerle nada a la comunista? —comentó Yaşar.

—Le haremos lo que le hicimos a la chica de Üsküdar.

—¡Y también hay que darle una buena lección al tendero! —añadió Serdar.

Luego siguieron hablando en susurros y comentaron lo que los comunistas de Tuzla habían hecho con los nuestros y se referían a mí como si se refirieran a un retrasado mental y explicaron cómo le habían sacudido a una muchacha que leía el *Cumhuriyet* en el transbordador a Üsküdar y siguieron hablando pero yo no les prestaba atención y ni siquiera les oía. Leía el periódico y me decía que no era conductor profesional con licencia y experiencia se necesita urgentemente, no era operador de télex con conocimientos de inglés, no era obrero experimentado en instalación de marcos de ventanas de aluminio, ni tampoco era auxiliar de farmacia con conocimientos de óptica, ni instalador eléctrico servicio militar cumplido capaz de atender al teléfono, ni tampoco costurero a máquina de perneras de pantalones, maldita sea, pero de todas formas iré a Estambul y un día, cuando haga un trabajo importante, sí, sí, pensé en ese trabajo y como no sabía exactamente en qué consistiría quise volver a mirar la primera página del periódico como si entre aquellos grandes hechos quisiera ver mi propio nombre y encontrar allí lo que tenía que hacer, pero el periódico estaba roto y aunque buscara la primera página no la encontraba: era como si se hubiera perdido, no parte del periódico, sino mi propio futuro. Intentaba ocultar mis manos para que los otros no vieran que me temblaban cuando Mustafa se dirigió a mí:

—¡Te estoy hablando a ti, idiota! —gritó—. ¿Cuándo va esa muchacha a la tienda?

—¿Eh? Después de la playa.

—¡Imbécil! ¡Cómo voy a saber yo cuándo va a la playa!

—A las nueve o nueve y media.

—Tú mismo limpiarás tu propia mierda.

—Muy bien —dijo Yaşar—. Que le dé una paliza a la muchacha.

—No, no le dará una paliza. Ella te conoce, ¿no?

—¡Claro que sí! Nos hablamos.

—¡Qué subnormal! Todavía presume.

—Sí —intervino Serdar—. Por eso te digo que le perdones.

—No. No es tan sencillo. —Mustafa se volvió hacia mí—. ¡Escúchame! Mañana estaré allí a las nueve y media. ¡Y tú me esperarás! ¿Qué tienda es? Me la enseñarás. Y yo también veré con mis propios ojos cómo la muchacha compra el *Cumhuriyet*.

—¡Lo compra todas las mañanas!

—¡Cállate! Si lo compra, te haré una señal. Entonces primero le quitarás el periódico. Le dirás que no permitiremos que aquí se metan los comunistas. Y luego romperás en pedazos el periódico y lo tirarás. ¿Entendido?

No le contesté.

—¿Entendido? ¿Me escuchas?

—Sí.

—Bravo. Aunque sea de un chacal subnormal como tú, yo solo les dejaría a los comunistas la piel agujereada. Te estaré vigilando. ¡Y esta noche vendrás con nosotros a hacer pintadas! ¡Nada de volver a casa!

¡Quise matar a Mustafa allí mismo, en ese momento! ¡Pero acabarás por meterte en problemas, Hasan! No le contesté. Luego les pedí otro cigarrillo y me lo dieron.

XXI

Cüneyt abrió la ventana de repente y gritó hacia la oscuridad «Todos los profesores están locos, todos los profesores y todos los maestros» y mientras chillaba Gülnur lanzó una carcajada y dijo «Está colgado, menudo pedo, ¿lo veis, muchachos?» y Cüneyt gritaba «Maricones, este año me han follado bien, ¿qué derecho tenéis a jugar con mi vida?» y de repente Funda y Ceylan se acercaron a él «Chist, Cüneyt, ¿qué haces? Con la hora que es... Mira, son las tres de la madrugada, los vecinos, todo el mundo está dormido» y mientras se lo decían Cüneyt respondió «Me cago en los vecinos, déjame, mujer, los vecinos están conchabados con los profesores» y Ceylan le replicó «No volvemos a darte» e intentó arrebatarle el porro de las manos pero Cüneyt no se lo permitió y dijo «Todo el mundo fuma y solo a mí me lo echáis en cara» y Funda gritó para que se la oyera entre aquella horrible música y todo aquel alboroto «Entonces cállate, cállate, no grites, ¿de acuerdo?» y Cüneyt se calmó de repente y fue como si en un instante hubiera olvidado todo su odio y su rencor y comenzó a balancearse lentamente al ritmo del pop-rock que me destrozaba los oídos y luego desaparecieron entre las luces de colores que se encendían y se apagaban que Turan había instalado para que aquello pareciera una discoteca y yo miré a Ceylan pero no parecía demasiado preocupada, estaba muy bonita, sonreía ligeramente, triste y melancólica, Dios mío, amo a esta muchacha, no sé qué hacer, ayúdame, qué situación más ridícula, ¿voy a ser yo también como todos esos pobres jóvenes turcos enamorados llenos de granos, sin voluntad, que en cuanto se enamoran quieren casarse?, como los salidos del colegio que desprecian a las chicas pero que luego están hasta el amanecer componiendo desesperadas poesías de amor y esconden esas cosas llenas de lamentable sentimentalismo en carpetas que ocultan a todo el mundo para por la mañana poder con la tranquilidad de corazón de todo un hombre meterle el dedo en el culo a los demás, no pienses más, Metin, me dan asco, nunca me pareceré a ellos, yo seré un seductor internacional, rico, impasible, sí, sí, cuando veas una fotografía en los periódicos con la condesa de Rouchfoltien y al año siguiente la vida privada y diaria del gran físico turco asentado en Estados Unidos, y la revista *Time* me atrape paseando de la mano con lady Fulanita en los Alpes italianos y cuando vuelva a Turquía en mi yate privado para hacer el Crucero Azul y veas mi enorme foto en la primera página del *Hürriyet* con mi tercera esposa, la preciosa hija única del magnate mexicano del petróleo, entonces ya veremos si no piensas, Ceylan, «Amo a Metin», y ese día, ay Dios, cuánto he bebido y volví a mirar a Ceylan y mientras observo su preciosa cara entontecida por el par de caladas que le ha dado al porro oigo de repente que berrean algunos miembros de esa multitud enloquecida, colgada y excitada, y, Dios mío, oigo también que aúllan y, no sé por qué, a mí también me apetece bramar y gritar con ellos, y aquí está, yo también grito, primero sale de mi garganta un chillido sin sentido y luego, cuando se convierten en desesperados bramidos animales, Gülnur me dice «Tú cállate, Metin, tú cállate, no tienes derecho a unirte a ellos» y señalando el canuto liado que lleva en la mano «Tú no fumas» y yo sonreí como si fuera una broma y después, muy serio, le dije «Yo me he terminado una botella de whisky, ¿vale, amiga?, hay mucho más en una botella de whisky que en vuestro estúpido porro y, además, yo no la voy pasando de mano en mano, toda me la tomo yo» pero no me escucha, «Cobardica, gallina, ¿por qué no fumas? Por lo menos debería darte vergüenza por Turan, ¿qué derecho tienes de fastidiarle su última noche antes de volver a la mili?» y yo le respondí «Bueno» y le cogí el porro de la mano y mira Ceylan yo también fumo como tú, te quiero y aspiré un poco más y Gülnur «Ah, así», dijo y fumé un poco más y se lo devolví y entonces Gülnur se dio cuenta de que te estaba mirando, Ceylan, y lanzó una carcajada y dijo «Mira, Metin, la tuya también está colocada, vas a tener que fumar mucho para alcanzarla» y yo pensé, Ceylan, que te había llamado «la mía» y guardé silencio y Gülnur me preguntó «¿Vas a ligártela?» y yo guardé silencio y Gülnur «Como no te des prisa, Metin, Fikret te la va a levantar, aquí te lo escribo» e hizo un gesto como si escribiera con el extremo del grueso porro y yo me callé y cuando ella preguntó dónde estaba Fikret me eché al coleto el resto del vaso y mientras me largaba de allí para no provocar un desastre con la excusa de rellenarlo, Gülnur lanzó una carcajada y cuando buscaba la botella en la oscuridad, Zeynep, que no sabía de dónde había salido, me abrazó de repente y me dijo «Vamos a bailar, vamos, Metin, mira qué música tan estupenda» y yo respondí que de acuerdo y mientras me abrazaba, mirad, no creáis que me paso el día pensando en Ceylan de la mañana a la noche, mirad, bailo con esta gorda llamada Zeynep, pero me aburrí con rapidez porque enseguida entrecerró los ojos como un gato feliz que acaba de llenarse la tripa y empezó a jugar a soy muy romántica y cuando estaba intentando encontrar la forma de librarme de ella, alguien me dio una patada en el culo, maldita sea, y apagaron las luces y comenzaron a gritar «Que se besen, que se besen» y yo empujé aquella cosa caliente como un enorme cojín y me deshice de ella y mientras buscaba el whisky y los vasos me dio en la cara un cojín de verdad, bien, ¿conque sí, eh? y lancé un fuerte puñetazo a la oscuridad y oí que Turgay gemía y me encontré con Vedat en la puerta de la cocina y veo que me observa con una mirada estúpida y se inclinó hacia mí y me dijo «Qué bien, ¿verdad, muchacho?» y yo le dije «¿Qué es lo que está tan bien?» y me contestó sorprendido «¿No lo sabes, muchacho? Nos acaba-mos de prometer» y le echó la mano sobre el hombro a Sema con el cariño de un marido serio, consciente de sus responsa-bilidades y «Es estupendo, ¿verdad, muchacho?» y yo le con-testé «Estupendo» y él «Es maravilloso, estamos prometidos, ¿no nos felicitas?» y volvemos a besarnos y Sema parece que va a echarse a llorar de repente y yo me quedé de piedra y es-taba a punto de escaparme cuando Vedat me agarró de nuevo y otra vez nos besamos y yo temía que la muchacha inglesa nos viera y pensara que éramos maricones con tanto beso y recuerdo que en el colegio, en los dormitorios, la mayor preo-cupación de todos era parecer maricón ante los demás, maldi-tos seáis, maniáticos, enfermos, subnormales, degenerados, tratan a los lampiños como si fueran maricones, menos mal que yo tengo barba, ¿tengo?, claro, como si la tuviera, si qui-siera hasta podría dejarme bigote, y no me quedaría mal, soy bastante velludo, es verdad que una vez me metió el dedo en el culo el animal de Süleyman, pero me lo pagó cuando le dejé en ridículo delante de todo el dormitorio subiéndome encima de él mientras dormía, porque si no lo haces así esos salidos te aplastan como hicieron con Cem, salvajes, salvajes, pero, ¡cálmate, Metin! ¿Por qué le das tanta importancia? El año próximo estás en América, pero aún tienes por delante un año que aguantar en este país de retrasados mentales y pensé «Faruk y Nilgün, si el año que viene no consigo largarme a América por falta de dinero, entonces os vais a enterar» y por fin encontré la cocina, gracias a Dios, y allí vi a Hülya y a Tu-ran; Hülya había llorado y Turan tenía la cabeza pelona bajo el grifo y al verme se incorporó y de repente me lanzó un pu-ñetazo bien fuerte y cuando luego le pregunté que dónde es-taban las botellas y los vasos me dijo «Ahí están los vasos» pero no me señaló ningún sitio y al volverle a preguntar, «Ahí están» me respondió pero seguía sin señalar a nada y mientras yo los buscaba abriendo y cerrando las puertas de los armarios Turan abrazó a Hülya y comenzaron a besarse con ansia, como si quisieran arrancarse mutuamente los dientes a mordiscos, y yo pensé que nosotros podríamos hacer lo mismo, Ceylan, y luego comenzaron a producir sonidos más extraños y Hülya liberó su boca de la de Turan y le dijo sin aliento «Ya se pasará, cariño, ya se pasará y se acabará» y Turan de repente se excitó y «¿Qué entiendes tú de la mili? Los hombres de verdad hacen el servicio militar» y se enfadó aún más y se deshizo de los brazos de Hülya y rugió «El que no hace el servicio militar no es un hombre» y me lanzó otro puñetazo, ahora a la espalda, y me preguntaba «Y tú, ¿eres un hombre? ¿Eres un hombre? Y encima te ríes, ¿no? Si estás tan seguro de ti mismo, ven que comparemos, y así sabremos todo lo hombre que eres» y cuando ya se llevaba las manos a los botones del pantalón, Hülya le dijo «¿Qué haces? Por favor, Turan, no lo hagas» y él «De acuerdo, dentro de dos días me voy, pero mañana por la noche nos divertiremos igual, ¿de acuerdo?» y Hülya «¿Y qué pasa si tu padre...?» y Turan gritó «¡Me cago en la boca de ese cabrón, ya está bien, si eres padre aprende a serlo, ¿es que estoy obligado a terminar el instituto porque a ti te dé la gana? Y ahora me envías a la mili, se me llevan los demonios, gilipollas, a ver si entiendes a tu hijo, ¿pero qué tipo de padre eres? Nunca seré un hombre hecho y derecho y te haré polvo el coche si quiero y te voy a coger también el Mercedes, te lo juro, Hülya, y lo voy a estampar contra un poste para que se entere» y Hülya gimió «No, Turan, no lo hagas, por favor» y Turan me lanzó otro puñetazo y de repente comenzó a balancearse al ritmo del pop-rock que llegaba de dentro y como si se hubiera olvidado de todos nosotros se perdió lentamente entre el humo del hachís y los colores que se encendían y se apagaban en la oscuridad de la música y Hülya corrió tras él y yo por fin pude prepararme mi copa y luego me encontré con Turgay «Vamos, ven tú también, vamos a bañarnos desnudos en el mar» y yo me excité de repente y pregunté «¿Quiénes, quiénes?» y él se rió «So imbécil, por supuesto que las chicas no, y Ceylan tampoco» y yo me quedé boquiabierto y pensé en ti, Ceylan, pensé en cómo todos habían comprendido rápidamente que te quería y que ya no pienso en otra cosa sino en ti, ¿dónde estás, Ceylan?, entre el humo, la bruma y la música, si abrieran las ventanas, te busqué, Ceylan, ¿dónde estás? Maldita sea, te busqué y te busqué pero no me inquieté demasiado y luego, cuando vi que bailabas y que Fikret estaba contigo, tranquilo, Metin, no te preocupes, y me senté como cualquier persona despreocupada y me estaba tomando mi whisky y pensando que estaba bastante colocado cuando, de repente, ay, Dios, la música se calló por un momento y alguien puso un disco hortera y hala, hala, como todos se han educado en bodas de clase media subdesarrollada, se pusieron al momento en pie, se acompasaron a la nueva música y nos agarramos del brazo, yo te agarro de un brazo, Ceylan, y miré sin que se me notara y, por supuesto, Fikret te agarra del otro y comenzamos a dar vueltas, por Dios, qué *alaturka*, como en las bodas de nuestras tías y de parientes lejanos, y cuando el círculo se deshizo nos convertimos en un largo tren, damos vueltas por el salón y luego la cabeza salió al jardín, salimos, entramos por la otra puerta y siento en mi hombro la dulce mano de Ceylan y pienso en qué dirán los vecinos y entraron en la cocina y ahí nos separamos del tren, pero Fikret no y nos quedamos los dos solos, Ceylan, y vimos que en la cocina Sema abría el frigorífico, miraba dentro y se echaba a llorar y oímos cómo Vedat, como un marido serio, le decía «Vamos, cariño, voy a dejarte en casa» y Sema no dejaba de llorar mirando el interior del frigorífico como si allí hubiera algo por lo que llorar y Vedat le decía «¿Qué va a decir tu madre? Ya es tarde» y Sema le respondía «Odio a mi madre y tú ahora estás conchabado con ella» y cuando Vedat le dijo «Por lo menos dame ese cuchillo» Sema tiró al suelo de repente el cuchillo que tenía en la mano y entonces yo, como si fuera algo perfectamente normal y quisiera protegerte de un peligro, te eché el brazo por los hombros y te saqué de la cocina y tú te apoyaste en mí, sí, sí, los dos juntos, ¿nos veis?, entramos, todos gritan y saltan y yo soy tan feliz porque estás apoyada en mí, cuando de repente Ceylan se aparta de mí y se fue corriendo, no sé adónde ha ido y me estaba preguntando si seguirla cuando miré y otra vez estoy junto a Ceylan, miré y estamos todos bailando, miré y te cogía la mano, y luego miré y de nuevo no estaba pero ya no importa, todo está claro y soy muy feliz y me mantengo en pie con dificultad y de repente pienso que no voy a volver a verte y siento mucho miedo, Ceylan, y por alguna extraña razón también pensé que nunca conseguiría que me quisieras y te busco desesperado, Ceylan, ¿dónde estás?, te necesito, Ceylan, Ceylan, ¿dónde estás?, te quiero tanto, Ceylan, Ceylan, ¿dónde estás? ¿Dónde estás, querida, entre todo este asqueroso humo y bruma y colores que estallan y cojines y puñetazos y gritos y música?, te estoy buscando y me siento miserable y desesperado como cuando era pequeño y pensaba que todo el mundo tenía una madre que le besaba cuando regresaba a casa por la tarde y yo no y cuando me sentía tan solo los fines de semana en el dormitorio del colegio y me odiaba y odiaba la soledad y cuando pensaba que nadie me quería en casa de mi tía y pienso que todos tienen dinero y yo no y que por esa razón debo hacerme rico en América con mi creatividad y mi inteligencia haciendo grandes descubrimientos, pero, Ceylan, ¿qué necesidad hay de tantas dificultades y de América? Viviremos donde quieras, si quieres nos quedaremos aquí, Turquía tampoco es una mierda de país, se abren nuevos sitios, nuevas tiendas, un día acabará toda esta anarquía incomprensible y ciega y podremos encontrar en la tiendas de Estambul todo lo que se vende en Europa y América, casémonos, la cabeza me funciona muy bien y en este momento tengo catorce mil liras justas en el bolsillo, nadie tiene tanto, si quieres trabajaré en algún sitio y prosperaré o si quieres creeremos que el dinero no es importante, ¿no, Ceylan? ¿Dónde estás? Estudiaremos juntos en la universidad, ¿dónde estás, Ceylan? ¿O es que te has montado en el coche de Fikret y os habéis ido? No puede ser, te quiero tanto y ¡ah! ¡Ahí está! Dios mío, te veo ahí sentada sola en un rincón, mi solitaria niña, mi pequeña, mi desesperada, mi preciosa, mi ángel, ¿qué ha pasado? ¿Qué problema tienes? Cuéntamelo, ¿o es que también a ti te torturan tus padres? Dime, y me siento a su lado, quiero preguntarle por qué está tan triste y desesperada pero no me atrevo y guardo silencio y cuando por fin hablo por decir algo, como siempre salen de mi boca las palabras más mierdosas y estúpidas y le pregunto tontamente si está muy cansada y tú te lo tomas en serio y me respondes «¿Yo? Sí, me duele un poco la cabeza» y como de nuevo no encuentro nada que decir me quedo sentado largo rato sin hablar y cuando estoy a punto de entontecerme del todo con el aburrimiento y la música, Ceylan lanza una carcajada alegre, llena de vida, y me mira a la cara entontecida y me dice «Cuando estás así eres tan agradable y tan simpático, Metin, vamos a ver, dime cuánto es veintisiete por diecisiete» y entonces me enfado de repente conmigo mismo sin saber por qué y alargo mi mano hacia tu hombro y tu hermosa cabeza cae balanceándose sobre mi pecho y se apoya allí y yo siento tu cabeza y es una felicidad increíble, siento el olor de tu pelo y tu piel y de repente me dices «Aquí el aire está muy cargado, Metin, vamos a salir un poco» y nos levantamos al momento, Dios mío, salimos juntos, sí, juntos, de todo este sucio alboroto, y mi brazo reposa sobre tus hombros y nos apoyamos el uno en el otro, nos servimos de apoyo, como dos enamorados solitarios y desesperados que se prestan apoyo mutuamente en este mundo asqueroso, terrible y feo, huimos de esa horrible música y de la multitud y ya lo hemos dejado todo atrás y caminamos juntos por las calles silenciosas, vacías y tristes, bajo los árboles y hablamos entendiéndonos a la perfección como amantes que despertarán la envidia no solo por su amor, sino también por su profunda amistad, comprendiéndonos profundamente y yo te digo qué hermoso es el aire limpio y Ceylan me dice que no le tiene tanto miedo a sus padres, que su padre es una buena persona en realidad pero demasiado tradicional y yo le respondo que por desgracia no conocí demasiado a los míos porque mis padres han muerto y Ceylan continúa diciendo que le gustaría ver mundo y estudiar periodismo y ser periodista «No te dejes llevar por las apariencias, aquí siempre estamos divirtiéndonos, no hacemos nada, pero yo no quiero ser así, quiero ser como esa mujer, ¿cómo se llamaba?, esa periodista italiana, la que está continuamente haciéndoles entrevistas a los famosos, que habla con Kissinger o con Anwar es Sadat, sí, ya sé que para ser como ella hay que tener mucha cultura, tú eres un poco así, Metin, pero yo no puedo estar leyendo libros de la mañana a la noche, también tengo derecho a vivir, mira, quiero divertirme porque este año lo he aprobado todo sin problemas, no se puede estar leyendo todo el rato, en nuestro instituto había una chica así, que leía muchos libros y acabó por volverse loca y la encerraron en el manicomio, ¿qué dices, Metin?» y yo no digo nada, solo pienso que eres preciosa y tú sigues hablándome de tu padre, de tu instituto, de tus amigos, de tus proyectos para el futuro y de lo que piensas sobre Turquía y Europa y tal y eres hermosa, eres hermosa cuando la luz pálida de las farolas se desliza entre las hojas de los árboles y se refleja en tu cara, eres hermosa mientras aspiras el humo de tu cigarrillo con una expresión pensativa y preocupada como si tu vida estuviera repleta de complejísimos problemas y eres hermosa cuando te echas atrás el rizo que te cae sobre la frente, Dios mío, tan hermosa que a uno le gustaría tener de inmediato un hijo suyo y de repente dije «¿Vamos a la playa? Mira qué bonita, no hay nadie, qué tranquila» y ella dijo «Muy bien» y entramos en la playa y mientras caminamos sobre la arena silenciosa Ceylan se quita los zapatos y los coge en la mano y caminamos por la orilla mientras sus pies brillan sobre la arena con una luz que no sé de dónde viene y me siguió hablando de su instituto y de lo que quería hacer en la vida y luego metió lentamente sus preciosos pies en el agua oscura y misteriosa y entonces yo la encontré próxima pero inalcanzable y continúa hablando mientras chapotea y la encontré vulgar y atractiva y estúpida y terriblemente seductora y banal e increíble y mortal y de improviso no vi otra cosa que sus pies que removían el agua como simpáticos peces y cuando me dijo que quería vivir como los europeos no la escucho y sentía el calor húmedo y pegajoso y el olor del mar y el olor de su piel y miraba pensando en mi soledad aquellos pies que brillaban como marfil en el agua, llenos de vida, movimiento y sensualidad y de repente me metí en el agua con los zapatos puestos y te abracé «Ceylan, te quiero tanto» y primero se rió «¿Qué haces?» «Te quiero» y quise besarla en la mejilla «Metin, estás muy borracho» y luego debió de sentir miedo, la arrastré a la fuerza hasta la orilla, me arrojé sobre ella con todo mi peso y nos caímos en la arena y mientras se agitaba debajo de mí y mi mano buscaba y apretaba sus pechos decía «No, no, no, Metin, ¿qué haces? ¿Te has vuelto loco? Estás borracho» y yo «Te quiero tanto» y Ceylan «¡Que no!» y yo le besé las mejillas y las orejas y el cuello y olí su increíble olor y me empujó y yo repetí «Te quiero tanto» y cuando me empujó de nuevo me ofusqué «¿Qué derecho tienes a empujarme como a un asqueroso?» y entonces me eché sobre ella con más fuerza y le levanté la falda y ahí estaban bajo mis manos aquellas largas, morenas e increíbles piernas y ahí estaba entre mis piernas el cálido cuerpo que creía lejano e inalcanzable, no me lo creo, es como si soñara y me bajo la cremallera del pantalón y aún dice «No» y me empuja «¿Por qué, Ceylan, por qué? ¡Te quiero tanto!» y cuando me empuja de repente una vez más nos encontramos peleándonos como el perro y el gato y rodando por la arena y qué estúpido, qué desesperado todo, damos vueltas y continúa «No, no, estás borracho». «Bueno, bueno, no soy un tipo tan asqueroso, ya está, bueno, lo dejo, pero qué pasa porque follemos, no, no ha sido el calor, no pude controlarme, eso es todo» qué vulgar y qué tonto y qué estúpido es todo, bueno, ya lo he dejado, saca tu cuerpo de debajo del mío, que mi pajarito inquieto se apague hundiéndose en la fría y absurda arena sin haber podido tranquilizarse ni contentarse, bueno, bueno, te dejo, me subo la cremallera, me giro volviendo la cara al cielo y miro estúpidamente las estrellas, déjame tranquilo, ¿de acuerdo?, ve corriendo a contárselo a tus amigos «Por Dios, muchachos, cuidado, ese Metin es un tipo raro, se me echó encima, un basto maleducado, ya se le notaba, era exactamente como los violadores que salen en los periódicos», por Dios, Ceylan, voy a llorar, bueno, haré las maletas y regresaré a Estambul, se acabó esta aventura de Cennethisar; o sea, que en Turquía para poder acostarte con una muchacha bonita tienes que ser millonario o casarte, bien, ya me he enterado, de hecho, el año que viene estaré en América y mientras me paso el resto del verano dando clases de inglés y matemáticas a estudiantes de colegios privados, ¡vamos, subnormales, doscientas cincuenta liras la hora!, y ahorro lo que queda de verano en la pequeña, asfixiante y deprimente casa de mi tía, aquí Fikret y Ceylan, no, no, qué injusticia, habría que seducir a las chicas no con dinero sino con la inteligencia, el talento y la buena planta, pero da igual, Metin, no tiene importancia, mira las estrellas, ¿cuál es el sentido de esas estrellas brillantes que tanto parpadean?, las miran y leen poesías, ¿por qué las leen?, dicen que sienten algo, tonterías, solo es confusión y a la confusión la llaman sentimiento, no, sí sé por qué leen poesías, todo se reduce a ligarse a las chicas y a ganar dinero, sí, imbéciles, todo consiste en hacer que la cabeza funcione, cuando llegue a América, enseguida lograré un descubrimiento físico muy simple pero absolutamente esencial que no se le haya ocurrido a nadie y lo publicaré en la revista *Annalen Der Physic*, donde Einstein publicó sus primeros descubrimientos y después de toda la fama y la fortuna repentina que haya alcanzado vendrán los nuestros a implorarme para que les dé los secretos y las fórmulas de los misiles que he conseguido lanzar, vamos, por favor, dáselos también a tus compatriotas y lanzaremos una lluvia de misiles sobre la cabeza de los griegos pero por desgracia no tendré tiempo y solo vendré para una visita rápida una semanita al año a mi mansión de Bodrum, mucho más grande y lujosa que la del millonario Ertegün, y entonces Fikret y Ceylan, Dios mío, quizá estén ya casados, pero ¿de dónde te sacas eso? No hay nada entre ellos, de repente sentí miedo, Ceylan, Ceylan, ¿dónde estás? Quizá me ha dejado y se ha ido corriendo y se lo estás contando todo a los demás casi sin aliento «Ha estado a punto de violarme, pero no, no le permití que me mancha-ra» pero no es tan ordinaria, aunque quizá se haya ido de ver-dad y lo haya contado todo, qué vergüenza, pero tal vez no se haya ido y esté esperando que me disculpe y caiga a sus pies, pero ¿dónde está ahora?, no tengo fuerzas ni para levantar la cabeza y mirar, me estoy quedando dormido, qué asco, aquí solo sobre la arena, no tengo a nadie, todo por vuestra culpa, papá, mamá, ¿por qué moristeis tan pronto?, ninguna madre, ningún padre, se va de esa manera dejando solo a su hijo, si por lo menos me hubierais dejado una buena herencia, con ese dinero podría haberme parecido a ellos, pero ni dinero ni nada similar, solo me dejasteis un hermano gordo entonteci-do a fuerza de abandonarse y una hermana totalmente ideo-logizada y, por supuesto, también están la abuela chocha y su enano y esa estúpida, mohosa y repugnante casa, que se cae a pedazos, y no la tiran, no, yo sí la tiraré, maldita sea, claro que sé por qué no pudisteis ganar dinero, cobardes, os dio miedo la vida, no fuisteis lo bastante valientes como para ha-cer las inmoralidades necesarias para ganar dinero, para ganar dinero hay que tener valor y talento y cojones y yo los tengo y lo ganaré, pero volvió a darme pena de vosotros y de mi si-tuación y de mi soledad y pienso en vosotros y en mi soledad, pensaba y me daba miedo llorar cuando de repente oí la voz de Ceylan «¿Estás llorando, Metin?», no se había ido y yo dije «¿Yo? Nooo, ¿por qué iba a llorar?», muy sorprendido, «Entonces, bien —dijo Ceylan—, eso me había parecido, va-mos, levántate y regresemos, Metin.» «Bueno, bueno, ahora me levanto», pero seguí tumbado sin moverme mirando estú-pidamente las estrellas y Ceylan insistió «Vamos, Metin, le-vántate» y me dio la mano y tiró y yo me levanté, a duras pe-nas me mantengo en pie, me tambaleo y miro a Ceylan, así que esta es la chica a la que he atacado poco antes, qué cosa tan extraña, fuma como si no hubiera pasado nada y yo le dije por hablar «¿Cómo estás?» y me respondió «Bien, pero me has arrancado los botones de la blusa», aunque no lo dijo enfadada y entonces me avergoncé pensando lo amable y lo buena persona que era, Dios mío, no lo entiendo, ¿qué debo hacer?, me callé un rato y le pregunté «¿Te has enfadado conmigo? Estaba muy borracho, discúlpame» y ella me respondió «No, no, no me he enfadado, esas cosas pasan, estábamos los dos borrachos» y yo me quedé sorprendido «¿Qué piensas, pues, Ceylan? y ella me contestó «Nada, no pienso nada, vamos, volvamos» y estábamos volviendo cuando vio mis zapatos empapados y se rió y entonces yo quise abrazarla de nuevo, no entiendo nada, y entonces Ceylan dijo «Si quieres vamos a tu casa y te cambias de zapatos» y yo me quedé aún más sorprendido y salimos de la playa y caminamos por las calles silenciosas sin hablar, caminamos y olimos el olor a madreselva y a hierba seca que venía de los jardines frescos y oscuros y el del cemento recalentado y al llegar a la puerta de nuestro jardín me avergoncé de la pobreza de nuestra ruinosa y derruida casa y me enfado con la estupidez de ellos y veo que la luz de la abuela todavía está encendida y cuando quiero darme cuenta, ay Dios, mi hermano se ha quedado durmiendo la mona ante la mesa de la terraza, todavía está sentado en la oscuridad, luego su silueta se movió, se ha despertado, se balancea sobre las patas traseras de la silla incluso a estas horas de la noche, no, de la madrugada, y le saludé «Hola, os voy a presentar, Ceylan, Faruk, es mi hermano mayor» y estuvieron encantados y sentí el asqueroso olor a alcohol que surgía de la boca de mi hermano y subí enseguida a todo correr para no dejarlos solos y me cambié rápidamente de calcetines y zapatos y al bajar Faruk había empezado a recitar:

La aparición paso a paso del astro nocturno,
Naili, ¿no vale esa hermosura el dolor de todas
las esperas del mundo?

«Claro, lo habéis sabido, es de Naili», pero después de recitarlo, el gordo presumía hinchado como un gallo como si fuera suyo y continuó:

Estoy tan ebrio que ignoro lo que es el mundo,
quién soy yo, quién es el copero, y qué es el vino tinto.

«Y esto no sé de quién es —dijo—, lo he encontrado en el *Libro de viajes* de Evliya Çelebi» y Ceylan miraba sonriente a ese barril de alcohol otomano con la boca abierta y se disponía a continuar escuchándole cuando yo, para impedir que mi hermano se alargara, le dije «¿Me das las llaves del coche? Nos vamos» y me respondió «Por supuesto, señor mío, por supuesto. Pero con una condición. Esta bella señorita tendría que responderme a una pregunta: ignoro lo que es el mundo, así que dígamelo usted, por favor, señorita Ceylan, era Ceylan, ¿no? Qué bonito nombre, señorita Ceylan, dígame, por favor, lo que es el mundo, qué es lo que nos indica todo esto, los árboles y el cielo y las estrellas y las botellas vacías de esta mesa, bien, ¿qué me dice?» y Ceylan le miró de forma amable y amistosa pero no le respondió, luego, vergonzosa, me lanzó una mirada como queriendo decir «Tú sabrás qué hacemos» y yo para cambiar de conversación y que mi borracho hermano no insistiera dije «Caramba, la lámpara de la abuela todavía está encendida» y los tres a la vez volvimos la mirada hacia arriba y pensamos en ella y después dije «Vamos, Ceylan, vámonos» y nos montamos en aquel Anadol de plástico y mientras ponía el motor en marcha y nos íbamos se me puso la carne de gallina cuando se me ocurrió lo que Ceylan podría pensar de ese jardín que olía a cementerio, de la casa ruinosa, de mi gordo hermano durmiendo la mona y de mí, sí, se diría, de alguien que tiene una casa, un coche y una familia así solo se puede esperar que ataque a las jóvenes en la playa a medianoche aprovechando que no hay nadie, pero, no, Ceylan, me gustaría explicártelo todo pero no hay tiempo, ya hemos llegado a casa de Turan incluso, pero, no, tienes que escucharme, pensé y me desvié y metí el coche por la cuesta y cuando Ceylan me preguntó que adónde íbamos le respondí «Vamos a tomar un poco el aire» y no me respondió y allá vamos y pienso que ahora te lo explicaré, pero no sé cómo empezar, solo piso el acelerador y mientras bajamos la cuesta a toda velocidad pienso cómo tendría que hablar, luego comenzó la cuesta arriba y todavía no había empezado a explicarle cuando bajamos de nuevo, y yo pisaba el acelerador de tal forma que el Anadol comenzó a temblar como un flan, aunque Ceylan no hacía el menor comentario, bien, entonces, le pisé más y al tomar una curva el coche patinó pero Ceylan no dijo nada y llegamos a la carretera Estambul-Ankara y al mirar los vehículos que pasaban le pregunté por decir algo «¿Les apretamos las tuercas?» y Ceylan me contestó «Volvamos ya, estás muy borracho», muy bien, ¿quieres librarte de mí?, pero por lo menos escúchame un momento, quiero explicártelo, te lo contaré y tú me entenderás, soy una buena persona, aunque no sea rico, conozco perfectamente vuestra manera de pensar y según qué reglas os comportáis, soy como vosotros, Ceylan, me gustaría explicarte todo eso, pero cuando me preparo para decirlo todo me parece terriblemente vulgar e hipócrita y entonces no me queda más solución que pisar el acelerador, bien pues, por lo menos date cuenta de que no soy un asqueroso porque los asquerosos son unos cobardes y yo no, mira voy a ciento treinta con este coche putrefacto, ¿tienes miedo?, quizá muramos, piso más el acelerador y cuando dentro de nada comience la cuesta abajo saldremos volando y moriremos y cuando muera los compañeros del dormitorio organizarán un torneo de póquer en mi memoria y con el dinero que les hayan sacado a los bastardos ricachones en las partidas hacedme por lo menos una losa de mármol para mi tumba, so bestias, y aceleré aún más y Ceylan seguía callada y entonces pensé que estábamos realmente cerca de la muerte y, Dios mío, vi a aquellos que iban andando por medio de la carretera, tan tranquilos como quien pasea por la playa y al frenar nervioso el coche derrapó de costado como una barca a la que la da el viento y comenzó a patinar y mientras nos echábamos encima de ellos huyeron con las latas en la mano y el coche se deslizó un poco más y se metió en el campo y se detuvo al golpear con algo y el motor se calló y oímos el canto de los grillos y le pregunté a Ceylan «¿Te has asustado? ¿Te ha pasado algo?» y ella me contestó «No, casi los atropellamos» y entonces ellos llegaron corriendo y al ver que las latas que llevaban eran de pintura comprendí que estaban haciendo pintadas en los muros, anarquistas, y ahora no tengo la menor intención de empezar a discutir con tres vagos gilipollas, ¿os ha pasado algo? ¿Por qué no tienes cuidado, tío?, así que me decidí a poner el motor en marcha, pero no arrancó y lo volvía a intentar y gracias a Dios arrancó y mientras maniobraba para volver a la carretera los tres gilipollas llegaron al coche y comenzaron a insultarnos y dije «Echa el seguro a la puerta, Ceylan» y seguía maniobrando para sacar el coche a la carretera mientras sobre nosotros llovían sus insultos y entonces uno de aquellos imbéciles debió de golpearse con el coche porque gritó y empezaron a dar puñetazos a la parte del maletero, pero demasiado tarde, estúpidos, ya he salido a la carretera, hala, adiós, nos hemos librado de ellos y algo delante vimos a otros que aún pintaban: el barrio nuevo sería el cementerio de los comunistas y salvarían a los turcos esclavizados, bueno, bueno, bravo, por lo menos no son comunistas y nos alejamos a toda velocidad y dije «¿Te has asustado, Ceylan?» y me contestó que no y yo quise hablar algo más y que nos explicáramos mutuamente lo que acababa de ocurrir pero solo me respondía con monosílabos así que guardamos silencio en el camino de vuelta y avanzamos sin hablar, y cuando por fin aparqué el coche ante la casa de Turan, Ceylan salió de un salto y entró corriendo en la casa y yo fui a mirar, al coche no le había pasado nada de importancia, y si ese gordo que se supone que es mi hermano mayor se hubiera gastado lo que se gasta al mes en botellas de *rakı* en cambiar los desgastados neumáticos ya sin dibujo, no nos habría ocurrido nada, en fin, nos libramos por poco y entré y les vi, tumbados en los sillones, los sofás y en el suelo, tirados, acostados medio inconscientes, totalmente colocados, como si esperaran algo, la muerte, un funeral o algo aún más importante, pero como no saben lo que esperan, les aterroriza, como también les aterrorizan todas esas casas, motoras, coches, fábricas y cosas que poseen, se dejan llevar por la desesperación y esperan con la cabeza vacía eso que no saben lo que es, por ejemplo, ahí tenemos a Mehmet que se saca lentamente de la boca, con extrema meticulosidad, los huesos de las cerezas que come y, como si fuera la última cosa con sentido que hacer en este mundo, los arroja cuidadosamente a la cabeza de Turgay y Turgay, que está tumbado en el suelo mojado, maldice pacientemente cada vez que un hueso le da en la cabeza y gime con desesperación y entonces veo que los charcos del suelo son del agua de una manguera que han metido por la ventana cuyo extremo sigue chorreando y de las botellas volcadas y de vómito y veo que Zeynep está dormida, que Fafa se sumerge en una revista de modas con la mirada vidriosa y que Hülya deposita besos sobre la cabeza de Turan, que ronca con la boca abierta, y que los otros, con el cigarrillo en la boca, escuchan a Ceylan, que les cuenta nuestra aventura y entonces soy incapaz de encontrar qué debo hacer y pensar, qué, cómo, para qué, por qué, y todo se mezcla y comprendo que ya no puedo establecer relaciones entre las cosas y mientras me dejo caer cansado sobre un sillón, Fafa levanta la cabeza de la revista que tiene en las manos «Vamos, muchachos, está amaneciendo, vamos, hagamos algo, vamos a tomar una sopa de menudillos, salgamos de pesca, vamos, muchachos, vamos, vamos, vamos».

XXII

—¿Habéis tomado la matrícula del coche? —preguntó Mustafa.

—Era un Anadol blanco —contestó Serdar—. Si lo vuelvo a ver, lo reconoceré.

—¿Habéis podido ver bien a los de dentro?

—Un tipo con una muchacha —dijo Yaşar.

—¿Les habéis podido ver las caras?

Como nadie dijo nada, yo tampoco: porque había reconocido a Metin pero no pude darme cuenta de si la otra eras tú o no, Nilgün. Casi nos atropelláis, a estas horas de la madrugada... Luego, al oír cómo os insultaban los otros, no quise pensar más: yo solo pinto letras enormes en los muros y cumplo con mi misión. Serdar, Mustafa y los nuevos ya han dejado de trabajar y se limitan a sentarse en un rincón y fumar, pero, miradme, yo sigo pintando, escribo en lo que vamos a convertir esto para los comunistas: en un cementerio. ¡Sí, un cementerio!

—Bueno, ya está bien, señores —dijo Mustafa poco después—. Continuaremos mañana por la noche. —Se calló un rato y luego se dirigió a mí—: ¡Bravo! ¡Buen trabajo!

Yo no le respondí; los otros bostezaban.

—¡Pero mañana por la mañana, allí estarás! Quiero ver lo que haces con la muchacha...

Tampoco entonces le respondí; cuando todos se fueron

regresé a casa leyendo lo que habíamos pintado en los muros mientras pensaba: ¿eras tú la que estaba sentada en el coche con Metin, Nilgün? ¿De dónde volvíais? Quizá su abuela esté enferma y saliera con Metin a buscar alguna medicina... Quizá paseabais al amanecer, uno nunca puede estar seguro con vosotros. ¿Qué hacíais? Mañana por la mañana te lo preguntaré. Luego me acordé de Mustafa y me dio miedo.

Ya había clareado pero al llegar a casa me di cuenta de que la luz seguía encendida. ¡Muy bien, padre! Ha cerrado la puerta y las ventanas y ahí está dormido, no en su cama, sino otra vez en el sofá, solo. ¡Pobre cojo! Primero me dio pena, pero después me enfadé un poco. Tamborileé en el cristal.

Se levantó, me abrió, gritó y chilló, creí que me iba a pegar otra vez, no, rápidamente empezó a explicarme lo dura que es la vida y la importancia del título; cuando habla de eso no pega. Agaché la cabeza mientras le escuchaba para que se calmara pero aquello parecía no tener fin. No pienso escucharte más después de haberme pasado toda la noche trabajando y con todo lo que me ha ocurrido: entré en la cocina, cogí un puñado de cerezas de la despensa y me las estaba comiendo cuando de repente, Dios mío, me estaba lanzando una bofetada pero me aparté de inmediato, solo pudo golpearme en la mano y las cerezas y los huesos se desparramaron por el suelo.

Mientras yo me rehacía siguió relatando y luego, al ver que no le escuchaba, empezó a lloriquear: hijo mío, hijo mío, ¿por qué no estudias?, y tal. Me dio pena, lo lamenté, pero ¿qué puedo hacerle? Cuando después me dio un golpe en el hombro me enfadé.

—Si vuelves a pegarme me escaparé de esta casa.

—¡Pues lárgate! ¡Y no volveré a abrirte la ventana!

—Muy bien, yo ya me gano mi dinero.

—¡No mientas! ¿Qué hacías en la calle a estas horas? —Y luego, cuando entró mi madre—: ¡Resulta que va a escaparse y no piensa volver nunca a casa!

Algo raro le ocurrió en la voz, le temblaba, como con ese

temblor antes de llorar, similar al aullido solitario de un perro viejo y sin dueño con el que el pobrecillo, enfermo y hambriento, parece llamar a alguien a quien no ve ni conoce. Estaba harto. Mi madre me hizo una señal con las cejas para que me fuera y me marché sin decir palabra. El lotero cojo se quejó un rato más, gritó, hablaron. Más tarde, por fin, apagaron la luz y se callaron.

Y yo fui a tumbarme en la cama pero sin desnudarme, ahora que el sol ya golpea en un lado de mi ventana. Me tumbé y miré al techo, a una grieta del techo, que cuando llueve mucho forma una gotera, miré su forma oscura e indefinida. Antes la mancha del techo me parecía un águila: aquella antigua águila abría las alas y se lanzaba sobre mí mientras dormía como si fuera a capturarme y entonces me convertiría, no en un hombre, sino en una muchacha. Pensé.

Iré a verla a la playa, a las nueve y media, le diré: «Hola, Nilgün, ¿me reconoces?», mira, sigue sin responderme. «No me pongas mala cara porque ya no tenemos demasiado tiempo, porque, por desgracia, estamos en peligro, me has malinterpretado, me han malinterpretado, ahora tengo que explicártelo todo, te lo cuento, quieren que te grite, que te quite el periódico de las manos y que lo rompa, Nilgün, demuéstrales que nada de eso es necesario», le diré y entonces Nilgün se acercará a Mustafa, que nos estará observando de lejos, le explicará qué clase de persona es, Mustafa se avergonzará y quizá entonces Nilgün comprenda que la quiero y tal vez no se enfade y quizá hasta se alegre porque todo es posible en la vida y uno nunca sabe...

Todavía sigo mirando las alas de la mancha del techo. Se parece a un águila y también a un milano. Además gotea. Pero mucho antes no existía porque mi padre aún no había construido esta habitación.

Pero por aquel entonces yo no sentía tanta vergüenza porque nuestra casa fuera pequeña, mi padre un vendedor ambulante y mi tío un criado enano. No, no digo que no me diera ninguna vergüenza porque cuando todavía no teníamos pozo y yo iba con mi madre a la fuente me daba miedo que nos vieras, Nilgün, porque empezabais a salir de casa Metin y tú y fuimos tan amigos en tiempos, ya sabes, en otoño, cuando volvieron a Estambul los propietarios de las Cinco Casas, entonces recién construidas, todas iguales y luego se cubrieron de hiedra, a principios de octubre, todos se habían ido, vosotros seguíais aquí y entonces un día llegasteis a casa Metin y tú con la vieja escopeta de aire comprimido de Faruk para que fuéramos juntos a cazar cornejas, habíais sudado al subir nuestra cuesta y mi madre os dio agua, agua clara, en nuestros vasos de duralex de Paşabahçe y tú te tomaste el agua con gusto pero Metin no bebió, quizá porque encontrara sucio nuestro vaso, quizá porque encontrara sucia el agua, luego mi madre me dijo: «Podéis iros si queréis, niños, y recoged algunas uvas», pero cuando Metin le preguntó, le contestó: «La parra no es nuestra, pero ¿y qué?, son nuestros vecinos, ¿por qué no?, comedlas si queréis», pero vosotros, los dos hermanos, no quisisteis y cuando yo te dije: «Nilgün, si quieres voy yo y las cojo para ti» me respondiste «No» porque no era nuestra pero por lo menos tú bebiste agua del vaso nuevo, Metin ni siquiera eso.

El sol se ha levantado aún más y oigo que los pájaros han empezado a cantar en los árboles. ¿Qué estará haciendo Mustafa? ¿Estará esperando él también? ¿Estará acostado? ¿Estará dormido? Pensé.

Un día, dentro de no demasiado tiempo, dentro de solo quince años, mientras esté trabajando en mi fábrica, entrará al despacho mi secretaria, no, secretaria no, mi colaboradora musulmana, y me dirá que hay unos idealistas que quieren hablar conmigo y que se llaman Mustafa y Serdar y yo le responderé que les recibiré después de terminar lo que estoy haciendo, y cuando acabe y les haya hecho esperar un rato, apretaré el botón automático del interfono y les llamaré, «Ahora puedo recibirlos, que vengan», y entonces Mustafa y Serdar hablarán avergonzados, «Por supuesto que entiendo —les diré—, queréis ayuda, bien, os compro invitaciones por valor de diez millones, pero las compro no porque me preocupe el comunismo, sino porque me dais pena, porque a mí no me dan miedo los comunistas, soy honesto, nunca he hecho trampa en los negocios y, además, cada año he dado sin la menor queja los diezmos piadosos y las limosnas del final del Ramadán y he convertido a mis obreros en pequeños accionistas, me quieren porque soy un hombre decente, ¿para qué se van a dejar engañar por sindicatos y comunistas? Saben tan bien como yo que esta fábrica nos proporciona el pan a todos, saben que entre ellos y yo no hay la menor diferencia, venid, venid vosotros también a la comida que voy a celebrar con ellos esta tarde para romper el ayuno, mis trabajadores y yo somos uña y carne, tengo a mis órdenes siete mil obreros». ¡Cómo se sorprenderán Mustafa y Serdar cuando les diga eso! Por fin comprenderán el tipo de persona que soy, lo comprenderán, ¿no?

Lo reconocí por el sonido: el camión de la basura de Halil está subiendo la cuesta. Los pájaros se callaron. Me he hartado del águila del techo, me di media vuelta en la cama: miro al suelo. Por el suelo va una hormiga. Hormiga, hormiga, ¡pobre hormiga! Alargué el dedo, la toqué ligeramente y se desconcertó. Hay seres mucho más poderosos que tú y no lo sabes, hormiga. Estás sorprendida, ¿no? Corres y corres y cuando te pongo el dedo delante das media vuelta y huyes. Jugué un rato más y por fin me dio pena y asco; me sentí extraño, agobiado, quise pensar en cosas agradables y lo único que imaginaba era aquel hermoso día de la victoria.

Ese día, mientras corra de un teléfono a otro lanzando una lluvia de órdenes, cogeré el auricular que me alargan: «¿Diga? ¿Tunceli? —diré ese día de la victoria—. «¿Oiga? ¿Cómo va todo por allí?» «Perfectamente, jefe —me contestará la voz del teléfono—, ya hemos limpiado esto.» Les daré las gracias y por fin llamaré a Kars: «¿Es Kars? ¿Cómo está ahí la situación?». «Casi perfecta, líder, estamos a punto de acabar con todos.» «Bien, habéis cumplido perfectamente con vuestra misión, muchas gracias», les diré y saldré del despacho y cuando entre en el gran salón seguido por una multitud, miles de delegados me recibirán en pie aplaudiéndome entusiasmados y luego, cuando esperen impacientes que haga unas declaraciones, cogeré el micrófono y diré: «Compañeros, en este momento la Operación Relámpago de los idealistas está cumpliendo sus últimos objetivos, acabo de saber que hemos aplastado los últimos nidos de resistencia roja en Tunceli y en la ciudad fronteriza de Kars, el Paraíso de los idealistas ya no es un sueño, compañeros, en toda Turquía no queda un solo comunista vivo», y mientras digo eso mi asistente me susurrará algo al oído y yo le contestaré: «¿Ah, sí? Bueno, ahora voy», y después de cruzar interminables pasillos de mármol, en la última de las cuarenta habitaciones vigiladas por guardias armados cuyas puertas se abren unas frente a otras, te veo en un rincón iluminado por potentes focos, estás atada a la silla y mi asistente me dice: «Acabamos de capturarla, mi líder, esta roja era la jefa de todos los comunistas», y yo ordenaré: «Que la desaten de inmediato, no es propio de nosotros maniatar a una mujer», te desatarán y yo les diré: «Dejadnos solos, por favor», y mi asistente y los demás hombres me saludarán entrechocando las botas y se marcharán y te miro cuando cierran la puerta, a tus cuarenta años te has convertido en una mujer madura y aún más hermosa y mientras te ofrezco un cigarrillo te preguntaré: «¿Me ha reconocido, camarada Nilgün?». «Sí —me contestarás avergonzándote—. Te he reconocido.» Y habrá un silencio momentáneo, nos observaremos y de repente te diré: «Hemos ganado nosotros, hemos ganado y no os hemos dejado Turquía a vosotros, a los comunistas. ¿Estás arrepentida?». «Sí —me contestarás—. Estoy arrepentida», y al ver que te tiembla la mano que alargas hacia el paquete de tabaco que te ofrezco, te diré: «Tranquila, ni mis compañeros ni yo le hacemos nunca daño a mujeres ni a niñas, tranquila, por favor, nos entregamos hasta las últimas consecuencias a esta tradición turca cuya antigüedad es de miles de años, por esa razón no debe tener ningún miedo, no seré yo quien decida su castigo, sino el tribunal de la historia y el de la nación», te diré y tú me contestarás: «Estoy arrepentida, estoy arrepentida, Hasan», y yo te responderé: «Por desgracia el arrepentimiento no sirve de nada cuando ya es demasiado tarde, por desgracia no puedo dejarme llevar por mis sentimientos y perdonarla porque yo, por encima de todo, debo rendir cuentas ante la nación», y mientras hablo, te miro de repente y, ¡ah!, estás empezando a desnudarte, Nilgün, te desnudas y te acercas a mí, te has convertido en una mujer desvergonzada y descarada como las de esa película erótica que fui a ver en Pendik a escondidas, sin que nadie me viera, por Dios santo, y además dice que me quiere, ¿estás intentando enredarme?, pero yo sigo frío como el hielo y me das asco, he perdido todo el deseo, así que mientras me imploras llamo a los guardias: «Llevaos a esta Catalina de Rusia, no tengo la menor intención de repetir el error de Baltaci Mehmet bajá, mi nación sufrió mucho por culpa de ese débil de Baltaci[8] pero esos días han terminado», y luego, mientras los guardias te llevan, yo me retiraré a una habitación y quizá llore y por lo que han hecho con una muchacha como tú, quizá solo por esa razón, me dejaré llevar por mis sentimientos y seré aún más duro con los comunistas, pero después se me secarán las lágrimas y me consolaré pensando que había sufrido en vano durante tantos años y quizá te olvide ese mismo día cuando me una a las celebraciones de la victoria.

Estoy aburrido de todas esas estúpidas fantasías, me di la vuelta y miré al suelo por un lado de la cama: la hormiga se había ido, había desaparecido. ¿Cuándo te has escapado? El sol estaba alto. De repente me acordé y salté de la cama. Llego tarde.

Fui a la cocina, comí algo, salí rápidamente por la ventana sin que me viera nadie, me voy. Los pájaros continuaban en las ramas de los árboles, Tahsin y su familia alineaban cestas

8. Baltaci Mehmet bajá fue acusado de haber sido seducido por Catalina de Rusia para firmar un tratado de paz. (N. del T.)

de cerezas en la cuneta de la cuesta. Cuando mucho más tarde llegué a la playa, eché un vistazo: el guardia y el taquillero habían llegado, pero Nilgün todavía no. Fui hasta el espigón a mirar los veleros. Tenía mucho sueño, me senté.

Sí, ahora mismo les llamaré: «¿Oiga? Está en peligro, señorita Nilgün; no vaya hoy ni a la playa ni a la tienda y no salga más de casa. ¿Que quién soy? ¡Un viejo amigo!». Clac. Le colgaré el teléfono en la cára con voz decidida. ¿Se dará cuenta de quién soy, de que la quiero? ¿Comprenderá que quiero protegerla del peligro?

No, sé perfectamente que tenemos que ser respetuosos con las mujeres. ¡Quitarle el periódico de las manos y rompérselo! La mujer es una criatura débil y no debemos comportarnos mal con ellas, ¡qué buena persona es mi madre! No me gustan los que miran con malos ojos a las mujeres, los que las miran solo pensando en acostarse con ellas son los despreciables salidos llenos de granos, los ricos capitalistas y los tíos asquerosos. Yo sé que hay que ser educado y cortés: «¿Cómo está usted? Pase usted primero, por favor», si yendo con una señora ves una puerta, tus pies reducirán el paso por sí solos y, sin pensar siquiera, tu mano se alargará desde atrás y abrirá la puerta automáticamente, «Pase, por favor», yo sé cómo se habla con mujeres y muchachas como vosotras «¡Oh! ¿Fuma usted?». Y en medio de la calle incluso, por supuesto que puede fumar, también tienen derecho, yo no soy un retrógrado y, chac, se lo encenderé rápidamente con mi mechero en forma de locomotora y yo puedo hablar tranquilamente con una mujer, como hablo con un hombre o con un compañero de clase, sin sonrojarme, si quisiera, si me esforzara un poco, incluso podría hablar con una muchacha sin sonrojarme; entonces, cuando las chicas vieran cómo soy realmente, se sorprenderían y se avergonzarían de haberme supuesto de otra manera. ¡Quitarle el periódico y rompérselo! Quizá Mustafa no lo dijera en serio.

Me cansé del mar y los veleros, me levanté y vuelvo a la playa. Mustafa lo había dicho solo en broma porque Mustafa también sabe que uno no debe portarse mal con las muchachas pase lo que pase. «Lo hice para probarte —me dirá—, para ver si de veras habías aprendido que la disciplina es una obediencia sin límites. No hay necesidad de portarse mal con esa chica a la que quieres, Hasan.»

Al llegar a la playa vi que Nilgün ya había llegado y estaba tumbada como siempre. Tenía tanto sueño que ni siquiera me emocioné. La miré como si mirara una estatua. Luego me senté, Nilgün, te espero.

Incluso creí que Mustafa no vendría. Se le habría olvidado, no le habría dado importancia o se habría quedado dormido. La multitud venía corriendo a la playa: coches que llegan de Estambul, padres, madres y niños con cestas y pelotas de goma, familias horribles y estúpidas. Todos sois culpables y todos pagaréis vuestros crímenes. Me dieron asco.

Pensé que quizá no lo haría. ¡Yo no soy así! Pero entonces dirán que no fui capaz de quitarle el periódico a la comunista, ¡y no digamos romperlo! Hasta dirán: «Antes era idealista pero ahora se ha convertido en comunista. ¡Tened cuidado con ese Hasan Karataş de Cennethisar! ¡No lo admitáis entre vosotros!». Bueno, yo no tengo miedo, yo solo haré grandes cosas, ya lo veréis.

—¡Eh! ¡Despierta, hombre!

¡Qué susto! ¡Era Mustafa! Me puse en pie al instante.

—¿Ha venido la chica?

—Sí, allí está. La del bañador azul.

—¿La que está leyendo un libro? —Y te lanzó una sucia mirada, Nilgün—. ¡Ya sabes lo que tienes que hacer! ¿Cuál es la tienda?

Se la señalé, luego le pedí un cigarrillo, me lo dio, se fue y comenzó a vigilar de lejos.

Encendí el cigarrillo y pensé mirando el extremo: «No soy imbécil, Nilgün —le diré—, soy un idealista, tengo mis creencias, anoche hicimos pintadas en los muros lanzándonos de cabeza al peligro, mira, todavía no se me ha ido la pintura de las manos».

—Mírate, fumando. ¿No es una pena? Con lo joven que eres...

¡El tío Recep! Con sus bolsas en la mano.

—Es la primera vez que fumo.

—Pues tira ese cigarrillo y vuelve a casa, hijo. ¿Qué tienes que hacer otra vez por aquí?

Tiré el cigarrillo para que me dejara tranquilo.

—Tengo un amigo con el que estudio y le estoy esperando —le respondí. Y no le pedí dinero.

—Tu padre viene al entierro, ¿no?

Se detuvo un momento y luego se alejó tambaleándose de una forma extraña. Un caballo solitario tirando de su carro cuesta arriba: tic-tac, tic-tac. Pobre enano.

Luego volví a mirar, Nilgün se metía en el agua, salía, venía para acá. Fui hasta donde estaba Mustafa y se lo dije.

—Yo voy a la tienda. Si compra el *Cumhuriyet* como decías, saldré antes que ella y toseré. Entonces ya sabes lo que tienes que hacer, ¿no?

No le contesté.

—¡Cuidado! Te estaré vigilando, ¿eh?

Torcí por una calle lateral y esperé. Primero entró Mustafa en la tienda y poco después tú, Nilgün. Me puse nervioso y decidí atarme un poco más fuerte las zapatillas de goma, me temblaban las manos. Mientras esperaba, pensaba: en la vida puede ocurrir cualquier cosa. Sentí miedo cuando se me vino la idea a la cabeza: quizá un día me levante y vea que el mar se ha vuelto rojo, o ahora mismo podría comenzar un terremoto, Cennethisar se partiría en dos por la mitad y de la playa brotarían llamas. Me dio un escalofrío.

Primero salió Mustafa, miró en mi dirección y tosió. Luego salió Nilgün con el periódico en la mano. La seguí. Ella caminaba muy rápido. Yo le miraba a los pies, que parecían gorriones que se elevaran del suelo y volvieran a posarse: si crees que puedes engañarme con la belleza de tus piernas, te equivocas. Nos alejamos del gentío. Miré a mi espalda y no había nadie aparte de Mustafa. Al acercarme, Nilgün me oyó y me miró.

—¡Hola, Nilgün!

—Hola —me contestó, dio media vuelta y siguió andando.

—¡Un momento! ¿Podemos hablar un rato?

Caminaba como si no me hubiera oído. Corrí tras ella.

—¡Espera! ¿Por qué no hablas conmigo? —No hubo respuesta—. ¿O es que has hecho algo malo y te da vergüenza? —No hubo respuesta, seguía andando—. ¿No podemos hablar como dos personas civilizadas? —Seguía sin responder—. ¿O es que no me has reconocido, Nilgün?

Echó a andar más deprisa y yo me di cuenta de que era absurdo correr tras ella y hablarle de lejos, así que me acerqué de una carrera. Ahora caminamos juntos como dos amigos y yo le hablo:

—¿Por qué huyes? ¿Qué te he hecho? —Calla—. Dime, ¿es que te he hecho algo malo? —No me lo dice—. Dime, ¿por qué no abres el pico? —Sigue sin decírmelo—. Bueno. Sé por qué no me hablas, ¿te cuento por qué? —No me responde y me enfado—. Piensas mal de mí, ¿no? Me tomas por Dios sabe qué. Pero te equivocas, te equivocas, hija mía, y ahora comprenderás por qué —le dije, pero no hice nada porque me dio vergüenza.

Y entonces, de repente, quise gritar, ¡como si tuviera miedo de todas esas tonterías! Y justo en ese momento, maldita sea, vi a ese par de elegantones que venían de frente.

Me detuve para que aquellos pijos, que llevaban chaqueta y corbata con ese calor, no se metieran en mis asuntos. Me quedé un poco atrás para que no lo malinterpretaran todo y de improviso me di cuenta de que Nilgün estaba prácticamente corriendo. Como su casa estaba en la calle siguiente, yo también eché a correr. Mustafa también corría detrás de mí. Al doblar la esquina me quedé paralizado: había ido corriendo a cogerse del brazo del enano, que se balanceaba con sus bolsas. Me propuse darles a ambos una lección, pero mis pies no me obedecieron. Me detuve mirándoles estúpidamente a la espalda. Y llegó Mustafa.

—¡Cobarde! Ya verás.

—Ya verán ellos lo que yo voy a hacerles. ¡Mañana! ¡Mañana lo verán!

—¿Vas a hacerlo mañana?

Pero era en ese momento cuando quería hacerlo. Algo malo. ¿Y si le diera también un puñetazo a Mustafa? Si le diera, Mustafa se desplomaría y allí se quedaría. Algo malo, para que lo comprendiera todo de una vez: le patearé la cara para que no me pueda ver nunca más y para que nadie piense que soy un cobarde. Porque no me gusta que nadie crea que soy como piensan. Soy completamente diferente, ¿lo sabíais?, mirad mis puños. Yo ya soy otro, ya no soy yo. Me había enfadado tanto que era como si hubiera salido de mí mismo y contemplara mi furia.e incluso a mí me da miedo este otro. Ni siquiera Mustafa dice una palabra porque lo ha entendido. Caminamos en silencio. Porque si no te arrepentirás, ¿entendido?

En la tienda no había nadie aparte del propietario. Al pedirle el *Cumhuriyet*, creyó que queríamos solo uno y nos lo dio, pero al explicarle que los queríamos todos comprendió y nos los entregó porque, como Mustafa, también él tenía miedo de mí. No tenía cubo de la basura. Después de romperlos arrojé los pedazos por todos lados tirándolos de tres en tres y de cinco en cinco. También arranqué y rompí las fotos de mujeres desnudas colgadas con pinzas en el escaparate, las repugnantes revistas semanales, con todo su pecado, sus asquerosidades y sus guarrerías... ¡Así que era a mí a quien correspondía limpiar toda esa basura! Hasta Mustafa se sorprendió.

—Bueno, ya está, ya está, ¡basta! —me decía y me sacó de la tienda—. Esta noche ven al café. Y mañana tienes que estar aquí.

En un primer momento no dije nada. Luego, cuando se iba, le pedí un cigarrillo y me lo dio.

XXIII

Después de bajar la bandeja de mi desayuno, Recep fue al mercado. Al regresar había alguien con él. Comprendí que era Nilgün por el sonido de sus pasos, ligeros como plumas. Subió las escaleras, abrió mi puerta y me miró: tiene el pelo mojado, ha ido a bañarse. Se fue. Y nadie más pasó por mi habitación hasta mediodía. Me acosté en la cama y escuché el mundo. Primero oía cómo Nilgün y Faruk hablaban bajo y luego el repugnante alboroto de los sábados en la playa aumentó tanto de volumen que ya no pude oírles. No me venía el sueño y me decía: «Selâhattin, tu infierno, ese infierno al que llamabas paraíso, ha descendido sobre la tierra; escucha: todos son iguales, todo el que dé cierta cantidad puede entrar y desnudarse, tumbarse unos al lado de otros, ¡escucha!». Me levanté y cerré los postigos y las ventanas para no oírlos. Esperé largo rato el almuerzo y el poder sumergirme en el olvido de la siesta. Recep se retrasaba. Había ido al entierro de un pescador. Tampoco bajé a almorzar. Recep recogió la bandeja, cerró la puerta y se fue. Espero que me venga el sueño de mediodía.

«El sueño de mediodía es el mejor —decía mi madre—. Después de comer tienes los más hermosos sueños y la siesta te embellece.» Sí. Sudaba un poco y me relajaba, como si fuera más ligera, revoloteaba como un pequeño gorrión. Luego abríamos la ventana para que entrara el aire puro y se fuera el viciado, para que se alargaran hasta el interior de la habitación las ramas verdes del jardín de Nişantaşi y salieran mis sueños. Porque, a veces, después de despertarme me daba la impresión de que mi sueño seguía fluyendo por sí solo a partir de donde nos habíamos separado. Quizá ocurra lo mismo al morir: mis pensamientos vagan por la habitación, dan vueltas arrastrándose por el interior de mis cosas, entre las contraventanas fuertemente cerradas y por la superficie de mi cama; de las paredes y del techo, y cuando alguien entreabra la puerta le parecerá ver en el aire la sombra de mi pensamiento. Cierra la puerta, que no se corrompa su pureza, que no se envenenen los recuerdos y que mi pensamiento limpísimo permanezca aquí hasta el fin de los tiempos volando como los ángeles, bajo este techo, en esta casa silenciosa, para que os avergoncéis de vosotros mismos. Pero sé lo que haríais entonces: ¡ah, nietos del mal! Una vez se le escapó a uno de ellos, al menor. «Esto está muy viejo, abuela, tirémoslo y construyamos un edificio de apartamentos en su lugar.» Porque, lo sé, más que el hecho de estar hundidos hasta el cuello en el pecado os duele ver que otros puedan permanecer libres de él.

«Tienes que superar esas estúpidas prohibiciones a las que llamas pecado, como yo he hecho —me decía Selâhattin—, bebe *rakı* tú también, como yo, solo probarlo, ¿no sientes curiosidad? No tiene nada de malo, todo lo contrario, es bueno, expande la mente.» ¡Dios nos perdone! «Bueno, Fatma, di esto aunque solo sea una vez y que sea tu marido quien cargue con el pecado: Dios no existe. Vamos, Fatma, dilo.» ¡Dios nos perdone! «Bueno, entonces escucha esto, mira, el artículo más importante de mi enciclopedia, escucha, acabo de escribirlo, te leo, resumiéndolo, el artículo sobre el conocimiento en la letra "c" según el nuevo alfabeto, escucha: La experimentación es la base del conocimiento... Ningún conocimiento es válido si no se apoya en la experiencia y si no es probado por ella... Esta frase, que es la piedra angular de todo el conocimiento científico, excluye de manera tajante el problema de la existencia de Dios... Porque esa es una cuestión que no se puede demostrar experimentalmente... ¡La prueba ontológica no es sino charlatanería escolástica...! Dios es solo una idea con la que juegan los metafísicos... Así pues, en nuestro mundo de peras y manzanas y Fatmas, lamentablemente, no hay lugar para Dios... ¡Ja, ja, ja! ¿Entiendes, Fatma? ¡Tu Dios ya no existe! ¡Pienso divulgar esta idea de inmediato! No tengo la paciencia suficiente como para esperar a terminar mi enciclopedia, le he escrito una carta a İstepan el impresor y quiero publicar esto de inmediato en una edición aparte. Mira, he vuelto a llamar al joyero Abraham, así que ya estás advertida: en una cuestión tan importante no puedo soportar tus coqueterías de niña pequeña, me darás una buena pieza de tu joyero y, te lo juro, será por el bien de todo el país, y si esos estúpidos fanáticos intentan impedir su venta, estoy decidido a irme y venderlo yo mismo en Sirkeci. ¡Ya verás, me lo quitarán de las manos! Porque he entregado muchos años a extraer esos razonamientos de libros franceses y para poder escribirlos en una lengua que entendiera el pueblo. ¡Tú también lo sabes ya, Fatma! Lo que más me intriga no es si me leerán o no, sino en qué se convertirán después de haberlo leído.»

Pero, gracias a Dios, nadie, aparte de él mismo y quizá su enano, leyó esas repugnantes mentiras y solo yo leí, asqueada, la descripción del infierno que, el pobre, engañado por el demonio, llamaba emocionado «el hermoso paraíso del futuro» y cómo se consumía implorando para que descendiera lo antes posible sobre la tierra, nadie más lo leyó.

Ocurrió siete meses después de que Selâhattin descubriera la muerte y tres después de la suya propia, mi Doğan estaba en su casa de Kemah, era pleno invierno y en casa no había nadie aparte del enano y yo: aquella noche nevaba y yo estaba pensando en que la nieve cubriría su tumba cuando, de repente, noté un escalofrío y se me ocurrió que debía calentarme. Estaba sentada sola, pasando frío, con los pies helados, en la habitación donde me retiraba porque no soportaba su aliento apestando a vino. La pálida y mortecina luz de la lámpara no me distraía, la nieve golpeaba los cristales, no podía llorar. Quise calentarme, subí y pensé que por fin podía meterme en la habitación en la que mientras vivía Selâhattin nunca me atrevía a entrar y en la que nunca cesaba el sonido de sus pasos errando arriba y abajo. Empujé lentamente la puerta y los vi, tirados por todos lados, tumbados insolentes en las mesas, sobre los sillones y las sillas, en las baldas de los armarios, en los cajones, sobre los libros y dentro de ellos, en el suelo, en las ventanas: papeles y más papeles, papeles escritos, con dibujos, montones de papeles. Abrí la portezuela de la enorme estufa negra y comencé a apretarlos en su interior. Después de echar la cerilla arrojé más papeles, artículos, periódicos, ¡cómo se tragaba tus pecados la estufa, Selâhattin! ¡Y mientras tus pecados van desapareciendo yo me caliento! «Mi obra, a la que he consagrado toda mi vida: ¡mis queridos pecados!» Vamos a ver qué ha escrito el maligno. Leía mientras los rompía. En la cabecera había escrito algunas breves notas: «La república, esa es la forma de gobierno que nos hace falta... Existen varios tipos de república... Sobre esto dice De Passet en su libro... 1342... Los periódicos que me llegan me dicen que esta semana se ha proclamado en Ankara... Bien... Pero siempre y cuando no la hagan a su propia medida. Compara la teoría de Darwin con el Corán y explica la superioridad de la ciencia con ejemplos tan simples que hasta el más estúpido los pueda entender... El terremoto, un fenómeno geológico, consiste en el movimiento de la corteza terrestre... La mujer es el complemento del hombre... Se dividen en dos tipos... Las primeras son las mujeres naturales, las que disfrutan los placeres y las alegrías que les ofrece la naturaleza, tranquilas, despreocupadas, mujeres naturales que ignoran las preocupaciones, el nerviosismo, la ira y que en su mayor parte proceden del pueblo, de las clases bajas... Como la mujer con la que Rousseau no se casó... Era una criada que le dio seis hijos... Las mujeres del segundo tipo son irritables, autoritarias, distinguidas, mujeres que se ven obligadas a engañarse con ciegas creencias, frías, nada comprensivas... Como María Antonieta... Las mujeres de este segundo tipo son tan frías y tan poco comprensivas que muchos sabios y filósofos han buscado el calor de la comprensión y el amor entre las mujeres de las clases bajas... La criada de Rousseau, la hija del panadero de Goethe o la criada de Marx, el sabio comunista... Y tuvo un hijo de ella... Un hijo del que se hizo cargo Engels. ¿Por qué avergonzarse? Es una realidad de la vida... Y aún hay muchos más ejemplos... Y así estos grandes hombres envenenaron sus vidas sufriendo entre preocupaciones que en absoluto se merecían por culpa de sus frías esposas, por esta razón algunos se agotaron en vano sin completar su libro, su filosofía, su enciclopedia... ¡Y qué dolor el de esos niños a los que la ley y la sociedad llaman bastardos...! Lo pensé mientras observaba las alas de una cigüeña: ¿sería posible construir un zepelin en forma de cigüeña sin hélices en la popa...? El avión ya es un arma de guerra... Un tipo llamado Lindbergh ha conseguido cruzar volando el océano Atlántico la semana pasada... Con veintidós años... Todos los sultanes eran imbéciles... Y el más imbécil de todos era Reşat, la marioneta de los unionistas... Aunque las lagartijas de nuestro jardín no han leído a Darwin, el hecho de que se desprendan de sus colas de acuerdo con su teoría no debe ser visto como un milagro sino como una victoria del intelecto humano. Si pudiera demostrar que acelera la industrialización, escribiría de inmediato que tenemos que renunciar al islam y convertirnos al cristianismo».

Leía, leía y, asqueada, arrojaba los papeles a la boca de la estufa y me calentaba. Ya no sabía cuánto había leído ni cuánto había tirado cuando de repente se abrió la puerta, miré: el enano. Solo tenía diecisiete años, pero: «¿Qué hace, señora? ¿No es una pena?». ¡Cállate! «¿No le parece un pecado?» ¡Que te calles, te digo! «¿No es un pecado?» ¡Y sigue hablando! ¿Dónde está mi bastón? Por fin se calló. ¿Hay más papeles? ¿Has escondido algo? Dime la verdad, enano. ¿Es esto todo lo que había? ¡Se calla! Así que algo has escondido, enano, tú no eres su hijo, eres su bastardo y no tienes derecho a nada, ¿entiendes? Dámelos, voy a quemar todos esos papeles, tráelos, rápido. Mira, todavía me sigues preguntando si no me parece una pena. ¿Dónde está mi bastón? Avanzo sobre él. Se escabulló escurridizo escaleras abajo sin detenerse a mirar atrás. Grita desde abajo: «No tengo nada, señora, se lo juro, ¡no he escondido nada!». ¡Bueno! No le respondí. A medianoche asalté de repente su habitación, lo desperté, lo eché fuera, registré a conciencia cada rincón de su dormitorio, que tan extrañamente olía, busqué por todos lados, incluso dentro del minúsculo colchón de su cama infantil: sí, no había más papeles.

Pero sigo teniendo miedo. Puede haber escondido algo en algún sitio, algún papel puede habérseme escapado y puede haber caído en manos de Doğan, tan parecido a su padre al fin y al cabo que puede imprimirlo. Continuamente venía a preguntarme: «Madre, ¿dónde están los manuscritos de mi padre?». No te entiendo, hijo mío. «Lo que escribió durante tantos años, ¿dónde está, madre?» No te entiendo, hijo mío. «Me refiero a la enciclopedia de mi padre, la que dejó a la mitad.» No te entiendo. «Quizá tuviera algún valor, mi padre le entregó toda su vida y siento mucha curiosidad, vamos, madre, dámela.» No te entiendo, hijo. «Quizá pudiéramos publicarlo en algún sitio, como él quería porque, mira, se acerca el aniversario del 27 de mayo y se rumorea que los militares van a dar otro golpe.» No te entiendo, mi Doğan. «Después de este golpe habrá una nueva vuelta al kemalismo, por lo menos podríamos publicar algunos fragmentos interesantes de la enciclopedia. ¡Sácalos de donde estén y dámelos, madre!» Mis oídos no me permiten entenderte bien. «¿Dónde están esos papeles? Ay, Dios, los busco, los busco y no los encuentro, ¿y los libros? Han desaparecido, solo quedan esos extraños instrumentos tirados en el lavadero.» No te entiendo. «¿Qué has hecho, madre? ¿O es que has tirado sus papeles y sus libros?» Guardé silencio. «Los has roto, los has quemado, los has tirado, ¿No?» Comienza a llorar. Y poco después se entrega al *rakı*. «Yo también voy a escribir, como mi padre: mira, todo vuelve a ir de mal en peor, hay que hacer algo para evitar este peligroso proceso, toda esta estupidez, esos hombres no pueden ser tan malintencionados ni tan estúpidos, seguro que entre ellos los hay buenos, madre, conozco al ministro de Agricultura del colegio, estábamos enamorados de la misma chica pero éramos buenos amigos, estaba un curso por debajo de mí pero competíamos juntos en el equipo de atletismo, pero era lanzador de peso, muy gordo, aunque con un corazón de oro, en este momento le estoy escribiendo un largo informe, y el que ahora es vicepresidente del Estado Mayor, el general tal, era capitán en Zile cuando yo era prefecto adjunto, muy buena persona, solo deseaba el bien del país, también le voy a enviar a él uno de estos informes, madre, tú no lo sabes, pero hay tantas injusticias que...» Muy bien, pero ¿por qué vas a ser tú responsable de todo eso? «Porque si no intervenimos, seremos responsables, madre, y como no quiero serlo, me siento a escribirles.» ¡Eres más desgraciado que tu padre, más cobarde que él! «No, madre, no lo soy, si fuera cobarde me uniría a ellos, me correspondía ser gobernador, pero ya estoy harto, ¿sabes lo que les hacen a esos pobres campesinos?» ¡No siento la menor curiosidad, hijo mío! «Perdidos en lo más recóndito de las montañas...» ¡Mi difunto padre fue quien me enseñó que la curiosidad no conduce a nada! «Los abandonan sin un médico ni un maestro...» ¡Qué pena no haber sido capaz de enseñarte lo que me enseñó a mí mi difunto padre, Doğan mío! «Y una vez al año, para comprarles sus productos a bajo precio...» ¡Por desgracia, hijo, tampoco te pareces nada a mí! «Luego les abandonan en esa terrible oscuridad y se olvidan de ellos, madre...» Me seguía contando pero yo no le escuchaba, me retiraba a mi habitación y pensaba: ¡qué extraño! Es como si hubiera alguien que les convenciera para ser diferentes a los demás y para que no se dedicaran a ir y venir tranquilamente entre casa y el trabajo. Pensaba: ese que les convence, ¡es como si ahora estuviera contemplando mi dolor y se riera pérfidamente! Me sentía asqueada y miré la hora. Ya son las tres pero todavía no he podido dormirme, oigo el alboroto de la playa. Luego pensé en el enano y sentí un escalofrío.

Quizá entonces le hubiera escrito una carta desde la aldea a mi Doğan para darle pena. O quizá fuera su padre quien se lo contó a mi Doğan. No obstante, Selâhattin ya no parecía darse cuenta de otra cosa que no fueran sus escritos. El verano en que acabó la carrera, mi Doğan comenzó a preguntar por ellos sin cesar: «¿Por qué se han ido Recep e İsmail, madre?». Luego un día desapareció. Y cuando regresó una semana más tarde, ellos le acompañaban, aún casi niños: ¡un enano y un cojo vestidos con andrajos! «¿Por qué los has sacado del pueblo y los has traído aquí, hijo? ¿Qué tienen que hacer en nuestra casa?», le pregunté. «Sabes por qué les he traído, madre», me contestó y los instaló a ambos en la habitación que ahora es del enano. Después el cojo se apoderó avariciosamente del dinero del diamante que había vendido mi Doğan y se largó, pero no muy lejos: ¡cada año me señalan su casa en la cuesta cuando vamos al cementerio! Siempre he tenido curiosidad por saber por qué se quedó el enano. Dicen que por vergüenza, porque le da miedo mezclarse con la gente. El enano me libró del trabajo de la casa y de la cocina, pero me produce repugnancia. Después de que mi Doğan se fuera, a veces atrapaba a Selâhattin en un rincón a solas con el enano y les escuchaba: «Cuéntame, hijo —le decía Selâhattin—, ¿cómo era la vida en la aldea, pasasteis muchos apuros, te obligaron a rezar? Dime, ¿crees en Dios? Cuéntame, ¿cómo murió tu madre? Qué buena mujer era, tenía la belleza de nuestro pueblo, pero, por desgracia, yo tenía que terminar esta enciclopedia». El enano callaba, yo no lo aguantaba más, huía a mi habitación, intentaba olvidar pero volvía a recordarlo asqueada: ¡Qué buena mujer era! Tenía la belleza de nuestro pueblo. ¡Qué buena mujer era! ¡Qué buena mujer era!

No, solo era una pecadora, Selâhattin: una criada. Huyeron del pueblo ella y su marido a causa de un ajuste de cuentas entre familias, vinieron a Gebze y, cuando su marido se fue al servicio militar y la barca del pescador que la había cobijado aquí volcó y él se ahogó, cuántas veces no la vi allí, junto a las ruinas del embarcadero, y me preguntaba con qué viviría aquella pobre mocosa miserable, y fue entonces cuando el cocinero, uno de Gerede que teníamos antes de ella, se puso insolente con Selâhattin, le dijo «Usted no creerá en Dios, pero nosotros vamos a darle una lección» y tal, y Selâhattin lo despidió y tomó a esa repugnante mocosa, «Qué vamos a hacerle, Fatma, no encuentro hombres», y le respondí: «Yo no quiero saber nada», y ella aprendió rápidamente las tareas de la casa y cuando Selâhattin comentó al preparar ella sus primeras hojas de parra rellenas: «Qué mujer tan capaz, ¿verdad, Fatma?», en ese preciso instante supe lo que iba a ocurrir y me dio asco y pensé: «Qué extraño, mi madre ha debido de traerme al mundo para que fuera testigo de las faltas y los pecados de los demás y sentir repugnancia de ellos».

Sí, sentí repugnancia: en las noches frías del invierno, Selâhattin, mientras exhalaba asquerosos vapores del pozo de *rakı* que era su boca, creía que estaba dormida, bajaba silenciosamente las escaleras mientras en la habitación en que ahora vive el enano le esperaba la mujer que se convertiría en su madre, Dios mío, qué humillante, caminaba con sigilo, peor, pero yo le veía y sentía repugnancia. Luego construyó la cabaña justo donde ahora está el gallinero para poder divertirse con ella de manera más cómoda y quizá, por emplear la palabra que tan a menudo usaba en la enciclopedia, más «libre», lo veía y sentía repugnancia: cuando a medianoche salía de su estudio completamente borracho e iba allí yo me quedaba sentada inmóvil en mi habitación con mi punto y mis agujas pensando en lo que estaría haciendo.

Pensaba en que obligaba a aquella pobrecilla a hacer lo que conmigo no había conseguido; para hundirla bien en el pecado primero le daba alcohol, luego la obligaba a decir que Dios no existía y la otra, para complacer al demonio, le respondía: «No, no, no, no temo al pecado, no, Dios no existe». ¡Blasfemia, Fatma, no pienses más! A veces salía sigilosamente, iba a la habitación de atrás y pensaba y, observando la pálida y pecadora luz de la cabaña, susurraba: «Ahí están, ahí mismo, ahora... Tal vez ahora esté besando a sus bastardos y les esté explicando dónde no está Dios, quizá se estén riendo y quizá...». ¡No pienses, Fatma, no pienses! Luego, avergonzada por lo que hacía, regresaba a mi habitación, cogía mi punto y mis agujas para el chaleco que le estaba tejiendo a mi Doğan y esperaba, pero no tenía que esperar demasiado: una hora más tarde oía que Selâhattin salía de la cabaña, y cuando poco después oía el taconeo de sus pasos mientras subía tambaleándose las escaleras, ya ni se molestaba en ser silencioso, yo entreabría un dedito la puerta de mi habitación y por aquella pequeña abertura observaba al diablo con curiosidad, miedo y asco hasta que entraba en su estudio.

En una ocasión se detuvo un momento mientras subía tambaleándose las escaleras: entonces vi que me miraba directamente a los ojos por el hueco de la puerta, tuve miedo y quise cerrar y refugiarme tranquilamente en mi habitación pero era demasiado tarde porque Selâhattin comenzó a gritar: «¿Qué es lo que miras sacando por ahí las narices, criatura cobarde? ¿Por qué me observas cada noche por el hueco de la puerta? ¡Como si no supieras adónde voy ni lo que hago...!». Quería cerrar la puerta y huir pero no podía dejar el picaporte, ¡me parecía que si lo soltaba sería cómplice de su pecado! Luego gritó aún más: «No me avergüenzo de nada, Fatma, ¡de nada! Esos miserables miedos y estúpidas creencias que te envuelven la cabeza como una tela de araña no me afectan en absoluto. Estoy más allá de todas esas tonterías orientales, del mal y del pecado, ¿me entiendes, Fatma? Me espías inútilmente, estoy orgulloso de eso que a ti tanto te gusta condenar y que tanto te repugna». Luego subió vacilante algunos escalones más y gritó en dirección a la puerta que yo aún seguía manteniendo abierta un dedo: «Y también me enorgullezco de esa mujer y de los hijos que me ha dado... ¡Es una mujer trabajadora, recta, honrada, franca y hermosa! No vive como tú, solo teniendo miedo de la culpa y del castigo, ¡porque no ha aprendido como tú a usar correctamente el cuchillo y el tenedor ni a pretender ser distinguida! Escucha lo que voy a decirte, ¡escúchame bien!». Su voz ya no era insultante, sino persuasiva y entre nosotros solo había una puerta cuyo pica- porte yo sostenía de manera mecánica y yo le escuchaba: «Aquí no hay nada de lo que avergonzarse, ni de lo que as- quearse, ni nada que condenar, Fatma, ¡somos libres! ¡Son los otros los que limitan nuestra libertad! Y aquí no hay nadie más que nosotros, Fatma, sabes muy bien que vivimos como si lo hiciéramos en una isla desierta. Como Robinson, deja- mos en Estambul esa maldición llamada sociedad y solo re- gresaremos allí el día en que pueda poner patas arriba a todo Oriente con mi enciclopedia. Escúchame: pudiendo vivir dis- frutando de nuestra libertad, libres de culpa, de pecado y de vergüenza, ¿por qué lo fastidias todo con esas estúpidas creencias a las que te abrazas como una toxicómana y con el veneno de tus prejuicios morales? Si no es la libertad lo que quieres, sino la infelicidad, al fin y al cabo es cosa tuya, pero ¿te parece bien que los demás sean desgraciados por tu culpa? ¿Que los demás sufran por tus estúpidos prejuicios morales? Escucha lo que voy a decirte: ahora mismo vengo de la caba- ña, ¿qué necesidad tengo de ocultarlo? Lo sabes, vengo de allí, de ver a la criada y a mis hijos Recep e İsmail; les compré una estufa en Gebze, pero no ha servido de nada, ahí se con- gelan de frío, Fatma, no estoy dispuesto a que sigan tiritando por culpa de tus estúpidos prejuicios, ¿me entiendes?».

Le entendía y sentí miedo. Seguí escuchando en silencio mientras golpeaba la puerta con los puños y me imploraba lloroso. Luego oí que se retiraba gimoteando a su habitación y me sorprendí al oír poco después sus profundos, tranqui- los y ebrios ronquidos y pensé hasta el amanecer: nevaba y yo miraba por la ventana. Por la mañana, en el desayuno, me dijo lo que yo ya había pensado y adivinado.

Estábamos desayunando y aquella mujer nos servía, lue- go, tal y como hace ahora el enano, pareció hartarse de servir- nos y bajó a la cocina y en ese momento Selâhattin me susurró: «Tú les llamas bastardos, pero también son seres humanos». Me hablaba con una voz tan increíblemente suave y cortés que parecía estar contándome un secreto al tiempo que me imploraba algo. «Pobres niños, pasan frío en esa cabaña, uno solo tiene dos años y el otro tres: ¡he decidido instalarlos en esta casa a ellos y a su madre, Fatma! Ya no caben en la habitación pequeña. Así que les acomodaré en esa de al lado. No olvides que, al fin y al cabo, son mis hijos. ¡No te opongas con tus absurdos prejuicios!» Yo guardaba silencio y pensaba. A mediodía, cuando bajó a comer, me lo repitió, ahora en voz alta, y añadió: «No estoy dispuesto a que sigan acostándose en el suelo tapándose con esos andrajos que toman por mantas. Mañana cuando vaya a Gebze a hacer la compra mensual...». Así que al día siguiente iba a Gebze, pensé. Y a media tarde pensé lo siguiente: «Quizá a la hora de la cena me diga que a partir de ahora nos sentaremos a la misma mesa. ¿No dice acaso que todos somos iguales?». Pero no lo dijo. Se bebió su *rakı*, me recordó que por la mañana iría a Gebze y salió decidido. Subí rápidamente, corrí a la habitación de atrás y le observé a sus espaldas: ¡camina tambaleándose sobre la nieve brillante a la luz de la luna hacia la luz pecadora de la cabaña, camina, diablo, camina! ¡Ya verás mañana! Contemplé el jardín nevado a la luz de la luna hasta que regresó; mantenía un ojo en la fea y pálida farola. Cuando volvió fue directamente a mi habitación y me dijo en la cara: «¡No te pavonees tanto porque desde hace dos años sea necesario un juicio para divorciarme de ti, porque no pueda tomar una segunda esposa aunque quiera! ¡Entre nosotros ya no hay nada sino ese ridículo contrato al que llaman matrimonio, Fatma! Además, según las condiciones de cuando llegamos a ese acuerdo, yo podía repudiarte cuando quisiera con solo dos palabras, o podía tomar otra esposa, pero en todo este tiempo no lo he considerado necesario. ¿Me entiendes?». Me siguió hablando y yo le escuchaba. Luego repitió que por la mañana iría a Gebze y se fue tambaleándose a dormir la borrachera. Yo continué pensando mientras miraba el jardín nevado, pensé toda la noche.

¡Pero ya basta, Fatma, no pienses más! He sudado con el edredón. De repente se me ocurrió: ¿se lo habría contado el enano? «Muchachos, con ese mismo bastón, vuestra abuela nos...» Tuve miedo, no quise pensar, no quise dormir. ¡Pero si de todas formas no puedo dormir oyendo el alboroto del sábado en la playa!

Me cubrí la cabeza con el edredón, pero sigo oyéndolo y pienso que ahora lo entiendo, ahora entiendo lo hermosas que eran aquellas solitarias noches de invierno: cuando el silencio de la noche era mío, cuando todo permanecía petrificado e inmóvil. Apoyaba el oído en la blanda oscuridad de mi almohada, sueño en ese profundo silencio solitario del universo, mientras oigo girar el mundo por debajo de mi almohada, lentamente, como si viniera del interior de la tierra y desde fuera del tiempo. Selâhattin se fue al día siguiente a Gebze. ¡Qué lejos estaba entonces el día del Juicio! Me encontraba sola en casa. ¡Qué lejos estaban los muertos incorruptos en sus tumbas! Tal y como había planeado, cogí el bastón, bajé las escaleras y salí al jardín nevado. ¡Qué lejos estaban las hirvientes calderas y el dolor de las torturas del infierno! Caminé rápidamente hacia aquel nido de pecado que el demonio llamaba la cabaña dejando las huellas de mis pasos en la nieve que se fundía. ¡Qué lejos estaban los murciélagos, las serpientes de cascabel, los cadáveres! Llegué a la cabaña, llamé a la puerta, esperé un momento y aquella miserable, simple y estúpida criada abrió al instante. ¡La carroña de ratas, las lechuzas, los duendes! La empujé y entré: «¡Así que estos son tus bastardos!». ¡Intentó sujetarme la mano! ¡Cloacas, cucarachas, miedo a la muerte! «No lo haga, señora, no lo haga, ¿qué culpa tienen los niños?» ¡Esclavos abisinios, negros, cadenas oxidadas! «Pégueme a mí en vez de a los niños, señora, ¿qué culpa tienen ellos? Por Dios santo, ¡huid, niños, huid!» ¡No huyeron! ¡Podredumbre, carroña, bastardos! No huyeron y comencé a golpearles y entonces, «Te atreves a levantarme la mano, ¿eh?», golpeé también a su madre y cuando ella intentó responderme la golpeé aún más y por fin, Selâhattin, la que se desplomó fue, por supuesto, esa trabajadora, fuerte y saludable mujer tuya, ¡no yo! Y entonces observé el interior de aquel asqueroso nido de pecado que tú llamabas la cabaña y que desde hacía cinco años se levantaba en un extremo del jardín mientras escuchaba el llanto de tus bastardos: cucharas de madera, cuchillos de hojalata, algunos platos de la vajilla de mi madre, rotos o descascarillados, y mira, Fatma, también estaban aquí aquellos en buen estado que tú creías que se habían perdido, y baúles que usaban como mesas, trapos y telas rasgadas, tubos de estufa, colchones en el suelo, trozos de periódico encajados bajo las ventanas y las puertas, Dios mío, qué asquerosidad, horribles telas llenas de manchas, montones de papel, cerillas usadas, unas pinzas de carbón oxidadas y rotas, leños en latas usadas, viejas sillas volcadas, botellas vacías de *rakı* y vino, trozos de cristal por el suelo, e incluso sangre, Dios mío, y los bastardos que siguen llorando, sentí repugnancia y cuando Selâhattin regresó por la tarde, al principio lloró un poco y diez días más tarde se los llevó a aquella aldea lejana.

«Muy bien, Fatma —me dijo—, que sea como deseas, pero esto que has hecho no es propio de seres humanos, al pequeño le has roto la pierna y lo que tiene el mayor no soy capaz de entenderlo, está cubierto de moratones y parece estar sufriendo una fuerte conmoción, soporto todo esto y estoy decidido a enviarles a esa aldea lejana solo por mi enciclopedia, he encontrado un pobre viejo dispuesto a adoptar a los niños, pero como le he dado bastante dinero, me veré obligado a llamar al judío dentro de poco. ¿Qué vamos a hacerle? Así expiaremos nuestros pecados. Bueno, bueno, no empieces otra vez, tú no has pecado, todo es a causa de mis pecados, pero a partir de ahora ya no me preguntes por qué bebo tanto, me dejarás tranquilo y trabajarás en esa cocina que se ha quedado vacía. Ahora voy a subir para trabajar y tú desaparece de mi vista antes de que se me lleven los demonios, enciérrate en tu habitación, métete en tu fría cama, acuéstate y permanece toda la noche sin dormir mirando al techo como una lechuza, sin dormir.»

Sigo acostada y no puedo dormir. Espero la noche. ¡Ojalá llegue la noche! ¡Nadie tiene la fuerza suficiente para ensuciarla porque todos estáis dormidos, tumbados en vuestras camas! Y entonces, cuando me quede sola, podré sentir, oler, saborear, oír, entonces pensaré: en el agua, en la jarra, en las llaves, en el pañuelo, en el melocotón, en la colonia, en el plato, en la mesa, en el reloj... Están ahí todos para mí, como yo, en el vacío, permanecen tranquilos y en paz a mi alrededor, suenan, crujen en el silencio de la noche como si se desperezaran conmigo, limpiándose de toda la culpa, del pecado, de la suciedad. Entonces el tiempo se convierte realmente en tiempo y ellos están más cercanos a mí y yo más cercana a mí misma.

XXIV

Me desperté de repente mientras veía cosas extrañas y curiosas y me entristeció comprender que se trataba de un sueño. En mi sueño veía a un anciano vestido con una capa que giraba alrededor de mi cabeza llamándome: «¡Faruk, Faruk!». Posiblemente iba a descubrirme el secreto de la historia, pero me torturaba un poco antes de decírmelo. Como por alguna misteriosa razón creo que todo debe tener un precio, soportaba la tortura a cambio del conocimiento, sentía una extraña vergüenza y, justo en el momento en que me disponía a apretar un poco más los dientes para enterarme de aquello, la vergüenza se hizo insoportable y me desperté bañado en sudor. Ahora oigo el alboroto de la playa, el ruido de coches y motoras que viene de la parte de la puerta del jardín. No me ha servido para nada la larga siesta: como ayer bebí toda la noche, todavía me siento adormilado. Miré la hora: las cuatro menos cuarto. Aún no era hora de beber pero me levanté.

Salí de mi habitación. La casa estaba silenciosa. Bajé las escaleras y fui a la cocina. Cuando agarré maquinalmente el asa de la nevera, sentí la misma esperanza de siempre: algo nuevo, excitante, una aventura inesperada. Si hubiera algo así en mi vida, si pudiera olvidar el archivo, las historias y la historia. Abrí la nevera y miré su resplandor como si contemplara el escaparate de una joyería: ¡tarros, botellas, colores, tomates, huevos, cerezas, distraedme! Pero parecían contestarme: «No, tú ya no puedes distraerte con nosotros, solo podrás distraerte retirándote del mundo y con el placer de aparentarlo. Luego tus penas y tus alegrías se completarán con la bebida y te dejarás llevar». La botella de *rakı* está a medias, ¿y si voy a comprar otra? Cerré la nevera y de improviso pensé lo siguiente: ¿y si hago como ellos, como mi abuelo y mi padre? ¿Y si lo dejo todo para encerrarme aquí? ¿Y si cada día voy a Gebze y me siento a la mesa para escribir algo sin principio ni fin de millones de palabras sobre eso llamado historia? ¿Y si lo hago no para cambiar el mundo sino solo para describir cómo es?

La fresca brisa sopla ahora con más fuerza. Miré, las nubes se habían acercado. Se aproximaba una buena tormenta del sudoeste. Mientras observaba por los postigos cerrados pensé en cómo dormiría Recep en su habitación. Nilgün sigue sentada leyendo junto al gallinero, se ha quitado las sandalias y pisa la tierra con sus pies descalzos. Caminé indolente un rato por el jardín. Jugueteé con el brocal del pozo y con la bomba como un niño desocupado y recordé mi juventud, también mi niñez. Poco después, cuando empezaba a pensar en mi mujer de nuevo, decidí comer algo y entré en la casa. Pero en lugar de ir a la cocina subí las escaleras, regresé a mi habitación y mientras miraba con los ojos vacíos por la ventana, susurré: «Todo eso que estoy pensando ¿vale la pena perseguirlo, vale la pena vivirlo? ¿Soy capaz de pensar algo que valga la pena perseguir?». Para no pensar más me tumbé en la cama, abrí el libro de Evliya Çelebi y comencé a leer al azar.

Contaba un viaje por el oeste de Anatolia: hablaba de Akhisar, del pueblo de Mármara y luego de una pequeña aldea y de las aguas termales del pueblo. El agua sacaba brillo a la piel como si fuera aceite y si se bebía durante cuarenta días iba igualmente bien para la lepra. Luego leí cómo había mandado reparar y limpiar uno de los estanques y cómo se había metido placenteramente en el agua. Leí de nuevo las delicias del estanque y le envidié a Evliya aquel placer sin daño ni pecado y me habría gustado estar en su lugar. Luego ordenó grabar en una de las columnas la fecha de la reparación. Después se marchó cruzando Gediz a caballo. Todo eso lo escribió con un equilibrio confiado y tranquilo, sin evitar el menor detalle, con la alegría despreocupada del músico que toca su tambor. Cerré el libro y pensé en cómo podía haberlo hecho, cómo había conseguido que se correspondieran de tal manera sus acciones y lo que escribía, cómo conseguía verse desde fuera como si viera a otra persona. Si yo hubiera hecho lo mismo e intentara contárselo a un amigo por carta, por ejemplo, ni lograría ser tan sencillo, ni tan entretenido: me metería yo mismo en el asunto y mis pensamientos retorcidos y culpables cubrirían la desnudez de los hechos. Se mezclarían mis actos con mis intenciones, los hechos con mis juicios y sufriría a fuerza de darme trompazos con lo superficial sin ser capaz de establecer esa relación directa y auténtica que Evliya establecía con las cosas.

Lo abrí de nuevo y seguí leyendo: la ciudad de Turgutlu, la de Nif, la de Ulucakli y una fiesta en esta última: «Levantamos nuestra tienda en la ribera de un río, le compramos un cordero bien gordo a los pastores de la meseta y lo asamos y nos lo comimos sin preocupaciones ni cuidados». Ahí está: el placer y la tranquilidad eran tan simples como el mundo exterior. Y el mundo era un lugar real en el que se podía vivir, digno de ser descrito con toda tranquilidad, como mucho a veces con entusiasmo y a veces con una nostalgia alegre; no era un lugar que criticar, con el que irritarse ardiendo en la pasión de cambiarlo o de apoderarse de él.

Luego pensé de repente que Evliya hacía trampas para engañar a sus lectores. Quizá fuera alguien como yo con la única diferencia de que sabía escribir bien, y mentir mejor. Quizá él viera los árboles y los pájaros, las casas y los muros como yo los veo y simplemente me estuviera engañando con su habilidad para la literatura. Pero ni yo mismo pude convencerme, después de leer un rato más llegué a la conclusión de que aquello no era simple habilidad, sino algo consciente.

La comprensión que tenía Evliya del mundo, de los árboles, de las casas, de los hombres era completamente distinta a la nuestra. De repente sentí curiosidad, ¿cómo era posible? ¿Cómo se había desarrollado de aquella manera la conciencia de Evliya? Cuando pienso en mi mujer después de haber bebido mucho y haberme quejado bastante, a veces pido ayuda a alguien desesperadamente, como desde un mal sueño del que no pudiera despertar para así librarme de él. Con la misma desesperación pensé como pidiendo ayuda: ¿no puedo ser yo como él? ¿No puedo conseguir que mi pensamiento, que la estructura de mi cerebro se parezcan a los suyos? ¿No puedo dedicarme a describir el mundo con su auténtica simplicidad de principio a fin, como él?

Cerré el libro y lo arrojé a un lado. Me di ánimos diciéndome que podía hacerlo o al menos podría intentar entregar mi vida a ese trabajo con convicción. Como él, comenzaré a describir el mundo y la historia allí donde primero se me aparezcan. De la misma forma en que él escribió sobre Manisa, sobre quién tenía cuántos *has*, cuántos *zeamet*, cuántos *timar*, de cuántos ásperos[9] y cuántos soldados tenía, yo enumeraré los hechos. En realidad, los hechos me están esperando en el archivo. Transcribiré todos esos documentos con la facilidad con que Evliya describe los monumentos históricos, las tradiciones y las costumbres. Cuando hable de ellos no introduciré juicios en mi relato, como él. Y luego, de la misma manera que él escribía de improviso que tal mezquita tenía el tejado de tejas o de planchas de plomo, yo añadiré que los detalles de tal hecho fueron así o asá. De esa forma mi historia será como el libro de viajes de Evliya, solo una descripción interminable de los hechos. Y como seré consciente de eso, me detendré de vez en cuando, como él, recordando que en el

---

9. Los tres términos se refieren a feudos concedidos a cambio de servicios militares. El *has* es un feudo con una renta de más de 100.000 ásperos, el *zeamet* de 20.000 a 100.000 ásperos y el *timar* de hasta 20.000 ásperos. (*N. del T.*)

mundo existen otras cosas y escribiré en la parte superior del papel:

Cuento

para que el lector comprenda que los hechos que describo han sido expurgados de esas agradables y entretenidas ficciones preparadas para adular las pasiones y las emociones humanas. Si algún día alguien lee mis páginas, que pesarán mucho más que las seis mil de Evliya Çelebi, verá allí, tal y como es, la masa nebulosa de la historia que hay en mi mente. Todo estará sobre el papel, como lo que escribía Evliya, como cosas naturales, como un árbol, un pájaro o una piedra; y el lector percibirá que detrás de aquello yace un hecho igualmente natural. Y así podré expulsar esos extraños gusanos de la historia que pienso que andan paseándose por mis circunvoluciones cerebrales y por fin me libraré de ellos. Y en ese día de mi liberación quizá pueda irme, por fin iré a bañarme al mar. Y el placer que el mar me proporcione será similar al de Evliya en el estanque, y mientras me decía todo aquello me asusté de repente: el claxon de un coche suena insolente. En ese momento me crispó los nervios aquel ruido que interrumpía mis sueños, que borraba mis recuerdos, horrible, estridente, «moderno».

Me levanté de la cama a toda prisa, bajé rápidamente las escaleras y salí al jardín. El viento soplaba ahora con más fuerza y las nubes se habían acercado: venía lluvia. Encendí un cigarrillo, crucé el jardín, salí a la calle y continué andando. Bien, ¿qué vais a mostrarme ahora, muros, ventanas, coches, terrazas, vidas en las terrazas, pelotas de plástico, chanclas, flotadores, zapatillas de plástico, botes, cremas, cajas, camisas, toallas, bolsos, piernas, faldas, mujeres, hombres, niños, insectos? Mostraos, mostradme vuestras inmóviles caras muertas, mostradme vuestros hombros morenos, vuestros pechos maduros, vuestros brazos delgados e inseguros, vuestras miradas torpes, mostradme, mostradme todos los colores y todas las formas superficiales porque quiero olvidarme de mí mismo golpeándome contra ellas, quiero volar, quiero olvidarme de mí mismo posando la mirada en las luces de neón, en los anuncios de plexiglás, en las pintadas políticas, en los televisores, en las mujeres desnudas colgadas de las paredes en los rincones de las tiendas, en las fotografías de los periódicos, en los carteles vulgares; vamos, mostradme, mostradme...

¡Basta! ¡He llegado hasta el espigón! Ha sido una excitación vana: ¡me engaño a mí mismo! Sé que soy parte de todo eso que amo en secreto, de lo que quiero convencerme que me repugna, que anhelo profundamente todo aquello que sé insulso y vulgar. A veces me convenzo de que me gustaría vivir doscientos años antes o después, pero es mentira: sé que me encanta esta asquerosa embriaguez de superficialidades. Me encantan los anuncios de gaseosa y jabón, de lavadoras y de margarina. El siglo en el que vivo me ha puesto unas gafas que todo lo deforman, siento que no puedo ver la realidad, pero, maldita sea, ¡me gusta la que veo!

Un velero se acerca lentamente al espigón para huir de la tormenta y se balancea despacio sobre las olas, aún no demasiado altas. Es como si no supiera que mientras se balancea existe una conciencia que es la que lo balancea y lo mueve: ¡dichoso velero! Caminé hacia el café. Estaba lleno. El viento levanta los extremos de los manteles de las mesas del exterior pero las gomas que los sujetan mantienen el orden para que madres, padres y niños puedan tomarse tranquilamente sus tés y sus gaseosas. Arrían a duras penas las velas del velero, que le ha tomado gusto al viento. Al arriarla, la lona blanca tiembla como una paloma que hubieran atrapado y que aleteara con desesperación, pero en vano: por fin, ya está, arriaron la vela. ¿Y qué pasaría si dejara de lado ese juego de qué es la historia? Mejor vuelvo a leer mi cuaderno de notas y a entretenerme con toda tranquilidad con los recuerdos del archivo. ¿Y si me siento a tomar un té? No hay ninguna mesa vacía. Me acerqué a la ventana y miré al interior del café. Algunos juegan a las cartas y ahí sí hay mesas vacías. ¡Aquí es donde viene Recep! Observan las cartas que tienen en la mano y luego las dejan como si hubieran hecho un esfuerzo y ahora descansaran. Uno recoge las cartas de la mesa y baraja. Mientras le miraba barajar estúpidamente, algo se me vino de repente a la cabeza y me emocioné: sí, sí, ¡una baraja de cartas puede resolverlo todo!

Regreso a casa y pienso lo siguiente:

Escribiré en papeles del tamaño de naipes todos los hechos, uno a uno, todos aquellos asesinatos y robos, guerras y campesinos, bajás y enredos que duermen en el silencio del archivo. Luego barajaré ese terrible mazo de cientos, no, millones de papeles, como quien baraja las cartas, claro que con mayor·dificultad, con máquinas especiales, máquinas como las que se usan para los sorteos ante notario y las pondré directamente en manos del lector. Esto es lo que hay, les explicaré luego, ninguna tiene relación con otra, ni antes ni después, ni anverso ni reverso, ni causa ni efecto: vamos, joven lector, aquí están la historia y la vida, léalas como desee. Los hechos se limitan a ser y todo está ahí pero no existe ningún relato que los relacione. Si así lo prefiere, puede usted inventárselo. Y entonces el joven lector preguntará con tristeza: «¿No hay ningún relato? ¿Ninguno?». Y yo entonces le daré la razón: «Claro, le entiendo, es usted joven, para poder vivir con tranquilidad y para creer que mientras vive puede coger el mundo de un extremo y tirar de él hasta donde quiera, o por razones morales, necesita un cuento que lo explique todo o, a su edad, uno se volvería loco, tiene razón», le diré y como quien mete un comodín entre millones de naipes comenzaré a introducir a toda prisa papeles en cuya parte superior diga:

Cuento

y en cuyo interior se desarrolle el relato. «Bueno, ¿y cuál es el significado de todo esto? —volverá a preguntar el joven lector—. ¿Cuál es el resultado? ¿Qué hay que hacer? ¿Qué hay que creer? ¿Qué es verdad y qué es mentira? ¿Qué hay en la vida por lo que merezca la pena luchar? ¿Qué es la vida? ¿Por dónde empezar? ¿Cuál es la esencia de todo esto? ¿Qué conclusión podemos extraer? ¿Qué hago? ¿Qué hago? ¿Qué hago?» Maldita sea. Me estoy agobiando. Me vuelvo a casa...

Cuando pasé por delante de la playa el sol se ocultó repentinamente tras las nubes y la masa de gente que cubría la arena pareció perder su razón de ser. Intenté imaginarlos no sobre la arena sino sobre un glaciar, que se tumbaban sobre un glaciar no porque quisieran broncearse, sino porque querían calentarlo como las gallinas quieren empollar sus huevos. Pero sé la razón de ese esfuerzo: quiero romper la cadena de casualidades, quiero librarme de la obligación de motivaciones morales. Si en lugar de sobre arena estuvieran tumbados sobre hielo, yo sería inocente, libre, podría hacer cualquier cosa y todo sería posible: seguí caminando.

Salió el sol, fui a la tienda de ultramarinos y pedí tres cervezas. Mientras el empleado colocaba las botellas en una bolsa de papel intenté, no sé por qué, que un anciano bajito, de boca ancha y muy feo me recordara por alguna razón a Edward G. Robinson. ¡Qué maravilla! Realmente se le parecía. Es algo increíble: también tiene la nariz puntiaguda, dientes pequeños y una verruga en la mejilla. Pero es calvo y tiene bigote. He aquí lo que desespera a las ciencias sociales en un país subdesarrollado: ¿en qué se diferencia la estructura concreta que poseemos, y que no es sino una mala copia, de la original? En una cabeza calva, en el bigote, en la democracia y en la industria. Mi mirada se cruza con la del falso Edward G. Robinson. ¿Y si de repente se desahogara conmigo?: «¿Sabe, señor mío, lo duro que resulta pasarse la vida siendo la copia borrosa de otro hombre? Mi mujer y mis hijos examinan continuamente al Edward G. Robinson original, luego me miran a mí y me echan en cara todos aquellos aspectos en que no me parezco a él como si fueran defectos. ¿Es culpa mía no parecerme? Dígamelo usted, por el amor de Dios. ¿Es que no puede uno quedarse siendo uno mismo? Y si ese hombre no fuera un actor famoso, ¿qué pasaría entonces? ¿Cómo podrían encontrarme defectos?». «Encontrarían otro modelo y entonces te criticarían por parecerte a él», pensé. «Es verdad, tiene razón, señor mío, ¿es usted sociólogo o algo parecido? ¿O catedrático?» «No, adjunto.» El viejo Robinson cogió su queso y salió lentamente. Yo recogí mis botellas, vuelvo a casa y pienso que ya basta. El viento, ahora bastante fuerte, hincha en vano los bañadores tendidos en cuerdas en las terrazas, una ventana se golpea en vano.

Me fui a casa, coloqué las botellas en la nevera y, al cerrar la puerta, como si el demonio me pinchara, no pude contenerme y me bebí un vaso de *rakı* con el estómago vacío como quien se toma una medicina y fui a donde estaba Nilgün. Me estaba esperando para ir de paseo. El viento agita su pelo y las hojas de su libro. Le dije que no había nada que ver en el barrio y decidimos pasear en coche. Subí por las llaves, cogí también mi cuaderno, tomé de la cocina el *rakı*, una botella de agua y las cervezas, sin olvidar el abrebotellas. Al ver lo que llevaba Nilgün me miró como si fuera a reñirme, luego fue de una carrera a por el transistor y regresó. El coche arrancó entre gemidos y toses. Cruzamos lentamente entre la multitud que salía de la playa y al dejar el barrio un rayo cayó silenciosamente en campo abierto, muy lejos. El trueno llegó mucho después.

«¿Adónde vamos?», le pregunté. «A ese caravasar tuyo de los apestados —me contestó Nilgün—. Al Estado de la peste.» «No estoy seguro de si existió un lugar así.» «Pues mejor, vas, lo miras y tomas una decisión definitiva.» «Una decisión definitiva», pensaba yo cuando añadió: «¿O es que te da miedo llegar a una conclusión definitiva?». «Las noches de la Peste y los días del Paraíso», susurré. «¿Estás leyendo una novela?», me preguntó Nilgün sorprendida. «¿Sabes? —le dije entusiasmado—, esta idea de la peste cada vez me apasiona más. Ayer me acordé, lo he leído en algún sitio, que detrás de que Cortés derrotara con un ejército tan pequeño a los aztecas y tomara Ciudad de México estaba la peste. En la ciudad se desató una epidemia de peste y los aztecas decidieron que Dios apoyaba a Cortés.» «Muy bien, pues —replicó Nilgün—. Y tú descubrirás esa peste nuestra, la relacionarás con otras cosas y le seguirás la pista.» «Pero ¿y si no existe nada de eso?» «Entonces no le seguirás la pista.» «¿Y qué haré?» «Lo que haces habitualmente. Dedicarte a la historia.» «Me temo que ya no puedo hacerlo.» «¿Por qué no quieres creer que puedes ser un buen historiador?» «Porque sé que uno no puede ser nada bueno en Turquía.» «¡No, hombre!» «¡Claro que sí, ya es hora de que te des cuenta de cómo es este país! Pásame el *rakı*.» «No. Mira qué bonito es todo esto. Vacas. Las vacas de la tía Cennet.» «¡Vacas! —grité de repente—. ¡Estamos rodeados de bueyes! ¡De criaturas vulgares! ¡Que Dios los maldiga!» Luego lancé una carcajada pero probablemente me salió forzada. «Buscas una excusa para dejarte llevar, ¿no?», dijo Nilgün. «En efecto. ¡Vamos, pásame el *rakı*!» «¿Por qué te abandonas de esa manera? ¿No es una pena?» «¿Por qué una pena? ¿Por qué voy a ser distinto a tanta gente que se deja llevar?» «¡Pero usted ha estudiado tanto, señor mío!», dijo Nilgün con voz burlona. «La verdad es que te apetecería decírmelo en serio, pero no te atreves, ¿verdad?» «Sí —contestó Nilgün con voz ahora decidida—. Sí. ¿Por qué tendría uno que abandonarse sin razón alguna?» «Sin razón alguna, no. Seré feliz cuando me abandone por completo. Entonces seré real.» «Ya eres real ahora», respondió dudosa. «Seré auténtico. ¿Me entiendes? ¡Ahora no soy auténtico! En Turquía cualquiera que se domine, que se interrogue continuamente, deja de ser auténtico y se vuelve loco, seguro. ¿Me vas a dar el *rakı*?» «¡Toma!» «¡Ajá, por fin! ¡Y enciende la radio!» «Te gusta presumir de hermano mayor, ¿eh?» «No estoy presumiendo, soy así. ¡Soy turco!» «¿Adónde vas?» «Arriba —le contesté repentinamente excitado—. A un lugar desde donde podamos verlo todo lo mejor posible. Todo junto...» «¿Todo qué?» «Si puedo verlo todo a la vez, quizá...» «¿Quizá qué?», me preguntó Nilgün pero no contesté.

Guardé silencio, guardamos silencio, subimos la cuesta

pasando frente a la casa de İsmail. Giré por el camino a Darica, cruzando ante el cementerio entré en el viejo camino de
tierra que había tras la fábrica de cemento y subimos a sacu-
didas la cuesta que la lluvia había deshecho. Al llegar a lo alto
de la colina comenzó a chispear. Volví el morro del Anadol
hacia el panorama y nos detuvimos como los jóvenes que venían a medianoche desde Cennethisar con sus coches para
besarse y para olvidar que vivían en Turquía. Contemplamos
el paisaje: la costa que se extendía serpenteando entre Tuzla y
Cennethisar, las fábricas, las colonias de verano, los cámpings
para los empleados de los bancos, los olivares y los huertos
de cerezos, que cada vez perdían más terreno, la escuela de
agricultura, la pradera donde había muerto el Conquistador,
una barcaza en el mar, los árboles, las casas y las sombras,
iban quedando cubiertas por una lluvia que se acercaba lentamente hacia nosotros desde el cabo de Tuzla. Veíamos el rostro blanco de la tormenta que avanzaba agitándose sobre el
mar. Llené el vaso con lo que quedaba de la botella de *rakı* y
me lo bebí.

«¡Vas a destrozarte el estómago!», me dijo Nilgün. «En
tu opinión, ¿por qué crees que me abandonó mi mujer?» Se
produjo un breve silencio. Luego Nilgün me respondió con
voz prudente y dudando un poco: «Creía que os habíais
abandonado el uno al otro». «No, ella me dejó a mí. Yo no
podía llegar a donde ella quería... Probablemente comprendió que iba a convertirme en una persona vulgar.» «¡No,
hombre!» «Sí, sí. Mira cómo llueve.» «No lo entiendo.»
«¿Qué? ¿La lluvia?» «No», respondió Nilgün muy seria.
«¿Sabes quién es Edward G. Robinson?» «¿Quién?» «Un actor cuya copia he visto en Turquía. Estoy harto de llevar una
doble vida. ¿Lo entiendes?» «No.» «Si bebieras lo entende-
rías. ¿Por qué no bebes? Crees que la bebida es el símbolo de
la derrota, ¿no?» «No, no lo creo». «Sí, sé que lo crees. ¡Crée-
lo si quieres! Yo ya me he rendido.» «Pero si ni siquiera has
entrado en combate», me dijo Nilgün. «Me rindo porque no
puedo aguantar vivir con dos personalidades. ¿A ti no te pasa

a veces? En ocasiones pienso que soy dos personas distintas.» «¡No, nunca!» «A mí sí. Pero estoy decidido, nunca más me ocurrirá. Seré una sola persona, un todo, un hombre completo y sano. Me encanta lo que ponen en televisión, me encantan los anuncios de neveras repletas y de alfombras, los estudiantes que levantan el dedo en el examen y preguntan "¿Podemos empezar por la segunda pregunta?", las páginas del corazón de los periódicos, los tipos que se besan cuando beben, los anuncios de academias y longanizas en el interior de los autobuses. ¿Lo entiendes?» «Un poco», me contestó ella entristecida. «Si te aburro, me callo.» «No, me lo estoy pasando muy bien.» «Va a llover bien fuerte, ¿verdad?» «Sí.» «Estoy borracho.» «No puedes estar borracho con tan poco.» Cogí una de las botellas de cerveza, la abrí y mientras bebía a morro, le pregunté: «Bueno, ¿y qué piensas viéndolo todo desde arriba?». «Si no se ve todo...», me replicó alegre. «¿Y si pudieras verlo? En el *Elogio de la locura* leí algo: ¿Qué pensaría uno que subiera a la luna, mirara al mundo y pudiera verlo todo a la vez, todo este movimiento?» «Quizá pensara que estaba muy desordenado.» «Sí —de repente recordé algo—. El mismo concepto del caos es confuso.» «¿De quién es eso?» «De Nedim. De la *Glosa a un Gazel de Neşati*. De leerlo tontamente se me ha quedado en la cabeza.» «¡Recita un poco más!» «No puedo hacer gran cosa. ¡No tengo memoria! Además, ahora estoy leyendo a Evliya. ¿Por qué crees tú que no podemos ser como él?» «¿Cómo?» «Ese tipo tenía una sola alma. Conseguía ser él mismo. Yo no puedo. ¿Y tú?» «No lo sé», me contestó. «¡Ah! ¡Qué cuidadosa eres! Te aterroriza dar un paso fuera de lo que dicen los libros. ¡Bravo, sigue creyendo, sigue creyendo! Ellos también creían, aún creen... Pero un día dejarán de hacerlo. Mira, la lluvia ha llegado a la fábrica. ¡Qué lugar tan extraño es el mundo!» «¿Por qué?» «No lo sé... ¿Te estoy aburriendo?» «¡No!» «¡Ojalá nos hubiéramos traído también a Recep!» «No habría venido.» «Es verdad, le habría dado vergüenza.» «Le tengo mucho cariño a Recep», dijo Nilgün. «¡Chops!» «¿Qué?» «El enano tortuoso de una novela de Dickens...» «Hermano mío, no tienes piedad.» «Ayer me dio la impresión de que quería preguntarme algo sobre la historia de Üsküdar.» «¿Qué te preguntó?» «No llegó a preguntármelo, pero en cuanto mencionó Üsküdar se me vino a la cabeza Evliya Çelebi y le expliqué que Üsküdar era una deformación de "eski dar", o sea, una estrecha mazmorra sin techo.» «¿Y qué te dijo?» «Parece que entendió lo de "eski dar", pero entonces Chops se avergonzó y se calló. Pero luego, mira lo que me ha enseñado hoy.» «¡Qué poca compasión tienes!» «¡Una lista escrita por nuestro abuelo!» «¿Nuestro abuelo?» «Una lista de lo que nos sobra y de lo que nos falta de forma absolutamente indispensable aquí en Turquía.» Me alargué para coger el cuaderno. «¿De dónde ha salido ese papel?» «¡Ya te digo que me lo ha dado Recep! —se lo leí—. La ciencia, el sombrero, la pintura, el comercio, el submarino...» «¿Qué?» «Esta es la lista de lo que nos falta...» «Hasan, ya sabes, el sobrino de Recep.» «¿Qué?» «Pues que ese Hasan me sigue continuamente.» «¿Sigo leyendo la lista?» «Te estoy diciendo que me sigue.» «¿Y por qué iba a seguirte...? El submarino, la burguesía, el arte de la pintura, la máquina de vapor, el ajedrez, zoológicos.» «Y no entiendo...» «¡Pero si no sales de casa! ¿Cómo te va a seguir? Fábricas, catedráticos, disciplina. Cómico, ¿verdad?» «¡Cómico!» «No, ¡trágico!» «En fin, cada vez que vuelvo de la playa tengo a Hasan detrás de mí.» «Quizá quiera ser amigo tuyo.» «Sí, eso me dijo.» «¿Lo ves? Escucha entonces, date cuenta de cuántos años antes que nosotros pensó y encontró el buen hombre lo que nos falta.» «¡Pero es tan molesto!» «¿Qué? Zoológicos, fábricas, catedráticos (en mi opinión ya hay suficientes catedráticos), luego, disciplina, matemáticas, libros, principios y además aceras, y con otra pluma escribió: "temor a la muerte y conciencia de la nada", luego conservas, libertad...» «¡Ya basta!» «Y, además, habría que añadir la sociedad civil. Quizá esté enamorado de ti.» «Puede ser.» «Y lo que nos sobra es lo siguiente: hombres, campesinos, funcionarios, musulmanes, soldados, mujeres, niños...» «Eso no me parece nada cómico.» «Cafés, favoritismos, pereza, insolencia, sobornos, apatía, miedo, porteadores...» «Ese tipo ni siquiera era demócrata.» «Alminares con sus balcones, gatos, perros, visitas de cortesía, amigos y conocidos, chinches, juramentos, mala educación, pordioseros.» «¡Basta!» «Tiendas pequeñas, imanes...» «¡Te lo estás inventando!» «No, toma y mira.» «Es caligrafía antigua.» «Recep me lo ha enseñado hoy, me dijo que lo leyera, que se lo había dado nuestro abuelo.» «¿Por qué se lo dio?» «No lo sé.» «Mira la lluvia. ¿No es eso el ruido de un avión?» «¡Sí!» «¡Con este tiempo!» «¡Qué maravilla el avión!» «Sí.» «Ojalá ahora estuviéramos en él.» «Estoy harta. Volvamos.» «Se estrellaría.» «¡Vámonos!» «Se estrellaría, nos mataríamos y veríamos si existe el otro mundo.» «Te estoy diciendo que ya me he cansado.» «Y si existiera me pedirían cuentas. ¿Por qué no cumpliste con tu deber? ¿Y cuál era nuestro deber? Fácil: proporcionar esperanza a la gente.» «¡Eso es verdad!» «Sí, mi hermana pequeña me recordaba ese deber, pero yo me dejé ir.» «No, solo lo aparentabas.» «Lo aparentaba porque estaba harto.» «Si quieres conduzco yo.» «¿Sabes conducir?» «El año pasado me enseñaste en una ocasión...» «¿Existía yo el año pasado?» «Recep nos estará esperando.» «Chops. Me mira de una forma extraña.» «Ya basta, hermano.» «Mi mujer siempre decía lo mismo: ¡ya basta, Faruk!» «No me creo que estés tan borracho.» «Tienes razón, no hay nada en que creer. Vamos al cementerio.» «Volvamos, el camino está totalmente embarrado.» «Podríamos quedarnos años aquí, en el barro.» «Yo me bajo.» «¿Qué?» «Me bajo y vuelvo andando.» «¡No digas tonterías!» «Entonces regresemos.» «Dime lo que piensas de mí.» «Te quiero mucho, hermano.» «¿Qué más?» «No me gusta que bebas tanto.» «¿Qué más?» «¿Por qué eres así?» «¿Qué quiere decir "así"?» «¡Quiero volver a casa!» «No me encuentras divertido, ¿no? ¡Espera, ahora voy a divertirte. ¿Dónde está mi cuaderno? ¡Pásamelo! Mira: los veintiún ásperos de carne de vacuno del carnicero Halil fueron pesados resultando que faltaban ciento veinte dirhems. La fecha, el trece de Zilhicce de 1023. ¿Qué sentido tiene esto?» «Está muy claro.» «El criado İsa pidió refugio a un tal Ramazan llevando consigo treinta mil ásperos, una silla de montar, un caballo, dos espadas y un escudo pertenecientes a su señor Ahmet.» «¡Curioso!» «¿Curioso? ¿Qué es lo curioso?» «Yo me bajo y vuelvo a casa.» «¿Quieres quedarte conmigo?» «¿Qué?» «No digo aquí, en el coche, ahora te hablo muy en serio, escucha: vive conmigo en Estambul en lugar de vivir con nuestra tía, Nilgün. En casa tengo una enorme habitación vacía, estoy muy solo.» Se produjo un silencio. «Ya se me había ocurrido», dijo Nilgün. «¿Y pues?» «Pensé que sería hacerle un feo a la tía.» «Muy bien —dije de repente—, regresamos.» Arranqué el coche y puse en marcha los limpiaparabrisas.

XXV

Estábamos sentados en casa de Turan porque habían decidido que anoche nos habíamos divertido mucho y hoy querían repetirlo.

—¿Alguien quiere chocolate? —preguntó Turgay.

—¡Yo! —respondió Zeynep.

—¡Chocolate! —gritó Gülnur—. ¡Estoy que reviento de aburrimiento! —Se puso en pie furiosa—. ¿Por qué estáis todos así esta noche? La verdad es que ya lo sé: porque sois unos aburridos, por eso. Aquí no hay quien se divierta.

Comenzó a pasear nerviosa y desapareció entre la música lenta que pretendía ser triste y las luces de colores.

Zeynep tenía la boca llena de chocolate. Lanzó una carcajada.

—¡Se ha vuelto loca!

—¡No! —contestó Funda—. Yo también me aburro.

—¡Es la lluvia!

—¡Qué bien estaría pasear en coche en la oscuridad con esta lluvia! ¡Vamos, muchachos!

—¡Por lo menos que pongan otra música! —dijo Funda—. Decías que tenías un disco antiguo, de Elvis Presley...

—¿El *Best of Elvis*? —preguntó Ceylan.

—¡Sí! Anda, tráelo que lo escuchemos.

—¿Con esta lluvia?

—¡Yo tengo coche, Ceylan! —dije de repente—. ¡Te llevo!

—Déjalo...

—Vamos, ve a traer el disco, Ceylan, y lo escucharemos tranquilamente —insistía Funda.

—Vamos, muchacha, levántate y vamos a por ese disco de una vez —dije yo.

—¡Bueno, muchacha! —contestó Ceylan riendo.

Y así Ceylan y yo, los dos juntos, salimos de la casa dejando atrás a aquellos desgraciados que se adormecían envenenándose lentamente con aquella música triste y vulgar y subimos de una carrera al viejo Anadol de mi hermano. Íbamos juntos observando las gotas de lluvia que se desprendían de las hojas de los árboles, la carretera mojada iluminada por los viejos faros comatosos del coche, la oscuridad y los limpiaparabrisas, que susurraban gimiendo. Paré el coche ante la casa de Ceylan. Contemplé cómo ella bajaba del coche y se iba corriendo mientras su falda naranja brillaba a la luz de los faros. Luego, cuando se encendieron las luces de la casa, intenté imaginarme cómo Ceylan pasaba de habitación en habitación y lo que hacía allí. Luego pensé lo siguiente: «¡Qué cosa tan rara eso que llaman amor! ¡Es como si no pudiera vivir el presente! Por un lado pienso incansablemente en cómo será el futuro y por otro vivo en el pasado repasando miles de veces todo lo que ocurre para poder darle un sentido a cada uno de sus movimientos y a cada una de sus palabras. Además, ni siquiera sé si esto es o no ese amor del que presumen todos esos asquerosos. ¡Pero qué importa! ¡Basta con que se acaben de una vez esas noches en vela en que busco la parte fría de la almohada para refrescar mis mejillas y pensamientos ardientes». Poco después Ceylan volvió corriendo con el disco en la mano y subió al coche.

—¡He discutido con mi madre! ¡Que adónde iba a estas horas!

Nos callamos un rato. Pasé por delante de la casa de Turan sin parar el coche.

—¿Adónde vamos? —me preguntó Ceylan preocupada y suspicaz.

—¡Allí me ahogo! —le respondí sintiéndome molesto—. ¡No quiero volver! Paseemos un poco, ¿de acuerdo, Ceylan? Estoy muy aburrido y, además, tomaremos un poco el aire. ¡Vamos a pasear un poco!

—Bueno, pero volvamos pronto, nos están esperando.

Guardé silencio. Conduje tranquilo y feliz por las callejuelas. Al ver las luces mortecinas de la gente modesta que desde las pequeñas terrazas de sus pequeñas casas contemplaban los árboles y la lluvia que amainaba, ¡ah, qué bobo soy!, pensé que también nosotros podríamos ser así, que podríamos casarnos, ¡que incluso podríamos tener hijos! Luego, cuando llegó el momento de regresar, volví a hacer una niñería y en lugar de retornar a casa de Turan saqué el coche del barrio y me metí en la cuesta a toda velocidad.

—¿Qué estás haciendo? —me preguntó.

No le respondí y continué conduciendo sin apartar la mirada de la carretera, como un atento piloto de carreras. Luego, a sabiendas de que comprendería que era mentira, le dije que teníamos que echar gasolina. Me encontraba a mí mismo tremendamente vulgar.

—¡No, volvamos ya! ¡Nos están esperando!

—Quiero quedarme un poco a solas contigo y que hablemos, Ceylan.

—¿De qué? —me replicó con dureza.

—¿Qué piensas de lo que ocurrió anoche?

—¡Nada! Esas cosas pasan. Estábamos los dos borrachos.

—¿Eso es todo lo que tienes que decir? —Me rebelé. Pisé con más fuerza el acelerador—. ¿Eso es todo?

—Vamos, Metin, volvamos. Está feo que les hagamos esperar.

Asqueado de mí mismo y de la vulgaridad de mis palabras le dije con desesperación:

—¡Yo nunca olvidaré la noche de ayer!

—Sí, bebiste demasiado. ¡No creo que vuelvas a beber tanto!

—¡No, no! ¡No por eso!

—¿Y por qué, pues? —me preguntó increíblemente indiferente.

Entonces mi mano tomó descorazonada la suya, que reposaba en el asiento. Su pequeña mano estaba cálida. Como me temía, no la retiró.

—¡Vamos, regresemos!

—Te quiero —le dije avergonzado.

—¡Regresemos!

De repente sentí como si estuviera a punto de llorar y apreté aún más su mano y por alguna extraña razón pensé en mi madre, a la que apenas recordaba, y temí que mis ojos se llenaran de lágrimas y cuando quise abrazarla, gritó:

—¡Ten cuidado!

Un par de faros, potentes, sin compasión, me deslumbraron, se nos echaban encima y rápidamente di un volantazo a la derecha. Junto a nosotros pasó como un tren un largo camión tocando su horrible y estridente claxon con un terrorífico estruendo. Mientras, nervioso, pisaba el freno con todas mis fuerzas, se me olvidó embragar y aquel Anadol de plástico se detuvo con una sacudida y el motor se paró. Solo se oía el canto de los grillos.

—¿Te has asustado? —le pregunté.

—Vamos, volvamos ya, se nos ha hecho tarde —me contestó.

Giré la llave de contacto pero el motor no se puso en marcha. Lo intenté de nuevo, nervioso, pero seguía sin funcionar. Bajé del coche y traté de ponerlo en marcha empujándolo pero se negaba a funcionar. Empujé el coche por aquella recta hasta quedar bañado en sudor. Luego me monté, apagué las luces para no agotar la batería y dejé que el viejo Anadol se deslizara rápido y silencioso por la larga cuesta.

Nos deslizamos cuesta abajo como un barco que avanzara ciegamente en la oscuridad del mar abierto mientras las ruedas producían un agradable sonido en el asfalto mojado según el coche aceleraba. En varias ocasiones intenté ponerlo en marcha pero no funcionó. Un relámpago estalló a lo lejos y cuando el cielo se iluminó intensamente amarillo vimos a los que hacían pintadas en los muros. No frené, pasamos la curva y con la aceleración de la cuesta nos deslizamos hasta el viaducto y desde allí, lentamente, hasta la gasolinera que había en la carretera de Ankara, sin intercambiar palabra. Al llegar a la gasolinera me bajé del coche y fui a la oficina. Desperté al empleado que dormitaba apoyado en la mesa y le conté que el motor de encendido del coche no funcionaba y que el embrague tampoco; le pregunté si había alguien que entendiera de coches Anadol.

—No hay que ser un especialista —me contestó el empleado—. Espera, espera un momento.

Miré sorprendido un cartel de Mobil-Oil que había en la pared: la modelo que sostenía en las manos la lata de aceite se parecía de manera increíble a Ceylan. Regresé desconcertado al coche.

—¡Te quiero, Ceylan!

Estaba fumando muy nerviosa.

—¡Se nos hace tarde!

—Te estoy diciendo que te quiero.

Debíamos de estar mirándonos como estúpidos. Bajé del coche, eché a andar rápidamente como si me hubiera acordado de algo y huí de allí. Me retiré a un rincón oscuro y la observé de lejos: era una sombra que fumaba sobre la que se reflejaba la luz irritante de unos focos de neón que se encendían y se apagaban, todo mi pensamiento se paralizó; tenía miedo, sudaba, veía cómo relucía a menudo la roja brasa de su cigarrillo. Debí de quedarme allí clavado cerca de media hora, observándola y sintiéndome retorcido y asqueroso. Luego fui hasta el puesto de bocadillos de algo más allá, compré una chocolatina de las que más anunciaban por televisión, volví al coche y me senté junto a ella.

—¿Dónde estabas? Me tenías preocupada. Se nos ha hecho muy tarde.

—Te he traído un regalo, mira.

—¡Ah, con nueces! No me gusta...

Le repetí que la quería, pero no solo se trataba de palabras feas, sino también desesperadas: todo era en vano. Lo intenté una vez más y luego, de improviso, mi cabeza cayó sobre la mano que tenía en el regazo. Besé rápidamente, como si temiera perder algo, varias veces, aquella mano que se agitaba nerviosa y después, mientras repetía a toda velocidad las mismas palabras feas y vacías, tomé su mano entre las mías, ¡me sentía tan hundido en la desesperación y en el sentimiento de derrota que no podía distinguir si su sabor salado era de sudor o de lágrimas! Después de besarla y susurrar aquellas palabras absurdas durante un rato más, me incorporé y volví la cabeza hacia el aire fresco para no ahogarme de desesperación.

—¡Nos van a ver! —me decía.

Volví a salir del coche y me fui a contemplar una familia de emigrantes en Alemania que llenaba el depósito de gasolina. Mi cara parecía haber salido de un cubo de sangre. El neón sobre los surtidores debía de estar estropeado porque se apagaba sin cesar. Pensé que uno podía nacer rico o pobre, era una cuestión de suerte, pero aquello te marcaba hasta el fin de tu vida. Ya no me apetecía, pero mis piernas volvieron a conducirme hasta allí y en el interior del coche comenzaron las mismas estupideces interminables.

—¡Te quiero!

—Vamos, por favor, Metin, regresemos.

—¡Por favor, Ceylan, vamos a esperar un poco!

—Si me quisieras de verdad no me retendrías a la fuerza en este lugar perdido.

—Te quiero de verdad.

Luego busqué otras palabras que decir, palabras que sirvieran para mostrarme tal y como era, pero según iba pensando me parecía comprender que las palabras no levantan los velos que nos cubren, sino que nos ocultan más aún. Mientras buscaba con desesperación qué decir vi algo en el asiento trasero y lo cogí: un cuaderno, el borracho de mi hermano debía de haberlo olvidado allí. Lo hojeé a la luz del neón y luego se lo pasé a Ceylan para que no estallara de ira y de aburrimiento y le dije que lo leyera. Leyó un poco mordiéndose los labios y de repente arrojó el cuaderno al asiento de atrás. Cuando llegó el mecánico empujé el coche hasta la parte iluminada y vi la cara inexpresiva y sin compasión de Ceylan bajo aquella luz desnuda.

Mucho después, después de examinar el motor con el mecánico y de que él se fuera a por una pieza que hacía falta, vi de nuevo en la cara de Ceylan la misma expresión imposible e indiferente al volverme a mirarla. Con un extraño deseo de hacernos sufrir para castigarnos, pensé: «¡Así que esta es la juventud de esa pobre criatura a la que llaman ama de casa!». Pero, maldita sea, ¡sigo enamorado de ella! Me alejé un poco del averiado Anadol, bajo la lluvia, que había comenzado de nuevo, me pasaron por la mente ideas extraordinariamente confusas sobre el amor, cubrí de maldiciones a los poetas y cantantes que ensalzaban ese sentimiento de desastre y ruina. Pero después me di cuenta de que ese sentimiento tenía una parte a la que uno se acostumbraba y le atraía y sentí repugnancia: era como si deseara la muerte de alguien a quien conociera de cerca y la quisiera solo por la curiosidad de lo que ocurriría luego, o que ardiera y se desplomara una casa por el mero placer de contemplar el espectáculo, me sentía culpable por aquellas fantasías de degenerado. Me daba cuenta de que según pasaba el tiempo me iba hundiendo más en ese sentimiento de desastre. Como no podía soportar la mirada enfurecida y acusadora de Ceylan, primero me alejé del coche y luego me metí debajo de él acompañando al mecánico. Allí, junto a aquel aprendiz, mientras estaba tumbado en la sucia oscuridad grasienta que cubría el viejo coche, noté que Ceylan estaba cincuenta centímetros por encima de mí y al mismo tiempo muy lejos. Mucho después el coche sufrió una sacudida y desde el lugar en que estaba tumbado vi a mi lado los dulces pies y las preciosas y largas piernas de Ceylan, que se había bajado de él. Sus zapatos rojos de tacón se movieron un poco a izquierda y derecha, se inquietaron y se impacientaron y luego se encaminaron a algún sitio airados y decididos.

Cuando su falda naranja y sus anchas espaldas entraron en mi campo visual, comprendí que se dirigía a la oficina. Salí arrastrándome a toda prisa de debajo del coche porque de repente se me había venido a la cabeza lo que quería hacer, le grité al aprendiz de mecánico: «¡Arréglalo deprisa!» y eché a correr. Al llegar a la oficina Ceylan miraba el teléfono que había sobre la mesa y el adormecido mecánico que se sentaba a ella miraba a Ceylan.

—¡Espera, Ceylan! —grité—. ¡Ya llamo yo!

—¿Ahora se te ocurre? Se nos ha hecho tardísimo. Estarán preocupados, quién sabe lo que habrán pensado... Son las dos...

Seguía hablando pero, gracias a Dios, el mecánico salió de la oficina porque un coche se acercaba a los surtidores y yo me libré de pasar aún más vergüenza. De inmediato abrí la guía y encontré el número de la casa de Turan.

—¡Qué desconsiderado eres! —me decía Ceylan mientras yo marcaba el número—. ¡Qué equivocada me tenías!

Y yo le dije de nuevo que la quería y sin pensar, convencido y confuso, añadí que quería casarme con ella. Pero las palabras ya no podían cambiar nada: Ceylan, de pie junto a la mujer del cartel que tanto se parecía a ella, solo miraba enfurecida: a mí no, al teléfono que sostenía en la mano. No sabía qué me daba más miedo, si el odio de su cara o el mágico parecido con la mujer del cartel de Mobil-Oil. Pero estaba preparado para el desastre inminente. Poco después cogieron el teléfono y, maldita sea, reconocí de inmediato la voz de Fikret.

—¿Eres tú? —pregunté—. Os llamamos para que no os preocupéis por nosotros.

Por otra parte pensaba por qué había tenido que ser él quien cogiera el teléfono habiendo tanta gente en casa de Turan.

—¿Quiénes sois? —dijo de repente Fikret.

—Soy yo, hombre: Metin.

—Ya te he reconocido. ¿Quién está contigo?

—Ceylan —respondí sorprendido.

Por un momento creí asombrado que ambos se habían puesto de acuerdo para burlarse de mí, pero el rostro de Ceylan no tenía la menor expresión y solo me preguntaba de vez en cuando quién había contestado al teléfono.

—Creía que habrías dejado a Ceylan en su casa —me dijo Fikret.

—No, estamos aquí los dos juntos, en la gasolinera. No os preocupéis. ¡Adiós!

—¿Quién es? ¿Con quién estás hablando? —me preguntaba Ceylan—. ¡Dame ese teléfono!

Pero yo no se lo daba e intentaba adelantarme a las repugnantes preguntas de Fikret.

—¿Y qué hacéis en la gasolinera?

—Una pequeña reparación. —Y añadí con toda rapidez—: Ahora vamos, ¡adiós!

Pero Ceylan gritó para que la oyera:

—¡Espera, espera, que no cuelgue! ¿Quién es?

Yo estaba colgando cuando Fikret afirmó con su fría y chirriante voz:

—Parece que Ceylan quiere hablar conmigo.

No tuve el valor suficiente para colgar, por un momento dudé sin saber cómo reaccionar, le pasé el teléfono a Ceylan y salí de la oficina a la oscuridad y a la sucia lluvia con un sentimiento de humillación y desastre.

Después de pasear un rato no pude contenerme, me acerqué a la iluminada oficina y observé a Ceylan, que hablaba por teléfono tirándose del pelo entre estanterías, anuncios y latas de Mobil-Oil y pensé que cuando me fuese a América me olvidaría de todo aquello, pero ya no quiero ir a América. Mientras Ceylan hablaba descargando su peso alternativamente sobre cada una de sus preciosas piernas y balanceándose con nerviosos movimientos, susurré reconcomiéndome: «¡Es más guapa que todas las chicas que he conocido, que todas las que he visto en mi vida!». Esperé allí de pie, bajo la lluvia, como si me preparara tranquilo y desesperado a cumplir con la pena a la que me hubieran sentenciado. Poco después Ceylan colgó y salió muy alegre.

—¡Ahora viene Fikret!

—¡No! ¡Yo te quiero!

Fui corriendo al coche, llamé al aprendiz, le grité y le prometí que si conseguía que el coche funcionara le daría todo el dinero que llevaba en el bolsillo.

—Haré que funcione. Pero este embrague volverá a dejarle tirado.

—¡No, no me dejará! Tú consigue que funcione.

Después de hurgar un poco, me dijo que le diera al contacto. Me subí nervioso al coche y le di al contacto pero no funcionó. Tras trabajar un rato más me dijo que volviera a intentarlo, pero tampoco funcionó. Después de repetirlo varias veces, los nervios, la rabia y la desesperación debieron de perderme.

—¡Ceylan! ¡Ceylan, no te vayas, no me dejes! ¡No te vayas, no me dejes, por favor!

—Estás de los nervios —me replicó.

Cuando poco después el Alfa Romeo de Fikret entró en la gasolinera, recobré la serenidad y me bajé del coche.

—¡Hala! ¡Vámonos de aquí inmediatamente, Fikret! —dijo Ceylan.

—¿Qué es lo que se le ha estropeado a este Anadol? —preguntó Fikret.

—Ahora mismo funciona —le respondí—. Llegaré a Cennethisar antes que él, Ceylan. ¡Si quieres echamos una carrera!

—Muy bien —me respondió desafiante Fikret—. ¡Echemos una carrera!

Ceylan se sentó en el Alfa Romeo de Fikret. Le di rápidamente al contacto y, gracias a Dios, funcionó. Le entregué mil liras al aprendiz y luego otras mil. Después colocamos nuestros coches lado a lado para la carrera.

—Cuidado, Fikret —dijo Ceylan—. Metin está de los nervios.

—¡Hasta casa de Turan! Uno, dos... —contó Fikret.

Y al decir tres nuestros coches saltaron como flechas rugiendo, ahora veremos, muy bien, pisé a fondo el acelerador pero como él había salido antes que yo me había tomado la delantera desde el principio, pero mejor, porque ni con este destartalado Anadol dejo de pisarle los talones, tocando el claxon y dándole en la nuca con las luces largas: ¡no voy a dejarte a solas con él! Al cruzar el viaducto me acerqué aún más y al llegar a la curva al principio de la cuesta piso con más fuerza el acelerador en lugar de frenar porque, quizá sea una idea vulgar y ridícula, sé que para que una chica como tú pueda quererme tengo que ser capaz de arriesgarme a morir, pero, mira tú qué injusticia, estás en el coche de ese cobarde, mira, Ceylan, cómo ha frenado ese gallina al entrar en la curva, se le encienden las luces rojas y cuando quiero adelantarle, el muy canalla no me deja paso, ¿te das cuenta?, y mientras yo me lamentaba de mi mala suerte, Dios mío, de repente me quedé estupefacto: redujo la marcha y aceleró y el Alfa Romeo salió como un cohete, sí, como un cohete, comenzó a subir la cuesta a una velocidad increíble y las luces rojas, cada vez más pequeñas, desaparecieron de la vista en dos minutos. ¡Dios mío! Pisaba el acelerador a fondo pero como lo que conducía era un coche inútil, subía la cuesta saltando en los baches y resoplando como un carro tirado por un caballo y luego, maldita sea, comenzó a gemir y las ruedas dejaron de obedecer al motor por culpa del maldito embrague y cuando apagué el motor para que por lo menos no se quemara, allí me quedé, en medio de la cuesta, en silencio, solo y estúpido. De nuevo solo se oían los malditos grillos.

Tras intentar poner en marcha el motor varias veces comprendí que la única solución que me quedaba para poder alcanzarlos consistía en empujar el coche cuesta arriba y luego hasta más allá de la recta y entonces deslizarme cuesta abajo hasta Cennethisar. Cuando empecé a empujarlo maldiciendo dejó de llover. Poco después estaba bañado en sudor pero intenté empujar un poco más aguantando el dolor de espalda.

Al comenzar de nuevo a chispear, el dolor era ya insoportable. Tiré del freno de mano y pateé el coche con rabia. Luego, esperanzado, le hice unas señas con la mano a un coche que subía la cuesta pero pasó a mi lado sin detenerse tocando el claxon. Tronó a lo lejos y yo volví a empujar. El dolor de espalda me llenaba los ojos de lágrimas. Pensaba en ellos con odio para olvidar el dolor mientras empujaba.

Luego, cuando vi que a pesar de tanto esfuerzo solo había podido avanzar un poco, me mareé, eché a correr por la carretera, llovía con más fuerza, me metí entre los huertos y los cerezos para atajar pero no podía correr entre el barro y en aquella ciega oscuridad. Poco después jadeaba doblado en dos por el dolor en los riñones y en el bazo, tenía los pies hundidos en el barro y cuando oí los ladridos de mal agüero de unos perros, capaces de asustar desde lejos, volví atrás. Me monté en el coche para no mojarme más, me senté y apoyé la cabeza en el volante: te quiero.

Poco más tarde vi que tres individuos bajaban la cuesta charlando y salté del coche entusiasmado para pedirles ayuda. Pero al acercarse las siluetas, les recordé con pánico: el tipo enorme tenía una lata de pintura en la mano, otro tenía bigote y el tercero llevaba chaqueta.

—¿Qué haces aquí a estas horas de la noche? —me preguntó el del bigote.

—Se me ha estropeado el coche. ¿Podéis ayudarme a empujar?

—¿Te has creído que somos caballos? ¿O criados de tu padre? Deslízate cuesta abajo.

—¡Un momento, un momento! —dijo el de la chaqueta—. Ahora le reconozco, señor mío. ¿Se acuerda de nosotros? Esta mañana casi nos atropella.

—¿Cómo? ¡Ah, sí! ¡Erais vosotros! Discúlpame, hombre.

El de la chaqueta habló como si imitara a una mujer y no a mí:

—¡Discúlpame, corazoncito, esta mañana casi te atropello! ¿Y qué habría pasado si nos hubieras atropellado?

—Vamos, muchachos, os vais a mojar —le interrumpió el del bigote.

—Yo me quedo aquí, con este —le replicó el de la chaqueta. Se sentó en el coche—. Vamos, muchachos, venid vosotros también.

Tras un breve momento de duda el del bigote y el de la lata de pintura se metieron en el coche y se sentaron en el asiento de atrás. Yo me senté al volante, junto al de la chaqueta. Fuera llovía con fuerza.

—No molestamos, ¿verdad, corazoncito? —me preguntó el de la chaqueta.

Le sonreí por toda respuesta.

—¡Bravo! Eso me gusta, entiende de bromas. ¡Buen muchacho! Vamos a ver, ¿cómo te llamas?

Se lo dije.

—Encantado, Metin bey. Yo soy Serdar, este es Mustafa y a este animal retrasado mental le llamamos «chacal» pero en realidad se llama Hasan.

—Ten cuidado. Te la vas a volver a ganar —dijo Hasan.

—¿Qué pasa? ¿Qué tiene de malo que nos presentemos? ¿Verdad, Metin bey?

Me alargó la mano. Cuando yo le imité, me la estrechó y comenzó a apretármela con todas sus fuerzas. Estaban a punto de saltárseme las lágrimas y, de pura desesperación, yo también apreté la suya. Solo entonces me soltó.

—¡Bravo! Y eres muy fuerte, aunque no tanto como yo.

—¿Dónde estudias? —me preguntó Mustafa.

—En el Instituto Americano.

—En el instituto de la alta sociedad, ¿eh? —dijo Serdar—. ¡Nuestro chacal está enamorado de una de vuestras niñatas!

—No empieces otra vez —le contestó Hasan.

—¡Espera un momento! Quizá él podría enseñarte la manera. ¡Es uno de ellos! ¿No? ¿De qué te ríes?

—¡De nada! —respondí.

—¡Yo sé de qué te ríes! Te burlas de este pobrecillo porque está enamorado de una niña rica, ¿no?

—Tú también te reías.

—Yo me río si quiero —dijo Serdar—. Soy su amigo y no le miro por encima del hombro, pero tú sí. ¿Qué pasa, so animal, es que no te has enamorado en tu vida?

Me insultó todavía más y como no le respondía se enfadó muchísimo y empezó a revolver furioso el coche por aquí y por allá, abrió la guantera, leyó a gritos los papeles del seguro lanzando carcajadas como si fueran algo cómico y cuando se enteró de que el coche no era mío sino de mi hermano mayor me miró con desprecio.

—¿Qué hacéis en coche con esas chicas a medianoche, eh?

No le contesté. Solo le sonreí maliciosamente como un tipo asqueroso.

—¡Qué sinvergüenzas! ¡Pero hacéis bien! ¿La que iba anoche contigo era tu amiguita?

—No —respondí inquieto—. No lo era.

—No me mientas —dijo Serdar.

Pensé un momento.

—¡Era mi hermana mayor! Nuestra abuela está enferma e íbamos a buscar medicinas.

—¿Y por qué no las comprasteis en la farmacia de la cuesta que hay enfrente de la playa?

—Estaba cerrada.

—¡Mentira! ¡Está abierta todas las noches! ¿O es que ya sabías que el farmacéutico es comunista?

—No lo sabía.

—¿Y qué sabes tú aparte de llevar de paseo a niñas ricas?

—¿Sabes quiénes somos? —intervino de repente Mustafa.

—Sí. Sois de los idealistas.

—¡Bravo! ¿Y sabes cuál es nuestra lucha?

—El nacionalismo y tal.

—¿Qué quiere decir ese «y tal», tío?

—¡Me parece que este muchacho no es turco! —dijo Serdar—. ¡Eh! ¿Eres turco? ¿Son turcos tus padres?

—¡Sí, soy turco!

—¿Y entonces, qué es esto? —Serdar señaló el disco que Ceylan había olvidado y silabeó con dificultad—. *Best of Elvis*.

—Es un disco.

—¡No te pases de listo o vas a cobrar! ¿Y qué pinta este disco maricón en el coche de un turco?

—A mí no me interesa esa música. Se le olvidó a mi hermana en el coche.

—O sea, ¿que tú no vas a discotecas y tal?

—He ido muy poco.

—¿Estás en contra del comunismo? —me preguntó Mustafa.

—¡Claro que sí!

—¿Y por qué? Vamos a ver.

—Ya sabes...

—Nooo... Yo no sé nada. Tú nos lo vas a decir y nosotros nos enteraremos.

—Este amigo es muy vergonzoso, me parece —dijo Serdar—. Se calla...

—¿Eres un cobarde? —preguntó Mustafa.

—¡No creo!

—¡No cree! ¡Qué listillo! Y si no eres un cobarde, ¿por qué no actúas contra esos comunistas de los que tan en contra estás?

—No se me ha presentado la oportunidad. Vosotros sois los primeros idealistas que conozco.

—¿Y qué te parecemos? —me preguntó Serdar—. ¿Te hemos gustado?

—¡Sí!

—¡Eres de los nuestros! ¿Te llevamos con nosotros cuando salgamos mañana por la noche?

—Claro, venid a recogerme...

—¡Cállate, cobarde mentiroso! En cuanto te libres de nosotros vas a ir a la policía, ¿no?

—Tranquilo, Serdar —le dijo Mustafa—. ¡No es un mal muchacho! Mira, ahora nos va a comprar unas invitaciones.

—Preparamos una gala en el Palacio de Exposiciones. ¿Quieres venir?

—¡Claro que sí! ¿Cuánto es?

—¿Alguien te ha hablado de dinero?

—¡Basta ya, Serdar! Si el muchacho quiere pagar, que pague. ¡Será una ayuda!

—¿Cuántas quiere, señor mío? —me preguntó Serdar muy educadamente.

—Por valor de quinientas liras.

Estaba sacando a toda velocidad un billete de quinientas liras de la cartera cuando Mustafa me preguntó:

—¿Es de piel de serpiente esa cartera?

—¡No!

Le alargué inquieto el billete a Serdar, pero no lo cogió.

—Déjame que vea esa piel de serpiente.

—¡Ya os he dicho que no es serpiente!

—¡Que me des esa cartera para que la vea, hombre!

Le entregué la cartera con el dinero que había ahorrado trabajando todo un mes sufriendo el calor del verano.

—¡Bravo! —dijo Serdar—. No es serpiente, pero, esta cartera... Nos has engañado.

—Dámela que la vea, yo entiendo de eso —dijo Mustafa. Cogió la cartera y la registró—. ¿Te hace falta esta agenda? No... ¡Cuántos conocidos tienes! Y todos con teléfono... Alguien que conoce a tanta gente no necesita llevar carnet de identidad para darse a conocer. Me lo quedo... ¡Doce mil liras! ¿Todo este dinero te lo da tu papá?

—No, lo he ganado yo. Doy clases de inglés y de matemáticas.

—¡Mira, chacal, justo a tu medida! —intervino Serdar—. ¿Le darás clase también a él? Gratis, claro...

—Por supuesto —respondí y entonces me di cuenta de qué Hasan era aquel Hasan a quien llamaban el chacal.

—¡Bravo! —dijo Mustafa—. Ya sabía yo que eras un buen muchacho. Y con estas doce mil liras puedes comprar veinticuatro invitaciones. Las puedes repartir entre tus amigos.

—Por lo menos dejadme mil liras —le pedí.

—¡Ojo que nos estás poniendo nerviosos! —gritó Serdar.

—No, si no se queja, nos das las doce mil liras por propia voluntad, ¿no?

—¡Te está hablando a ti, enteradillo!

—¡Basta, Serdar! ¡Deja tranquilo al muchacho!

—¿Y qué es este cuaderno? —Serdar abrió el cuaderno de Faruk, que había encontrado en el asiento de atrás y leyó—: «Una aldea de diecisiete mil ásperos en las cercanías de Gebze, que previamente había pertenecido al caballero Ali, le fue confiscada por no haber acudido a la guerra y le fue entregada a Halil...». ¿Qué es esto? ¡No hay quien lo lea! «La denuncia de Veli contra Mahmut, que no le había pagado la mula que le había comprado...»

—¿Qué es todo esto? —preguntó Mustafa.

—Mi hermano es historiador.

—¡Pobrecillo! —dijo Serdar.

—Bueno, vámonos, está dejando de llover —dijo Mustafa.

—¡Por lo menos devolvedme el carnet!

—¿Qué quiere decir por lo menos, hombre? —preguntó Serdar—. ¿Es que te hemos tratado mal? ¡Responde! —Miró por el coche como si ahora sí quisiera hacer algo malo y vio el *Best of Elvis*—. ¡Esto también me lo llevo! —Cogió el cuaderno de Faruk—. ¡Y la próxima vez conduce despacio y no te creas que la gente es criada de tu padre! ¡Asqueroso miserable!

Dio un portazo y desapareció con los otros. Cuando consideré que se habrían alejado lo suficiente, bajé del coche y comencé a empujar el Anadol cuesta arriba.

XXVI

—¡Le hemos dado una buena lección a ese miserable! —dijo Serdar.

—Te has pasado —respondió Mustafa—. ¿Y si va a la policía?

—No irá. ¿No lo has visto? El tipo es un cobarde.

—¿Por qué has cogido el disco y ese cuaderno?

Entonces lo vi, Nilgün: Serdar se había llevado el disco que se te había olvidado en el coche y el cuaderno de Faruk. Al llegar al barrio de abajo se detuvo debajo de una farola y examinó la portada del disco.

—¡Porque me pone enfermo que crea que todos somos criados de su padre!

—Has hecho mal. Le has enfurecido para nada.

—Si queréis —les propuse yo entonces—, dadme el disco y se lo llevo de vuelta al coche.

—¡Este tío es subnormal! —gritó Serdar.

—¡Eh! —le interrumpió Mustafa—. No vuelvas a llamar subnormal ni chacal a Hasan delante de nadie.

Serdar se calló. Caminamos cuesta abajo sin hablar. Pensé que con las doce mil liras que Mustafa llevaba en el bolsillo uno podía comprarse la navaja con cachas de nácar que había visto en Pendik y unos zapatos de invierno de piel con suela de goma. Si le añadías un poco más hasta podrías comprarte una pistola. Se detuvieron al llegar al café.

—Bueno —dijo Mustafa—, ya es hora de que nos separemos.

—¿No vamos a continuar pintando?

—No, va a seguir lloviendo y nos mojaríamos. Esta noche quédate tú con la pintura y las brochas, Hasan, ¿de acuerdo?

Ambos bajarán a sus casas y yo volveré a subir la cuesta y 12.000:3 = 4.000 liras. Y, además, están el disco de Nilgün y el cuaderno.

—¿Qué pasa? —me preguntó Mustafa—. ¿Por qué te has quedado tan callado? Vamos a separarnos. —Luego, como si se le hubiera ocurrido de repente—: ¡Ah! Toma, Hasan, tabaco y cerillas, para que fumes.

No iba a aceptarlo pero me miró de tal manera que lo cogí.

—¿No me das las gracias?

—Gracias.

Se dieron media vuelta. Les miré un poco a sus espaldas. ¡Con cuatro mil liras se pueden comprar muchas cosas! Cruzaron por la parte iluminada frente a la panadería y se perdieron en la oscuridad. De repente grité: «¡Mustafa!», y oí que sus pasos se detenían.

—¿Qué hay? —gritó a su vez.

Esperé un momento y luego corrí junto a ellos.

—¿Puedo llevarme el disco y el cuaderno, Mustafa? —le pregunté sin aliento.

—¿Y qué vas a hacer con ellos? —dijo Serdar—. ¿De verdad vas a devolvérselos?

—Solo quiero eso. Dádmelos y con eso me basta.

—Dáselos —ordenó Mustafa.

Serdar me entregó ambas cosas.

—¿Eres imbécil?

—¡Calla! —le interrumpió Mustafa y luego se volvió hacia mí—. Mira, Hasan, hemos decidido usar estas doce mil liras para los gastos de por aquí, no vayas a creerte nada malo. Además nos tocaría a muy poco. Toma ahora mismo las quinientas liras que te corresponden si quieres.

—No. Que todo vaya a la asociación, que se emplee en la lucha. Yo no quiero nada para mí.

—¡Pero bien que te llevas el disco! —gritó Serdar.

Aquello me dejó tan sorprendido que acepté las quinientas liras que me ofrecían y me las metí en el bolsillo.

—Muy bien —continuó Serdar—. Ya no tienes ningún derecho sobre estas doce mil. ¡Espero que no se lo cuentes a nadie!

—¡Claro que no! —respondió Mustafa—. No es tan tonto como te crees. Es listo como un duende pero no lo aparenta. Mira cómo ha vuelto para llevarse lo suyo.

—¡Qué tipo tan retorcido!

—Hala, vámonos —dijo Mustafa y dieron media vuelta y se marcharon.

Les miré un poco a sus espaldas y oí que hablaban entre ellos. Quizá se estuvieran burlando de mí. Les observé un rato más y luego encendí un cigarrillo, volví atrás y subo la cuesta con la pintura y las brochas en una mano y el disco y el cuaderno en la otra. Mañana por la mañana iré a la playa y si Mustafa viene me verá y si no viene o no me ve por la tarde le diré: «Esta mañana fui a vigilar a la muchacha, Mustafa, pero tú no viniste». Así comprenderá que he aprendido lo que es la disciplina. ¡Malditos sean todos!

Después de subir un poco más por la cuesta, me sorprendió oír los gritos de Metin: allí, delante de mí, en algún lugar de aquella oscuridad sin fin, Metin maldecía a solas. Me acerqué pisando cuidadosamente el asfalto mojado e intenté verlo pero solo pude oír que soltaba un chorro de palabrotas como si ante él tuviera a alguien atado de pies y manos. Luego me asustó un extraño ruido de plástico, me aparté a la cuneta y al acercarme comprendí que estaba pateando el coche. Lo pateaba insultándolo como un jinete enfurecido que golpeara su caballo, pero el coche no le respondía como esperaba y era como si por esa razón lo maldijera aún más. Pensé cosas extrañas. ¿Y si voy a darle una paliza a Metin? Pensé: tormentas, muertos, terremotos. Soltaría lo que llevaba en las manos y le atacaría de repente: ¿por qué no me has reconocido? ¿Por qué me has olvidado? Así son las cosas: ellos son gente importante, tú les conoces, observas de lejos todo lo que hacen, te sabes al dedillo toda su vida y ellos ni te reconocen y siguen viviendo sus vidas sin que les importes lo más mínimo. Un día sabrán quién soy, lo sabrán... Dejé que el pobrecillo pateara su coche. Crucé por el huerto embarrado para que no me viera y al subir me di cuenta. ¡Yo creía que maldecía por el dinero que le habíamos quitado y por su coche estropeado y era por una chica! La insultaba una vez y otra usando esa palabra que se utiliza para las mujeres que se venden a sí mismas. A veces esa palabra me da miedo, esas mujeres son terribles, no me gustan, lo olvido. Seguí andando.

Pensé que quizá ella fueras tú, Nilgün, o quizá sea alguna otra. ¡Qué palabra tan fea! A veces las mujeres me dan miedo. Son incomprensibles, como si tuvieran unos pensamientos oscuros que nunca puedes conocer, en ciertos aspectos son tan escalofriantes que si te atrapan solo te espera el desastre: se parecen a la muerte, pero como si se hubiera puesto una cinta azul en el pelo y te sonriera, la muy asquerosa. Me asustó un relámpago que iluminó amarillísimo el cielo a lo lejos. ¡Nubes, tormentas oscuras, pensamientos que no puedo comprender! Es como si todos fuéramos esclavos de alguien a quien no conociéramos, a veces intentamos rebelarnos, pero luego nos da miedo: ¡que puede lanzar sobre mí relámpagos, rayos y lejanos desastres desconocidos! Entonces me digo que debería bastarme con vivir bajo la tranquila luz de mi casa, sin rebelarme ni saber. ¡Me da miedo el pecado! Como a mi pobre padre el lotero.

Cuando vi que las luces de casa todavía estaban encendidas comenzaba a chispear de nuevo. Me acerqué a la ventana a mirar y vi que no solo era mi padre quien velaba, sino también mi madre. ¿Qué le había dicho ese cojo sobre mí para impedir que mi pobre madre duerma? De improviso se me vino a la cabeza: ¡el tendero se lo ha contado todo! Ese gordo ridículo habrá ido enseguida a verle: «İsmail —le habrá dicho—, tu hijo ha venido esta mañana a la tienda, ha roto y ha tirado todos los periódicos y las revistas, me lanzó todo tipo de amenazas. ¡Quién sabe con quiénes anda liado! ¡Está rabioso!». «¿Cuánto? —le habrá preguntado mi padre el lotero, que no entiende otra cosa que no sea el dinero—. ¿A cuánto ascienden los daños?», y le habrá pagado el precio de esos repugnantes periódicos sin motivo alguno.

No, sin motivo, no: para restregármelo a gusto por las narices esta noche, eso si puedes encontrarme, claro. Como no me decidía a entrar permanecí de pie allí un rato. Miré por la ventana observando a mis padres. Luego, cuando comenzó a llover, dejé la pintura, el disco de Nilgün y el cuaderno de Faruk bajo el alféizar de mi ventana, que estaba cerrada, y me quedé allí, al pie del muro, pensando mientras contemplaba la lluvia. Ahora llovía muy fuerte.

Mucho después, después de que comenzara a llover a cántaros y pensara en Metin, cuando los canalones que mi padre había instalado con sus propias manos en el tejado se desbordaron incapaces de encauzar el agua de la lluvia, miré con cuidado por la ventana y vi que mi pobre madre corría otra vez de un lado a otro bajo el techo lleno de goteras colocando aquí y allá cubos y palanganas de plástico. Luego se acordó también de mi habitación porque la parte entre las alas del águila del techo gotea justo sobre mi cama. Encendió la luz y dobló el colchón. Yo la miraba.

Cuando empezó a amainar comprendí que no había pensado en ellos ni en nadie más sino solo en ti, Nilgün. Estás acostada en tu cama, quizá te haya despertado el alboroto de la lluvia y miras por la ventana, cuando truena sientes un escalofrío y piensas. Por la mañana, cuando deje de llover y salga el sol, irás a la playa, yo te estaré esperando y por fin me verás, hablaremos y te contaré, te contaré una historia larga, larguísima: la vida. Te quiero.

Pensé en otras historias: cuando se tiene fe, uno puede convertirse en alguien completamente diferente. Pensé en todos los países lejanos, en vías férreas interminables, en las selvas de África, en el Sahara, en los desiertos, en lagos helados, en los pelícanos y leones del libro de geografía, en los bisontes que he visto en la televisión y en las hienas que los acosan y los destrozan, en los elefantes de las películas, en la India, en los pieles rojas, en los chinos, en las estrellas, en combates espaciales, en todas las guerras, en la historia, en nuestra historia, en el poderío de nuestros tambores y el miedo de los infieles al oírlos. Uno puede convertirse en alguien completamente diferente, sí. No somos esclavos: me desharé de todos los miedos, romperé las normas y las fronteras, avanzaré hacia mi objetivo, las banderas flamean. ¡Espadas, cuchillos, pistolas, poder! Soy otro, ya no soy el del pasado, no tengo recuerdos, sino solo futuro. Los recuerdos son para los pobres, para adormecerles. ¡Que duerman ellos! Pensé.

Pensé en todo aquello y como sé que no tengo la fuerza suficiente como para olvidarlo del todo, cogí el cuaderno y el disco en lugar de dejarlos bajo el alféizar y eché a andar. Ahora que me había puesto en marcha me parecía caminar entre aquella oscuridad cuyo fin ya podía ver, hacia algún lugar poco claro pero que ya no me resultaba desconocido. El agua corría cuesta abajo. Olía a lluvia. Primero me dije que contemplaría una última vez el barrio de abajo: miraré una última vez las luces, los jardines artificiales y tan bien cuidados, el cemento liso y sin alma, las calles despreocupadas y pecadoras ahora que no hay nadie bajo las farolas, una última vez miraré por una de esas ventanas para no volver hasta el día de la victoria. Nilgün, quizá no duermas y estés mirando la lluvia por la ventana y, al estallar un relámpago e iluminarse todo en azul, quizá me veas, bajo el chaparrón, de pie, empapado, contemplando tu ventana a medianoche. Pero fue como si me diera miedo y no pude ir. Porque al bajar la cuesta me di cuenta de que a esa hora podía encontrarme allí con algún sereno: «Hijo, ¿qué haces aquí a estas horas? Vamos, lárgate, este lugar no es para ti». «¡Muy bien!»

Di media vuelta y pasé medio dormido por delante de mi propia casa como quien cruza un barrio extraño y seguí subiendo. La luz de mis padres aún estaba encendida. ¡Qué pobre la pálida y mísera luz de nuestra casa! No me vieron. Caminé por la recta y cuando comencé a bajar por el otro lado algo me sorprendió de repente: Metin todavía empujaba su coche en la oscuridad, maldiciendo y gimiendo. Yo creía que ya se habría marchado. Me detuve y le observé de lejos como si sintiera miedo pero con curiosidad, como si contemplara un extraño país que pisara por primera vez y a uno de sus extraños habitantes, y también porque ese miedo me atraía. Luego creí que estaba llorando, soltaba unos gemidos ahogados que daban pena. Me compadecí de él y me acerqué porque recordé nuestra amistad de la infancia y porque olvidé que esa gente se pasa la vida acusando a los demás.

—¿Quién hay ahí?

—Soy yo —le respondí—. Metin, hace un rato no me reconociste. ¡Soy yo, Hasan!

—¡Al final te reconocí! ¿Venís a devolverme el dinero?

—¡Vengo yo solo! ¿Quieres que te lo devuelvan?

—¡Me habéis robado mis doce mil liras! ¿O es que no te habías enterado?

No le respondí. Nos callamos un rato.

—¿Dónde estás? —gritó después—. ¡Sal que te vea la cara!

Dejé en un lugar seco el disco y el cuaderno y me acerqué.

—¿No vienes a devolverme el dinero? ¡Sal!

Al aproximarme vi su cara sudorosa y triste. Nos miramos.

—No. Yo no tengo el dinero.

—¿Para qué has venido entonces?

—¿Estabas llorando hace un momento?

—Te equivocas. Es el cansancio... ¿Para qué has venido?

—¡Qué buenos amigos éramos de niños! —Y sin que me contestara, añadí—: Metin, si quieres te ayudo.

—¿Por qué? —dijo primero, pero luego—: Bueno, empuja entonces.

Empujé. Poco después, cuando el coche se movió y empezó a subir, me pareció que a mí me alegraba más que a él. Un extraño sentimiento ese, Nilgün. Pero cuando vi lo poco que habíamos avanzado me fastidió bastante.

—¿Qué pasa? —preguntó Metin, y tiró del freno de mano.

—¡Para! Descansemos un rato.

—Vamos. Es muy tarde.

Volví a empujar el coche pero no avanzamos mucho. ¡No parecía algo con ruedas sino una enorme roca! Descansé un poco y le iba a proponer que descansáramos aún un rato más cuando soltó el freno de mano. Empujé para que el coche no se deslizara hacia abajo pero enseguida dejé de hacerlo.

—¿Qué pasa? ¿Por qué no empujas?

—¿Y por qué no empujas tú?

—¡Pero si ya no tengo fuerzas!

—¿Por qué tanta prisa? ¿Adónde quieres ir a estas horas de la noche?

No me respondió. Solo miró la hora en su reloj y soltó unas palabrotas. Ahora también él empujó conmigo, pero no avanzamos nada. Nosotros empujamos el coche cuesta arriba, él parece empujarnos a nosotros cuesta abajo y nos quedamos donde estamos. Por fin adelantamos unos pasos pero se me habían quitado las ganas de seguir y lo dejé. Me metí en el coche cuando de nuevo comenzó a llover. Metin se sentó a mi lado.

—¡Vamos!

—¡Ya irás mañana a donde quieras ir! —le respondí—. Ahora podemos hablar un poco.

—¿De qué?

Guardé silencio un rato y luego dije:

—¡Qué noche tan rara! ¿Te dan miedo los relámpagos?

—¡No! Vamos a empujar un poco más.

—A mí tampoco. Pero cuando uno lo piensa siente escalofríos, ¿sabes?

No dijo nada.

—¿Fumas? —Saqué el paquete de tabaco y se lo ofrecí.

—No. Vamos, empujemos un poco.

Bajamos del coche, empujamos todo lo que pudimos y cuando ya estábamos empapados volvimos a meternos en él. Le pregunté de nuevo adónde quería ir pero como respuesta él solo me preguntó a su vez por qué me llamaban «chacal».

—¡Olvídalo! Son unos imbéciles.

—Pero vas con ellos. Me atacasteis juntos.

Entonces pensé si contárselo todo o no. Contárselo todo, pero tenía la impresión de no saber qué era ese todo. No porque no lo tuviera perfectamente claro en la cabeza, sino porque no sabía por dónde empezar. Porque tenía la impresión de que si encontraba el principio me vería obligado a castigar al pecador que cometió el primer pecado y no me apetecía recordar a ese primer responsable porque no tenía la menor gana de mancharme las manos de sangre en ese momento. Sé que tengo que empezar por él, pero yo, Nilgün... Mañana por la mañana te lo explicaré. Pero ¿por qué esperar a mañana? «Ahora —pensé—, sí, ahora Metin y yo empujaremos este Anadol y luego iremos juntos cuesta abajo y cuando lleguemos a vuestra casa Metin te despertará y entonces, mientras tú me escuchas en la oscuridad con tu camisón blanco, te explicaré el peligro en que estás: "Creen que eres comunista, amor mío, ven, huyamos, ven, vámonos, están por todas partes, ¡y qué fuertes son!, pero en el mundo debe de haber algún lugar donde podamos vivir juntos, lo creo firmemente, sé que hay un sitio...".»

—¡Vamos a empujar!

Nos bajamos aunque seguía lloviendo y empujamos. Él lo dejó poco después pero yo seguí empujando con la impresión de ser más fuerte gracias a mis convicciones pero, como decía, más que un Anadol era como si se tratara de una roca. Lo dejé cuando me cansé pero Metin me miraba de manera acusadora. Cuando me metí en el coche para no mojarme, me dijo:

—¡Les llamas imbéciles pero vas con ellos! Mi dinero no se lo llevaron solo ellos dos, sino vosotros tres.

—Paso de ellos. ¡No les hago caso!

No me miró con miedo, continuaba acusándome.

—¡No me he quedado ni con un céntimo de esas doce mil liras, Metin! ¡Te lo juro!

Pero no me miraba como si le hubiera convencido. Quise estrangularle. Las llaves del coche seguían puestas en el contacto. ¡Ah, si supiera conducir! ¡Cuántas carreteras hay en el mundo! ¡Qué países, qué ciudades, qué mares lejanos!

—¡Vamos, baja y empuja!

Salí sin pensármelo y empujé bajo la lluvia que caía a chorros. Metin no empujaba, simplemente miraba como un señor, con los brazos en jarras. Me cansé y dejé de empujar, pero no tiró del freno de mano. Prácticamente le grité para que pudiera oír mi voz a pesar de la lluvia:

—¡Estoy cansado!

—¡No! ¡Todavía puedes empujar más!

—¡Lo dejo! —chillé—. ¡Se va a ir para atrás!

—¿A quién le puedo pedir cuentas de mi dinero?

—¿Si no empujo vas a ir a la policía?

Como no me contestó, empujé un poco más pero la cintura me dolía de tal manera que creí que iba a partírseme en dos. Por fin tiró del freno de mano. Entré en el coche. Estaba totalmente empapado. Encendí un cigarrillo y me callé de repente cuando un rayo tremendo cayó justo delante de nuestras narices con una brillante explosión que iluminó de forma increíble el cielo y la tierra.

—¿Te has asustado? —me preguntó Metin.

Guardé silencio. Me lo preguntó de nuevo. Guardé silencio.

—¡Ha caído ahí! —pude decir por fin—. ¡Aquí mismo!

—No. Ha caído muy lejos, quizá incluso en el mar. No tengas miedo.

—No quiero empujar más.

—¿Por qué? ¿Porque te has asustado? ¡Estúpido! Pero si no volverá a caer tan cerca. ¿No os lo han enseñado en la escuela?

No le respondí.

—¡Cobarde! —gritó—. ¡Pobre cobarde ignorante!

—Me vuelvo a casa.

—Bien. ¿Y qué pasa con mis doce mil liras?

—¡Pero si yo no las he cogido! Te lo juro...

—Eso se lo explicarás a otros mañana. Se lo explicarás a la policía.

Me alegró darme cuenta de que nos estábamos acercando al final de la cuesta cuando me bajé del coche con la cabeza entre los hombros para protegerme la nuca y comencé a empujar de nuevo. Metin se había bajado del coche pero ya ni se molestaba en aparentar que empujaba para darme aliento. Se contentaba con repetir maquinalmente de vez en cuando «Vamos, vamos» como para darme fuerzas y luego insultaba a esa, quién sabe quién, a la que llamaba puta, pero debían de ser dos o tres porque decía «Ya os enseñaré». Por fin lo dejé, porque no soy, esto... Como decía Serdar... ¡Sí! ¡No soy un criado!

—¿Quieres dinero? —me propuso entonces—. Te daré cuanto quieras. Pero sigue empujando ese coche.

Empujé porque ya habíamos llegado al final de la cuesta. Cuando no pude soportar más el dolor de la cintura me detuve un poco para que me corriera la sangre por el corazón y me entrara aire en los pulmones, pero él seguía gritando, insultando, aullando. ¡Iba a darme mil liras! Empujé un poco más confiando en mis últimas fuerzas. Dos mil liras, dijo. Bueno, empujé y no quise responderle que si ahora resultaba que los compañeros le habían dejado algo como para prometer tanto. Al llegar a la recta me paré para descansar pero se impacientó y otra vez se enfadó, nervioso. Decía palabrotas y ya no me hacía ni caso. Pensé que acaso volvería a patear el coche. Luego hizo algo extraño que me asustó: volvió la cara a la lluvia y comenzó a maldecir al cielo oscuro, como si le maldijera a Él. También me dio miedo lo que se me pasó por la cabeza entonces y empujé el coche para no pensar más. Empujé, empujé mientras el cielo, ¡qué cerca allí en lo alto de la colina!, tronaba y de nuevo se iluminaba azulísimo y otra vez sonaban terribles truenos y la lluvia, de un increíble azul marino, me chorreaba por el pelo y por la frente y me entraba en la boca. Dios mío, cerré los ojos para no ver los relámpagos cada vez más frecuentes y empujé volviendo la cara al suelo como un esclavo ciego, soy un pobrecillo que ha olvidado todo lo que piensa, nadie puede acusarme de nada ni castigarme, porque, mira, me someto y ni siquiera tengo noticia de lo que son el pecado y la culpa. Empujaba sintiendo un extraño entusiasmo según el coche aceleraba. Por fin Metin se montó en él y agarró el volante. Yo oía cómo aún maldecía aullando, como una vieja que ya no sabe de qué protesta, como aquel anciano carretero que maldecía a sus caballos, pero al mismo tiempo como si le maldijera a Él. ¡Como si no fuera Él quien hace tronar el cielo! ¿Quién te crees que eres? ¡Me niego a ser cómplice de las blasfemias de nadie! Me detuve, ya no empujo más.

Pero el coche se deslizó por sí solo un rato. Le miré alejarse lentamente, como si mirara un barco, silencioso y terriblemente oscuro que avanzara sin que nadie lo gobernara. La lluvia había amainado. Al mirar el coche que se alejaba se me ocurrió algo: era como si Él nos separara para que no me afectara a mí el castigo que iba a infligirle. Pero el coche se detuvo después de marchar un poco más. Cuando el cielo se iluminó, vi que Metin se bajaba.

—¿Dónde estás? —gritó como si aullara—. ¡Ven aquí que vas a empujar!

No me moví.

—¡Ladrón! —chilló a la oscuridad—. ¡Ladrón sinvergüenza! ¡Escápate, vamos, huye!

Esperé quieto un poco. Temblaba de frío. Luego eché a correr y llegué junto a él.

—¿No tienes temor de Dios? —le grité.

—Y si tú lo tienes, ¿por qué robas? —me respondió.

—¡Yo claro que le temo! Tú miras al cielo y le maldices. Un día te castigará.

—¡Estúpido ignorante! Te ha asustado el rayo de hace un momento, ¿no? Cuando estalla un relámpago te dan miedo las sombras de los árboles, te dan miedo el cementerio, la lluvia, la tormenta, ¿no? ¡Un tipo tan grande! ¿En qué curso estás? ¡Ignorante! Voy a explicártelo: ¡Dios no existe! ¿De acuerdo? Ahora ven y empuja. Te daré dos mil liras.

—¿Y adónde vas a ir luego? ¿A vuestra casa?

—Y te llevaré. Te llevaré a donde quieras si por fin al coche le da la gana de ir cuesta abajo.

Empujé, Nilgün. Él saltó al coche y esta vez no maldijo con furia sino como el carretero que maldice a sus caballos por pura costumbre. Cuando poco después el coche comenzó a acelerar pensé que el principio de la cuesta comenzaba poco más allá y el coche arrancaría y entonces se me vino algo a la cabeza: ¡Metin también está asqueado y harto de todo! Subiré al coche, pondremos la calefacción y nos calentaremos. Luego te recogeré y nos iremos lejos, o nos largaremos a cualquier otro sitio por lo menos. Pero cuando el coche comenzó a descender la cuesta el motor no hizo el menor sonido, simplemente se alejaba con el extraño silencio que producían las ruedas en el asfalto mojado. Entonces corrí y lo alcancé con la intención de saltar al interior, pero la puerta tenía puesto el seguro.

—¡Abre! ¡Abre, Metin, la puerta está cerrada! ¡Abre y llévame a mí también! ¡Párate!

Pero probablemente no me oía porque otra vez comenzó a maldecir con furia. Corrí todo lo que pude golpeando las ventanillas, jadeando entre gemidos como si me ahogara, pero poco después aquella cosa de plástico con ruedas me adelantó y se largó. No obstante, corrí detrás gritando, pero ni el coche se detuvo, ni Metin tampoco. Corrí detrás del coche, que encendió sus luces silenciosamente iluminando los huertos y los jardines y que tomaba las curvas patinando, hasta abajo, hasta que se perdió de vista. Luego me paré y miré a mi alrededor.

Pensé.

Cuando los dientes empezaron a castañetearme, me acordé: tu disco, Nilgün, se ha quedado allí atrás, al otro lado de la cuesta. Di media vuelta y subí corriendo para calentarme por donde había venido, pero me dio igual porque la camisa se me pegaba al cuerpo. Continuamente metía los pies en los torrentes que formaba la lluvia. Eché a correr de nuevo cuando llegué al sitio donde creía que había dejado el disco y no lo encontré. Temblaba cuando estallaba un relámpago y tronaba, pero no de miedo, sino porque tenía frío. Cuando me quedé sin aliento sentí otra vez el dolor de la cintura. Subía y bajaba corriendo, me detenía temblando a cada paso, pero el disco no aparecía.

Se me ha olvidado cuántas veces subí y bajé la cuesta hasta encontrar el disco poco después de que saliera el sol. Estaba a punto de desmayarme del cansancio y la tiritona cuando comprendí que una de aquellas siluetas que tantas veces había visto y descartado eran aquel disco y aquel cuaderno estúpidos. Pensé que alguien me había jugado una mala pasada: debía de ser uno que todo lo llevaba en secreto y que había decidido que me correspondía llevar una vida de esclavo. Quise aplastar con mi pie la cara de ese americano maricón de *Best of Elvis*. De hecho ya estaba hecho papilla con la lluvia. Así se pudra, así se pudra, ¡así se pudran todos! Pero no lo pisoteé, ¡voy a devolvértelo!

El primer vehículo del día, el camión de la basura de Halil, subía la cuesta, el rojo del sol naciente le daba por detrás y yo me aparté de la carretera y me metí entre los huertos. Subí por el camino del cementerio, doblé al terminar el muro y continué por el sendero que seguíamos mi madre y yo cuando era pequeño. Antiguamente yo tenía por allí un refugio, entre el almendro y las higueras.

Recogí ramas y hojas aunque me fue difícil encontrarlas secas. Por fin pude encender fuego cuando arranqué algunas hojas del cuaderno de Faruk. Brotaba un humo azul y ligero que nadie podría ver. Me quité la camisa y los pantalones, prácticamente metí en la hoguera mis zapatillas de suela de goma y me quedé allí quieto. Me gustó poder calentarme. Miré complacido mi cuerpo completamente desnudo mientras las llamas se reflejaban en él desde abajo. ¡No le temo a nada! Observé mi pito tieso allí entre las llamas. Era como si mi cuerpo perteneciera a otro hombre: moreno por el sol, saludable, ¡como el acero, tenso como un arco! Pensé: soy un hombre, soy capaz de todo, ¡temedme! Aunque el fuego me queme un poco el vello, no me ocurrirá nada. Después de permanecer allí de pie un rato más, me aparté de la hoguera para buscar ramas con que alimentarla, se levantó una brisa fresca, sentí un escalofrío cuando se me enfrió el trasero y pensé: no soy una mujer ni un maricón, ellos son los que tienen miedo. Seguí pensando. Después de que las llamas se reavivaran, me metí entre ellas y pensé mirándome el pito en todo lo que podría hacer, en la muerte, en el miedo, en el fuego, en otros países, en armas, en los pobres, en los esclavos, en la bandera, en el país, en el diablo, en la rebelión, en el infierno.

Luego sequé la funda del disco, que se había convertido en una masa húmeda sosteniéndola sobre las llamas. Mi ropa ya se había secado, así que me vestí. Pensando en todo lo anterior me tumbé en un rincón libre de barro.

Me quedé dormido de inmediato. Al despertarme sabía que había soñado, pero no recordaba qué. Algo cálido. El sol estaba ya muy alto. Me levanté al momento y eché a correr. Quizá ya no me diera tiempo. Estaba un poco desconcertado.

Mientras bajaba la cuesta a toda velocidad cruzando por delante de nuestra casa con tu disco en la mano, a mi lado pasaban los asquerosos coches de la multitud dominguera que corría hacia la playa. No vi a nadie en casa: ni mi madre ni mi padre andaban por allí. Habían echado las cortinas. Tahsin y su familia recogían cerezas a toda prisa para que no se pudrieran después de la lluvia. Al llegar al barrio cambié las quinientas liras; aquí las tiendas están abiertas los domingos. Pedí un té y un sándwich de queso. Mientras me lo tomaba me saqué los peines del bolsillo y los miré: uno verde y el otro rojo. Dios todo lo ve.

Te lo explicaré todo. Cuando te lo explique te quedará claro lo que son la culpa y el pecado. Sin dejarme nada. Comprenderás quién soy, Nilgün. «Eres alguien completamente distinto», dirás, no soy un esclavo. Miradme, hago lo que quiero, tengo en el bolsillo la vuelta de quinientas liras, soy mi propio señor, mi propio amo. Vais a la playa con pelotas de goma y bolsas en las manos, con extrañas chanclas en los pies y con vuestros maridos y vuestros niños. ¡Pobres! ¡No entendéis nada! ¡Miráis pero no veis; pensáis pero no sabéis! No comprenden quién soy, no saben quién voy a ser, porque son peores que ciegos: ¡son repugnantes! ¡Asquerosa muchedumbre que va a la playa en busca del placer! Así que era a mí a quien correspondía llevarles por el buen camino. Miradme: ¡tengo una fábrica! Miradme: tengo un látigo. Soy el señor, el amo. Observé la atestada playa por entre la tela metálica y se me ocurrió que no podría verla entre la multitud, señorita Nilgün, y, pensé, Mustafa tampoco ha venido.

Eché a andar, voy a vuestra casa. Cuando el enano me vea dirá: «Ha venido un señor que quiere verla, señorita Nilgün». «¿De veras? —preguntarás tú—. ¿Alguien distinguido? Entonces que pase al salón, señor Recep, ahora mismo voy.» Mientras caminaba miraba a mi alrededor por si Nilgün había salido y me la encontraba por el camino, pero no coincidimos, señora mía. Al llegar a la puerta de vuestro jardín me detuve a mirar: el coche no estaba allí, había olvidado quién lo había empujado cuesta arriba como un imbécil, como un esclavo ciego, en mitad de la noche y entre la lluvia. ¿Dónde está el Anadol? Entré y me dirigí no a la puerta grande de las escaleras, sino hacia la de la cocina porque soy un caballero bien educado a quien no le gusta molestar a nadie. Recordé la sombra de la higuera y las piedras de los muros. Como en un sueño. Llamé a la puerta de la cocina y esperé un poco. «Es usted el criado de esta casa, señor Recep —le preguntaré—. Creo que este disco y este peine verde pertenecen a la bella señorita que vive en esta casa, antes la conocía un poco, en fin, ya no tiene importancia, he venido a devolverlos, nada más.» Después de esperar un rato pensé que el tío Recep debía de haber ido al mercado y que no estaría en casa. ¡Quizá no hubiera nadie en casa! Como en un sueño, sí. Sentí un escalofrío.

La puerta de la cocina se abrió lentamente cuando bajé el picaporte. Me metí en la cocina silencioso como un gato. Olía a aceite, lo recordé. No había nadie y como llevaba las zapatillas de suela de goma, no se me podía oír mientras subía la escalera de caracol junto a la enorme tinaja para el agua. Soy una sombra que vaga entre sueños y pensé que quizá creía que era un sueño por haber dormido mal porque al olerla se me vino a la cabeza la siguiente idea: o sea, que es así como huele su casa por dentro. ¡Como una casa de verdad! «¡Hola, soy yo!», diré.

Al llegar al piso de arriba abrí lentamente una de las puertas cerradas. Miré y enseguida reconocí su cuerpo asqueroso: ¡ahí está Metin, durmiendo tapado con la sábana! Pensé que me debía dos mil liras y en que me había dicho que Dios no existía. Si lo estrangulara nadie se daría cuenta. Me detuve y me di cuenta de que quedarían mis huellas dactilares. Cerré con cuidado y pasé a otra habitación por la puerta abierta.

Aquella era la habitación de Faruk, lo comprendí por la botella de la mesa y por el enorme pantalón tirado sobre la cama deshecha. Salí de allí también y cuando, sin pensar en nada, abrí la puerta de la otra habitación, fue como si viera a mi padre colgado de la pared, sentí un escalofrío. Qué raro, mi padre tenía barba y parecía mirarme furioso y decepcionado desde su marco. «Qué pena que seas un estúpido», me decía. Tuve miedo. Luego, cuando oí la voz ronca de la vieja, comprendí quién era el del cuadro y a quién pertenecía esa habitación.

—¿Quién es?

Pero, aunque había abierto la puerta solo un momento para mirar, la cerré de inmediato al ver su cara arrugada entre las arrugadas sábanas y sus enormes orejas.

—Recep, ¿eres tú, Recep?

Corrí en silencio hasta la última habitación y me detuve temblando ante la puerta, pero cuando volví a oír aquella voz:

—Recep, ¿eres tú? Te estoy hablando, Recep, ¿quién es?

Me metí en la habitación de inmediato y me quedé boquiabierto: ¡no está usted en su dormitorio, señorita Nilgün! Levanté la colcha de la cama vacía y la olí pero volví a dejarla como estaba rápidamente, inquieto, para no dejar huellas, porque aquella voz anciana continuaba gritando como para no dejarme enredar.

—¿Quién es? ¿Quién está ahí, Recep?

Saqué su camisón de debajo de la almohada y lo olí: olía a lavanda y a Nilgün. Luego, como si no lo hubiera olido, lo doblé, lo dejé debajo de la almohada y pensé en dejar allí el disco y el peine: los dejaré ahí mismo, Nilgün, te los dejaré sobre la cama. Y cuando encuentres allí los peines, Nilgün, comprenderás cuántos días llevo siguiéndote, que te quiero. Pero no los dejé porque tuve la impresión de que si lo hacía todo se acabaría; bueno, que se acabe todo, me estaba diciendo, pero la voz volvió a gritar:

—¡Recep, te estoy hablando! ¡Recep!

Entré agachándome en la cocina pero me detuve justo cuando iba a salir: no podía irme sin hacer nada. Sobre el fogón había una sartén a fuego muy bajo. Giré la llave del gas hasta abrirla del todo. Luego abrí también la otra. Salí y pensé que aún era poco.

Caminé con rapidez mientras me repetía que no me dejaría impresionar por nadie y al llegar a la playa, tal y como había supuesto, esta la vez la vi por entre la tela metálica, en medio de la multitud, allí estaba usted, señorita Nilgün. ¡Le devolveré el disco y el peine y se acabó el asunto! No le tengo miedo a nadie. Se estaba secando. Así que poco antes estaba usted en el agua. Mustafa no andaba por allí, no había venido. Pensé.

Esperé un poco y fui a la tienda. Había otros clientes.

—Dame un *Cumhuriyet* —le dije.

—¡No quedan! —me respondió con la cara muy roja—. Ya no los vendemos.

No contesté. Después de esperar un rato llegó usted de la playa, señorita Nilgün, y como cada mañana le pidió:

—Un *Cumhuriyet*, por favor.

Pero el tendero te contestó:

—No quedan. Ya no los vendemos.

—¿Por qué? —le preguntaste, Nilgün—. Ayer los vendía.

Cuando el tendero me señaló con la punta de la nariz, yo te miré: nos miramos. ¿Lo has entendido? ¿Lo has entendido? ¿Has comprendido quién soy? Y luego pensé: «Ahora te lo explicaré todo, lentamente y con paciencia, como un caballero bien educado». Salí, tenía preparados el disco y los peines, esperé. Poco después saliste tú también. Ahora mismo te lo explicaré todo, todo, todo, y lo entenderás.

—¿Podemos hablar un minuto? —le pregunté.

Se detuvo sorprendida y me miró por un momento. ¡Ah, qué cara más hermosa! Creí que iba a dirigirme la palabra y me puse nervioso, ¡pero ni siquiera se detuvo! Huyó como si hubiera visto al diablo. Corrí tras ella, la alcancé y sin que me importara lo que nadie pudiera pensar, grité:

—¡Por favor, Nilgün, párate! ¡Escúchame aunque solo sea una vez!

Se paró de repente. Me sorprendió ver su cara tan de cerca. ¡Qué color de ojos!

—Muy bien —me contestó—. ¡Dime ya lo que tengas que decirme!

Pero era como si todo se me hubiera olvidado. No se me ocurría nada. Como si acabáramos de conocernos y no tuviéramos nada que decir. Luego, con una última esperanza, le pregunté:

—¿No es tuyo este disco?

Le alargué el disco pero ni lo miró.

—¡No! No lo es.

—¡Es tuyo, el disco es tuyo, Nilgün! ¡Míralo bien! ¡Es que no parece el mismo por las manchas de humo! Se mojó y acabo de secarlo.

Lo miró inclinando la cabeza.

—No. No es mío. Me estás confundiendo con otra.

Se iba, así que corrí y la agarré del brazo.

—¡Suéltame! —gritó.

—¿Por qué todos me mentís?

—¡Suéltame!

—¿Por qué huís de mí? ¡Ni siquiera te dignas saludarme! Dime, ¿te he tratado mal acaso? ¿Sabes lo que te habrían hecho ellos de no ser por mí? —estaba gritando.

—¿Quiénes son ellos?

—¿Por qué mientes? Como si no lo supieras. ¿Por qué lees el *Cumhuriyet*?

En lugar de darme una respuesta directa miraba a su alrededor con ojos desesperados buscando ayuda. De nuevo, con una última esperanza, le hablé como todo un caballero pero agarrándola del brazo:

—Te quiero, ¿lo sabías?

De repente se soltó, echó a correr de un salto e intentó huir, pero ni ella misma se lo creía. Corrí, di un par de zancadas y la cogí sin mayor problema de la delgada muñeca en medio de aquella multitud, como el gato que se estira y atrapa al ratón herido. ¡Quieta ahí! Así de fácil. Quise besarla, pero ahora soy el dueño de la situación y aunque ella ha comprendido su culpa, no pienso aprovecharme: sé controlarme. Mira, nadie corre a ayudarte porque saben que no tienes razón. Vamos, cuéntame, señorita, ¿por qué huías de mí? Dime, cuéntame lo que andáis enredando entre todos a mis espaldas y que se enteren los demás y todo el mundo y que nadie me acuse diciendo que todo ha sido un malentendido. ¿Está Mustafa por aquí? Estaba esperando lo que tuviera que decir para que por fin acabaran las calumnias que todos echan sobre mis hombros y el miedo interminable de aquella increíble pesadilla, cuando gritó:

—Loco fascista, ¡suéltame!

Y así fue como confesó su complicidad con los otros. En un primer momento me sorprendió, pero luego decidí castigarla allí mismo y la castigué a fuerza de golpes.

XXVII

«¿A qué esperas? ¡Corre, Recep, corre!», me dije cuando comprendí que el que daba la paliza y luego huía era Hasan y que la que yacía tirada en el suelo era Nilgün. Dejé las bolsas y corrí, corrí hasta llegar junto a ella.

—Nilgün. Nilgün, ¿cómo estás, hija mía?

Temblaba hecha un ovillo como si estuviera acostada en su cama, con la cabeza entre las manos y la cara vuelta hacia el asfalto. Se retorcía como si no le doliera el cuerpo, sino el alma y por eso ni se le había ocurrido gritar, solo gemía.

—Nilgün, Nilgün. —La cogí por los hombros.

Lloró y tembló un poco más. Luego comenzó a golpear al asfalto con el puño ya sin gemir, sino con furia y desaliento, como si riñera a alguien y también como si se lamentara arrepentida. La sujeté.

Y al sujetarla fue como si por primera vez ella entendiera algo que hasta entonces no había comprendido y los vio: vio a todos aquellos que salían de los rincones donde se habían escondido y que se apiñaban encima de nosotros, a los que gritaban y chillaban, a los que estiraban sus curiosas y cobardes cabezas entre los hombros de los demás para ver mejor y para dar su opinión y de repente fue como si se avergonzara. Me alargó la mano para poder levantarse. Entonces vi su cara sanguinolenta. Dios mío. Una mujer lanzó un chillido.

—Apóyate en mí, hija. Apóyate.

Se levantó y se apoyó en mí. Le di mi pañuelo.

—Vámonos de aquí. Vamos a casa.

—¿Estás bien?

—Ha venido un taxi —dijo uno—. Súbanse.

Abrieron la puerta, alguien nos dio mis bolsas y la de Nilgün mientras nos montábamos y un niño dijo:

—Esto es de ella. —Y me dio el disco.

—¿Al hospital? —preguntó el taxista—. ¿A Estambul?

—¡Quiero irme a casa! —protestó Nilgün.

—Por lo menos vamos antes a la farmacia —repliqué.

No contestó. Guardó silencio a lo largo de todo el camino hasta la farmacia, temblaba y, de vez en cuando, miraba de forma vacía y sin interés el pañuelo para ver cuánto sangraba todavía.

—Mantén la cabeza en alto, así —le dije apartándole un poco el pelo.

En la farmacia seguía sin estar Kemal bey, sino su hermosa mujer. Estaba escuchando la radio.

—¿No está Kemal bey? —pregunté.

La mujer lanzó un grito al ver a Nilgün. Luego echó a correr a toda velocidad de un lado al otro del establecimiento mientras nos interrogaba, pero Nilgün se sentó y no habló. Por fin la mujer de Kemal bey también se calló y comenzó a limpiar las heridas de la cara de Nilgün con algodón y algún medicamento. Me di media vuelta para no mirar.

—¿No está Kemal bey?

—¡La farmacéutica soy yo! —me respondió su mujer—. ¿Qué quieres de él? ¡Está arriba! Ay, preciosa, ¿con qué te han pegado de esta manera?

En ese momento se abrió la puerta y entró Kemal bey. Cuando nos vio se detuvo por un momento y nos miró interesadísimo como si aquello fuera algo que siempre había esperado.

—¿Qué ha pasado?

—Me han pegado —le contestó Nilgün—. Me han dado una paliza.

—¡Dios mío! —gritó la farmacéutica—. Adónde hemos llegado, adónde hemos llegado.

—¿Quiénes somos «nosotros»? —preguntó Kemal bey.

—Cualquiera que haya hecho esto... —replicó su mujer.

—Un fascista —susurró Nilgün.

—Calla, ahora calla —le dijo la mujer—. Calla, calla.

Pero Kemal bey había oído la palabra y se sobresaltó como si hubiera oído o recordado una grosería. Luego se acercó de repente hacia la radio y su mujer gritó:

—¿Por qué la pones tan alta?

Cuando la apagó, la farmacia pareció vaciarse de improviso y el dolor y la vergüenza y la culpa surgieron a la superficie. No quise pensar.

—No la apaguen —pidió Nilgün—. ¿Pueden encenderla?

Kemal bey encendió la radio y yo no pensé. Todos nos quedamos callados.

—¡Ahora derecha al hospital! —dijo la mujer cuando terminó la cura—. Dios no lo quiera, pero puede tener una hemorragia interna. Le han golpeado muy fuerte en la cabeza y el cerebro puede...

—¿Está mi hermano mayor en casa, Recep? —me preguntó Nilgün.

—No, ha ido a llevar el coche al mecánico.

—Montaos de inmediato en un taxi y al hospital —dijo la mujer—. ¿Tienes dinero, Recep?

—Yo se lo daré —respondió Kemal bey.

—No. Ahora quiero irme a casa. —Nilgün gimió al ponerse en pie.

—Espera —le dijo la mujer—. Voy a ponerte un calmante.

Como Nilgün no hizo el menor comentario la acompañé al interior. Kemal bey y yo guardamos silencio. Él miraba hacia la calle por el escaparate, el mismo panorama que contemplaba todas las noches hasta que amanecía: el escaparate del puesto de bocadillos de enfrente, el anuncio de Coca-Cola, la farola y los bocadillos de carne.

—Vine el lunes por la noche para comprar aspirinas —comenté por decir algo—. Estabas durmiendo. Esa mañana habías salido a pescar.

—Está en todas partes. No te deja tranquilo vayas donde vayas.

—¿El qué?

—La política.

—No sé.

Luego miramos hacia la calle un rato más. La multitud dominguera que iba a la playa. Por fin regresaron. Al volverme a mirar vi la cara de Nilgün: uno de sus ojos estaba medio cerrado y tenía enormes moratones en las mejillas. La mujer de Kemal bey dijo que teníamos que ir al hospital pero Nilgün no quiso; ella, no obstante, lo repitió y le ordenó a su marido:

—Llama a un taxi.

—No —dijo Nilgün recogiendo su bolsa—. Iremos andando y así me despejaré. No hay tanto hasta casa.

Los otros seguían protestando, yo recogí mis bolsas y mis paquetes y tomé a Nilgün del brazo. Se apoyó ligeramente en mí como si lo hiciera con una costumbre que le viniese de familia. Abrimos la puerta, sonó la campanilla, salimos.

—¿Eres izquierdista? —le preguntó Kemal bey.

Nilgün hizo un gesto afirmativo con su herida cabeza y fue como si Kemal bey quisiera contenerse pero no pudiera.

—¿Cómo lo han sabido?

—¡Por el periódico que compraba!

—¡Ah! —dijo Kemal bey aliviado, pero sobre todo avergonzado.

Y luego de repente pareció avergonzarse aún más porque en ese mismo momento su bonita mujer le lanzó:

—¡Ajá! ¿No te lo decía yo, Kemal...?

—¡Tú cállate! —le gritó repentinamente Kemal bey. Parecía haberse hartado de sentir vergüenza.

Nilgün y yo salimos al sol de fuera.

—Apóyate bien en mí, hija. Y dame la bolsa.

Cruzamos la calle principal sin llamar la atención, nos

metimos por la calle de enfrente y caminamos entre jardines y terrazas en las que había tendidos bañadores y toallas multicolores. Todavía había quien estaba desayunando pero no nos miraban. Luego un muchacho que pasó en bicicleta nos lanzó una mirada pero creo que no porque ella estuviera herida, sino porque soy enano; lo comprendí por su forma de mirar. Luego pasó ante nosotros un niño con las aletas de bucear, caminando como un pato, y aquello hizo reír a Nilgün.

—Cuando me río me duele aquí. —Y se rió aún más—. ¿Por qué no te ríes, Recep? ¿Por qué eres tan formal? Siempre serio, siempre encorbatado como los hombres serios. Ríete.

Conseguí reírme haciendo un esfuerzo.

—¡Ah! ¡Pero si tú también tenías dientes!

Yo sentí vergüenza y me reí aún más pero luego nos callamos y ella lloró y yo no la miré pensando que querría ocultar que lloraba, pero cuando comenzó a temblar me decidí a consolarla.

—No llores, hija, no llores.

—Todo sin razón alguna —repetía—. Qué estúpido, qué inútil... Qué tonta soy, un niñato...

—No llores, no llores.

Nos detuvimos y le acaricié el pelo. Luego me di cuenta de que uno prefiere llorar solo. La dejé y miré a la calle. Desde la terraza de enfrente un niño nos observaba con curiosidad y miedo. Pensaría que era yo quien había provocado su llanto. Poco después Nilgün dejó de llorar, me pidió sus gafas de sol, estaban en su bolsa, las saqué y se las di. Se las puso.

—Te quedan muy bien —le dije y se rió.

—¿Te parezco bonita? —me preguntó, y antes de que pudiera responder—. ¿Era bonita mi madre? ¿Cómo era, Recep?

—Eres muy bonita y tu madre también lo era.

—¿Cómo era mi madre?

—Una buena mujer.

—¿En qué sentido buena?

Pensé: no pedía nada a nadie, no quería ser una carga para nadie, pero también era como si no supiera por qué vivía. Como una sombra. «Y como una gata», decía la señora. Siempre siguiendo a su marido. Pero se reía como el sol, aunque era modesta. Buena, sí: a nadie le disgustaba. Uno no se sentía cohibido con ella.

—Buena como tú.

—¿Soy yo buena?

—Por supuesto.

—¿Cómo era de niña?

Pensé: qué a gusto jugabais en el jardín. Los dos hermanos pequeños. Faruk bey era el mayor y no participaba en vuestros juegos. Corríais por debajo de los árboles, erais curiosos. Y luego venía él y se unía a vosotros. No os separabais de él. Yo os oía por la ventana de la cocina: «¿Jugamos al escondite?». «Bueno, vamos a contar.» «Cuenta tú, hermana.» «Uni doli treli catoli...» Y de improviso Hasan te preguntaba: «¿Sabes francés, Nilgün?».

—De niña también eras así.

—¿Cómo?

Luego yo gritaba al piso de arriba cuando la comida estaba lista: «Señora, la comida está lista», y la señora abría la ventana y gritaba hacia abajo: «Nilgün, Metin, vamos a comer. ¿Dónde estáis? Otra vez han desaparecido, Recep. ¿Dónde están?». «Ahí, señora, debajo de la higuera.» Y la señora miraba buscándoos y de repente os veía entre las hojas de la higuera y gritaba: «¡Ah, de nuevo con Hasan! Recep, ¿cuántas veces te he dicho que no metas a ese niño aquí? ¿A qué viene? Que se vaya a casa de su padre». Y en eso se abrían los otros postigos y Doğan bey asomaba la cabeza por la ventana de la habitación en la que tantos años vivió y trabajó su padre y decía: «¿Qué pasa, madre? ¿Qué tiene de malo que jueguen juntos?». «¿Y qué te pasa a ti? —le respondía la señora—. Tú quédate en tu habitación escribiendo tus tonterías, como tu padre. Claro, no te das cuenta, pero estos niños se levantan y se acuestan con hijos de criados.» «Por Dios, madre, ¿y qué? —la interrumpía Doğan bey—. Están ahí jugando tranquilamente como si fueran hermanos.»

—Recep, hay que arrancarte las palabras con tenazas.

—¿Perdón?

—Te estaba preguntando que cómo era de niña.

—¡Qué a gusto jugabas con tu hermano Metin!

«¿Hermanos? —decía la señora—. ¡Qué blasfemia, Dios mío! ¿De dónde te sacas eso? Todo el mundo sabe que esos niños no tienen otro hermano aparte de Faruk, de la misma manera que mi Doğan no tiene hermanos. ¡Hermanos de mi Doğan! ¿Quién se inventará esos chismes? ¿Voy a tener que enfrentarme a esas mentiras con ochenta años ya cumplidos? ¿Tú de la misma sangre que un enano y un cojo?» Yo les escuchaba en silencio. Luego, cuando ambos cerraban sus respectivas ventanas y volvían a sus habitaciones, salía y os decía: «Vamos, Nilgün. Vamos, Metin. Mirad, vuestra abuela os está llamando. Es la hora de comer». Y mientras ellos subían, él se quedaba en un rincón.

—¡También jugábamos con Hasan!

—¡Sí, sí!

—¿Te acuerdas?

Y cuando Metin y tú y tu abuela y Doğan bey y Faruk, que llegaba en el último momento de quién sabe dónde, estabais arriba comiendo, yo iba a buscarle al rincón donde continuaba y le decía: «Chist, Hasan, ¿tienes hambre? Bueno, ven conmigo». Me seguía temeroso y en silencio, lo metía en casa, lo sentaba en mi pequeña silla y colocaba ante él esa bandeja en la que aún sigo comiendo. Subía, y cuando bajaba le ponía delante la fuente de albóndigas, la ensalada, las judías, y los melocotones y las cerezas que ni siquiera Faruk había conseguido terminar ni comiéndoselos ni llenándose los bolsillos con ellos. Mientras comía le preguntaba: «¿Qué hace tu padre, Hasan?». «¡Nada, vender lotería!» «¿Tiene bien la pierna? ¿Le duele?» «¡No sé!» «¿Y tú? ¿Cuándo vas a ir al colegio?» «¡No sé!» «El año que viene, ¿no, hijo?» Se callaba y me miraba con miedo, como si me viera por primera vez. Y después de que Doğan bey muriera y él comenzara la escuela: «¿A qué curso has pasado este verano, Hasan?». Se callaba. «A tercero, ¿no? ¡Estudiarás y serás un hombre importante! ¿Qué harás después?» De repente, Nilgün se tambaleó.

—¿Qué pasa? ¿Nos sentamos?

—Me duele el costado. También me ha pegado ahí.

—¿Cogemos un taxi?

No me respondió y continuamos andando. De nuevo salimos a la calle principal, pasamos entre los coches que habían aparcado a la orilla del mar y entre el gentío dominguero que venía de Estambul. Al llegar a la puerta del jardín miré y vi el coche.

—Ha llegado mi hermano —dijo Nilgün.

—Sí. Ahora mismo os iréis a Estambul, al hospital.

No me contestó. Entramos por la puerta de la cocina. Me quedé estupefacto, debía de haberme dejado abierto el gas y el otro fogón estaba ardiendo. Lo cerré de inmediato con pánico. Luego subí a Nilgün. Faruk bey no estaba allí. Acosté a Nilgün en el sofá y le estaba poniendo en la espalda unos cojines cuando oí que me llamaban desde arriba.

—Aquí estoy, señora, aquí estoy. Voy.

Coloqué un cojín más bajo la cabeza de Nilgün.

—¿Te encuentras bien? Ahora te mando a Faruk bey.

Subí. La señora había salido de su habitación y estaba plantada ante las escaleras con el bastón en la mano.

—¿Dónde estabas?

—Pues en el mercado...

—¿Y ahora adónde vas?

—Un momento. Usted vuelva a su habitación que regreso enseguida.

Llamé a la puerta de Faruk bey pero no se oyó el menor sonido. Abrí sin esperar más y entré. Faruk bey estaba tumbado en la cama, leyendo.

—Han arreglado el coche enseguida, Recep. Anoche Metin se quedó en el camino tontamente.

—La señorita Nilgün está abajo. Le está esperando.

—¿A mí? ¿Por qué?

—¡Recep! —llamó la señora—. ¿Qué haces ahí?

—Nilgün está abajo —dije otra vez—. Baje, por favor, Faruk bey.

Faruk bey se sorprendió un poco. Me miraba a la cara. Dejó el libro y se levantó de la cama. Luego salió.

—Voy, señora —dije, y fui—. ¿Por qué está aquí parada de pie? Cójame del brazo y la ayudaré a acostarse. Aquí se va a enfriar. Y, además, está cansada.

—¡Embustero! Otra vez me estás mintiendo. ¿Adónde ha ido Faruk hace un momento?

Entré por la puerta abierta del dormitorio de la señora.

—¿Qué haces ahí? ¡No enredes!

—Estoy ventilando la habitación, señora. No toco nada, ya lo ve.

Ella también entró y yo abrí las contraventanas.

—Hala, acuéstese.

Se acostó, se subió el edredón hasta la barbilla como una niña pequeña y por un momento pareció que lo olvidaba, que se olvidaba de su aversión y su repugnancia y me preguntó de improviso con una curiosidad infantil:

—¿Qué había en el mercado? ¿Qué has visto?

Le arreglé los lados del edredón, cogí la almohada y la golpeé para que se esponjara.

—No había nada. Uno ya no ve nada bonito.

—¡Enano malvado! Ya lo sé, no es eso lo que te estoy preguntando. —Su rostro se reencontró con el odio y el asco habituales y guardó silencio.

—He comprado fruta fresca. ¿Quiere que le traiga?

No me respondió. Cerré la puerta y bajé. Hacía rato que Nilgün y Faruk habían comenzado a hablar.

XXVIII

Después de que me contara lo que le habían dicho la farmacéutica y su marido y cómo había llegado hasta casa apoyándose en Recep, quise preguntarle de nuevo cómo se encontraba. Nilgün pareció leérmelo en la cara.

—No es nada, Faruk —me dijo—. Como si te vacunaran.

—La vacuna te la esperas. Maldita sea, pero incluso antes de que te vacunen sientes el escalofrío de la aguja en tu brazo. ¿Me entiendes?

—Sí, pero ese sentimiento se nota al final. En el último momento.

—¿Y luego?

—Luego tuve remordimientos. Me enfadé conmigo misma. Por no haber sabido manejar a ese imbécil. Sin ningún motivo...

—¿Es de veras imbécil?

—No lo sé. De pequeño no era así. Era un buen muchacho. Pero luego, este año, me dio la impresión de que era imbécil, imbécil y simplón. Y mientras me pegaba me enfadaba conmigo misma por no haber sabido controlar esa ridícula situación.

—¿Y luego? —le pregunté con cierto reparo.

—Luego comprendí que hacía mucho que había perdido el control. De hecho solo piensas que cada golpe es único y que acabas de llevarte otro. Probablemente gritaba. Nadie vino a ayudarme. ¿Por qué sientes curiosidad por todo eso, Faruk? ¿Por qué tanta?

—¿Se me nota en la cara?

—Eres como esas personas a las que les gusta sufrir —dijo—. Como los que están desesperados. ¿Por qué sientes esa curiosidad por los detalles sórdidos como los enfermos que en cuanto se les muere un familiar también quieren morirse enseguida?

—Porque soy así —le dije con un extraño buen humor.

—No eres así. Solo quieres creer que estás desesperado.

—No, mujer.

—Sí. E interpretas la comedia de la desesperación, pero en vano.

—Bueno, ¿y qué es eso a lo que tú llamas esperanza?

Nilgün pensó un poco y luego me respondió:

—Se pierde el interés. Y sin que haya ningún motivo para perderlo, sí. —Pensó un poco más y añadió—: Es lo que te mantiene en pie para no morir. Como a veces, una, cuando es niña, piensa: «¿Qué pasaría si me muriera?», y entonces noto como si un sentimiento de rebelión me invadiera por dentro y si te detienes un momento a reflexionar sobre ese sentimiento por fin comprendes qué es: sientes curiosidad por saber qué ocurrirá después de ti y esa curiosidad es algo insoportable y terrible.

—¡Eso no es curiosidad, Nilgün! Es pura y llanamente envidia. Piensas que después de ti se divertirán, serán felices, te olvidarán y vivirán tranquilamente, piensas que no te llevarás la parte que te corresponde de todos esos placeres y por eso sientes envidia de todo el mundo.

—No. Sientes curiosidad. Pero tú, hermano, renuncias a esa curiosidad que protege a la gente de la muerte, aparentas no sentirla.

—¡No! —respondí irritado—. Simplemente no siento curiosidad.

—¿Y por qué no, vamos a ver? —me preguntó con una extraña confianza.

—Porque lo sé. Siempre es lo mismo: la misma historia.

—En absoluto.

—Sí, así es. Y tú no quieres enterarte para no perder tu fe.

—A lo mío no puede llamársele fe —me contestó Nilgün—. Y, aunque lo fuera, no creo por ignorancia, sino porque sé.

—¡Pues yo no sé!

Nos callamos un rato. Luego Nilgün prosiguió:

—¿Qué son entonces todos esos cientos de palabras que lees en los libros y los archivos? Tú solo quieres comportarte como si no supieras nada.

—¿Y por qué iba a hacerlo?

De repente hizo algo que me alivió. Abrió las manos con desesperación como los que se reconocen incapaces de explicar la razón profunda de las acciones y honestamente se rinden y yo me dejé llevar por un extraño sentimiento: por fin soy libre. Pero, por algún motivo, sentí asco de mí mismo. En mí había algo falso, hipócrita, y era como si quisiera ocultarlo. Pensé lo siguiente: a las personas solo se las conoce hasta cierto punto y luego, por mucho que se intente, se llega a una línea que uno no puede cruzar y entonces comienza un puro parloteo sin respuesta. Recep entró en la habitación. Me puse de pie repentinamente y, con una confianza que no sabía de dónde procedía, dije:

—¡Vamos, Nilgün! Te llevo al hospital.

—¡Uf! —protestó como una niña—. No quiero.

—¡No digas tonterías! El farmacéutico tenía razón. ¿Y si tienes una hemorragia?

—¡La farmacéutica es la mujer, no el hombre! Y no hay hemorragia ni nada parecido.

—¡Vamos, Nilgün, no perdamos el tiempo!

—No. Todavía no.

Y así comenzamos a discutir, no para llegar a alguna conclusión, sino como para que las palabras lucharan inútilmente entre sí y como para que la inutilidad de los significados surgiera al chocar entre ellas. Yo le digo tal cosa, ella me responde lo contrario y me da la impresión de que yo podría decir eso mismo y entonces ella me contestaría con mi primera opinión y como resultado lo que decimos no cambia nada y solo sirve para que agotemos nuestro vocabulario y nuestro tiempo. Por fin a Nilgün le dio sueño. Se estiró en el sofá en el que estaba recostada y mientras cerraba los ojos me pidió:

—Hermano, háblame un poco de historia.

—¿Cómo?

—Léeme algo del cuaderno.

—¿Y eso te hará dormir mejor?

Sonrió con la paz espiritual de una niña que se acuesta en su cama y que se prepara para oír un cuento. Corrí alegre pensando que aquellas historias por fin serían de alguna utilidad, subí a mi habitación, pero no tenía el cuaderno en el maletín. Jadeando, miré en los cajones, en el armario, en la maleta y luego en las demás habitaciones, incluso entré en la de la abuela, pero no lo encontré al muy maldito. Al reflexionar, se me ocurrió que con la borrachera podría haberlo olvidado en el asiento trasero del coche después de contemplar la lluvia con Nilgün por la tarde, pero allí tampoco estaba. Mientras subía para rebuscar de nuevo por las habitaciones vi que Nilgün se había dormido y me detuve a observarla: su cara parecía una máscara blanca y mortecina sobre la que hubieran pintado manchas rojas y moradas. El oscuro hueco de su boca abierta recordaba esos agujeros de la escultura abstracta que despiertan en uno un sentimiento de espera y estremecimiento. Al ver que Recep se acercaba, salí al jardín sintiéndome culpable. Coloqué mi enorme cuerpo en la tumbona en que Nilgün se había pasado la semana leyendo y allí me quedé.

Pensé en los pasillos de la universidad, en el tráfico de la ciudad, en las camisas de manga corta, en el húmedo calor del verano, en los almuerzos con un tiempo asfixiante, en las palabras. En casa los grifos goteaban aunque estuvieran bien cerrados, las habitaciones olían a polvo y a libros, en la nevera metálica un trozo de blanquísima margarina con sabor a plástico se ha petrificado esperando un momento impreciso. ¡Así que la habitación vacía seguirá vacía! Quise beber, dormir. Luego pensé lo siguiente: ¡esto ha tenido que pasarle a la mejor de nosotros! Me levanté, volví a entrar en silencio y contemplé el dormido cuerpo herido. Llegó Recep:

—¡Llévela al hospital, Faruk bey!

—Mejor que no la despertemos.

—¿Que no la despertemos?

Se encogió de hombros y bajó a la cocina balanceándose. Y yo salí de nuevo al sol y me senté junto al gallinero, con las estúpidas gallinas. Mucho después apareció Metin, acababa de despertarse pero sus ojos no parecían somnolientos, sino curiosos. ¡Nilgün se lo había contado todo! Y mientras me hacía repetir lo que ya le había relatado Nilgün, me explicó lo que le había pasado a él: cómo le habían quitado doce mil liras y cómo el coche se había averiado bajo una lluvia, según sus palabras, increíble. Cuando le pregunté qué hacía por allí completamente solo a aquellas horas de la noche, guardó silencio por un momento y luego hizo un extraño gesto. Entonces yo le pregunté:

—Yo tenía un cuaderno. Se me debió de olvidar en el coche. ¿Lo has visto? Se me ha perdido.

—¡No, no lo he visto!

Después me preguntó cómo había conseguido poner el coche en marcha para llevarlo al mecánico y cuando le contesté que después de que Recep y yo lo empujáramos un poco había arrancado enseguida, no me creyó, fue corriendo a preguntar a Recep y como este le respondiera lo mismo, comenzó a maldecir su suerte como si fuera él y no Nilgün quien hoy había sido la víctima. Entonces Metin me recordó lo que yo estaba esforzándome en olvidar. ¿Había ido alguien a la policía? Le repuse que nadie y vi que Metin agriaba el gesto como si le asqueara nuestra apatía, pero al momento fue como si se olvidara de nosotros y recordara otro dolor más profundo. Yo entré en la casa y al ver que Nilgün estaba despierta le hablé inútilmente del hospital y de las hemorragias, llevado por el sentido del deber le recordé la muerte sin mencionar la palabra, quise despertar en ella el miedo a la muerte para que por fin me dijera: «Sí, vámonos», pero no lo hizo.

—Ahora no me apetece. Quizá después de comer.

Durante el almuerzo pude beber tranquilamente porque la abuela no bajó y aparenté no notar el sentimiento de culpabilidad que Recep quería contagiarnos a todos. Pero cuando vi los movimientos de Recep mientras Metin repetía todo lo sucedido de nuevo pensé que sobre todo era Recep quien se sentía culpable: parecía infeliz por ser culpable y culpable por ser infeliz. Pero no era exactamente eso. Todos parecíamos estar fuera de algo y lo sabíamos, pero ignorábamos dentro de qué habríamos tenido que estar. Y ahora el que estaba dentro era Hasan, que quién sabe dónde se encontraba, y le culpábamos pero al mismo tiempo sentíamos lástima por él. Al final de la comida incluso se me pasó por la cabeza una idea irritante: si Nilgün no le hubiera llamado «loco fascista», quizá no habría ocurrido nada. Probablemente ya estaba bastante borracho. Luego, mientras seguía dándole vueltas al asunto, una imagen se me clavó en la mente: lo había leído en los periódicos, en algún lugar del Bósforo, creo que en Tarabya, un autobús del ayuntamiento, de los antiguos, había caído al mar una medianoche con todos sus pasajeros dentro. Era como si yo también, aquí y ahora, estuviera en ese autobús, como si hubiéramos caído al fondo del mar pero las luces del autobús siguieran encendidas y todos miráramos inquietos las ventanillas, pero la oscuridad de la muerte que se iba infiltrando resultaba atractiva como una mujer agradable y placentera: la esperábamos.

Después de comer le pregunté a Nilgün una vez más si quería ir al hospital y me contestó que no. Subí a mi habitación, me acosté y abrí el libro de Evliya Çelebi. Me quedé dormido mientras leía.

Cuando me desperté, exactamente tres horas más tarde, el corazón me latía de forma extraña. No podía incorporarme y mucho menos levantarme de la cama; como si un elefante invisible se me hubiera sentado encima y me inmovilizara paralizándome piernas y brazos. Si hubiera querido me habría dormido profundamente otra vez con solo cerrar los ojos pero me resistí al hermoso deseo de dormir y a los sueños y me levanté haciendo un esfuerzo. Durante un rato me quedé de pie en medio de la habitación estúpidamente y luego murmuré: «¿Qué es eso a lo que llaman el tiempo? ¿Qué salida estoy esperando?». Eran casi las cinco, bajé.

Nilgün también se había dormido pero ahora leía un libro tumbada en el sofá.

—La verdad es que siempre había querido estar enferma de esta manera. Tumbada con toda la tranquilidad del mundo para leer el libro que me apeteciera.

—Tú no estás enferma. Es algo mucho más serio. Levántate, voy a llevarte al hospital.

No se levantó. Leía *Padres e hijos* por segunda vez. Sin prestar la menor atención a lo que le había dicho me contestó que quería leer tranquilamente como un ratón de biblioteca, sin que le molestaran pequeñas cuestiones sin importancia. Así tuve la oportunidad de hablar un rato inútilmente y de nuevo quise meterle en el cuerpo el miedo a la muerte, ahora incluso utilizando la palabra, pero sonreía y me decía que no creía en absoluto que a ella le ocurriera nada parecido porque no se sentía tan mal. Cuando volvió a su libro me quedé allí clavado, sorprendido porque aquellos ojos suyos, morados e hinchados, aún fueran capaces de leer.

Luego subí y busqué mi cuaderno errando por las habitaciones pero no pude encontrarlo. Le daba vueltas a la cabeza intentando recordar si había escrito en él algo sobre la peste. Bajé al jardín para buscarlo pero fue como si hubiera olvidado que lo buscaba. Al salir a la calle sentí algo parecido: paseaba pero no como si careciera totalmente de objetivo. Probablemente todavía creía que podía encontrar algo.

En las calles y en la playa no había el movimiento de ayer. La arena estaba mojada, el sol no calentaba y el Mármara seguía sucio e incoloro. Las pálidas sombrillas cerradas daban una impresión de desesperación que recordaba a la muerte: como una civilización que no hubiera sabido ser ella misma y que se preparara para ser destruida por los vientos sin compasión de un huracán lejano que ignorara de dónde ni cómo venía... Caminé hasta el café que había al principio del espigón entre los coches que devolvían el calor del día al sol poniente. Allí vi a un viejo amigo del barrio: había crecido, se había casado, su mujer y su hijo estaban con él. Hablamos: sí, con las mismas palabras desesperadas...

Le contó a su mujer que yo era uno de los más antiguos del lugar. El lunes por la noche se habían encontrado con Recep. Cuando me preguntó por Selma no le dije que nos habíamos divorciado. Luego recordó nuestras aventuras juveniles: se me habían olvidado todas. Que si nos montábamos en una barca y bebíamos hasta el amanecer y tal. Después me contó quién había de los demás amigos y me explicó a qué se dedicaban. Se había encontrado a la madre de Şevket y Orhan, que llegarían la semana próxima. Şevket se había casado y Orhan estaba escribiendo una novela. Entonces me preguntó si tenía hijos y por la universidad, mencionó las muertes y aunque no susurraba tenía el aspecto de estar haciéndolo y añadió: «Esta mañana han atacado aquí a una muchacha. ¡Quién sabe por qué la habrán pegado!». Había sido justo en medio de la multitud. Todos habían mirado pero nadie había intervenido. Nuestra gente estaba aprendiendo ya a no mezclarse, a no ayudar, porque tenían miedo. Por fin me dijo que le gustaría que nos viéramos en Estambul, se sacó una tarjeta de visita del bolsillo y me la entregó. Cuando la miré mientras me levantaba me explicó: tenía un taller, quizá no pudiera considerarse del todo una fábrica, pero ya era algo. Fabricaba palanganas, cubos y bolsas. De plástico, por supuesto.

De vuelta a casa pasé por la tienda y compré una botella pequeña de *rakı*. Después de decirle a Nilgün «El hospital», me senté y empecé a beber. Nilgün me contestó «No, no voy a ir», Recep también lo oyó, pero, no obstante, me miró como si me culpara a mí. Quizá por esa razón no le pedí que me preparara algo para picar. Fui yo mismo a la cocina a prepárármelo. Luego me senté y me dejé llevar para que las imágenes y las palabras corretearan a gusto por mi mente. Pensé que la derrota y la victoria eran solo palabras; en la que más creas es la que finalmente da contigo. Como se dice en las novelas: sentía que el fin estaba próximo. No me moví de mi sitio mientras Recep ponía la mesa y no le presté atención a sus miradas acusadoras. Cuando la abuela bajó después de oscurecer, escondí la botella. Luego Metin, sin avergonzarse lo más mínimo, la sacó y comenzó a beber. La abuela aparentaba no verlo: protestaba murmurando como si rezara. Después Recep la subió. Nosotros guardamos silencio.

—Vamos, volvamos ya a Estambul —dijo Metin de repente—. ¡Ya, ahora mismo!

—¿No te ibas a quedar hasta mediados de verano? —le preguntó Nilgün.

—Me he arrepentido. Estoy aburrido, volvámonos ya.

—¿Es que no te llevas bien con ellos?

—¿Con quiénes?

—Con tus viejos amigos.

—Tienes que irte de aquí enseguida, ¿no lo entiendes, Nilgün? ¡Esto no es ninguna broma!

—Ya nos iremos mañana.

—No soporto más seguir aquí. Tú quédate si quieres, Faruk, pero dame las llaves del coche para que me lleve a Nilgün.

—¡Pero si no tienes carnet de conducir! —replicó Nilgün.

—¿No lo entiendes, hermana? Tienes que irte. ¿Y si pasa algo? Mira, Faruk no está como para hacer nada. Yo conduciré.

—Tú estás tan borracho como él.

—¿Es que no quieres irte? ¿Por qué?

—Esta noche nos quedamos aquí —dijo Nilgün.

Se callaron. Se produjo un silencio que duró largo rato. Recep, después de acostar a la abuela, recogía la mesa. Veía cómo Metin meditaba. Era como si se hubiera metido en una sucia nube de polvo y mantenía el aliento tensando los músculos. Luego se relajó de improviso.

—Pues yo no me quedo aquí esta noche.

Se levantó y subió como si agotara su última esperanza. Poco después bajó peinado y con otra ropa y se marchó sin decir palabra. Cuando llegó a la puerta del jardín aún podíamos oler la loción de afeitar que se había puesto.

—¿Qué le pasa a ese? —me preguntó Nilgün.

Como respuesta le recité un pareado de Fuzuli adaptándolo:

De nuevo está enamorado de una hermosa rosa fresca
y cada aliento suyo despierta en él mil combates.

Nilgün se rió. Nos callamos como si no nos quedara nada más que hablar. En el jardín también había un silencio extraordinario, más profundo y más oscuro que el silencio después de la lluvia. Con una fea curiosidad comencé a examinar la máscara de la cara de Nilgün. Era como si le hubieran estampado unos sellos con pintura morada. Recep seguía yendo y viniendo. Pensé en la historia, en mi cuaderno perdido, en otras cosas. Era insoportable. Me puse en pie.

—Bien, muy bien, hermano —me dijo Nilgün—. Pasea un poco y despéjate.

No era esa la idea que tenía, pero eché a andar.

—Ten cuidado —gritó a mis espaldas—. Has bebido mucho.

Al salir por la puerta del jardín pensaba en mi mujer. Luego pensé un poco en Fuzuli, en sus deseos de sufrir. ¿Escribirían los poetas del Diván esos poemas de un plumazo o se pasarían horas sentados ante el papel corrigiendo una y otra vez? Pensaba en aquello por entretenerme y porque comprendí que no volvería pronto a casa. Las calles estaban desiertas, como todos los domingos por la noche, los cafés estaban medio vacíos y algunas de las luces de colores que colgaban de los árboles estaban apagadas, quizá por la violencia de la tormenta de la noche anterior. Las bicicletas que habían entrado y salido de los charcos en las esquinas de las aceras habían dibujado absurdas curvas sobre el asfalto con sus huellas de barro. Pensando en los años en que montaba en bicicleta, en mi juventud, de nuevo en mi mujer, en la historia, en las historias, en que tenía que llevar a Nilgün al hospital y en Evliya Çelebi, caminé tambaleándome hasta el hotel. Allí, al mismo tiempo que el chirrido del fluorescente que iluminaba un irritante panel de plexiglás, oí una música vulgar. Durante un rato largo permanecí indeciso. Buscaba el pecado, pero también la pureza. Me asombran los tipos a los que les apasiona sentirse responsables, a mí no me gusta nada mi conciencia, que está todo el rato queriendo atraparme en flagrante delito, la moralina me crispa los nervios: ¡es como los fotógrafos que esperan detrás de la portería en los partidos de fútbol y ponen nerviosos a los porteros! «Iremos al hospital por la mañana», pensé finalmente.

Entré al hotel por la puerta giratoria y, como el perro que encuentra olfateando la cocina, pasé por sigilosas moquetas y entre camareros y bajé las escaleras hasta el origen de la música. Abrí la puerta: turistas borrachos, hombres y mujeres que gritaban sentados a sus mesas, con botellas ante ellos y feces en la cabeza. Comprendí lo que era: una de esas fiestas orientales que se preparan para los turistas extranjeros en sus últimas noches en Turquía. Sobre un amplio escenario una orquesta vulgar producía unos sonidos metálicos. Le pregunté a un camarero que me informó de que aún no había comenzado la danza del vientre, me senté a una mesa detrás de ellos y pedí tímidamente un *rakı*.

Poco después de beberme la primera copa comenzó aquella música bailable y superficial, miré al reconocer el tintineo de los crótalos, vi la carne morena de la danzarina que se agitaba al extremo de un cono de luz que se movía entre la penumbra, sus brillantes adornos temblorosos me deslumbraron: al moverse a toda velocidad era como si brotara luz de sus nalgas y sus pechos. Aquello me excitó.

Me puse en pie. El camarero me trajo la segunda copa. Me senté y pensé que no solo actuaba la danzarina, sino todos nosotros. Ella actuaba aparentando ser la mujer objeto oriental y aquellos turistas que pasaban sus últimas noches en Oriente la veían como ella pretendía. Yo miraba la cara de las alemanas cuando el cono de luz pasaba entre las mesas: no estaban sorprendidas, aunque quizá quisieran estarlo, sonreían y lo que esperaban se iba volviendo realidad lentamente, mirando a la danzarina pensaban que ellas no eran «así» y por esa razón yo podía notar su alivio, que se consideraban iguales a sus hombres; también notaba que nos veían «así» a todos nosotros. ¡Maldita sea! ¡Nos despreciaban como el ama de casa que se cree igual a su marido porque le da órdenes a la asistenta!

De repente me sentí terriblemente humillado, me apetecía acabar con esa representación repugnante, pero sé que no haré nada: estoy saboreando la derrota y la confusión de mi mente.

La música se hizo más violenta: una batería en un rincón invisible del escenario. La danzarina, sin demasiado esfuerzo, dominó la música, volvió el trasero a las mesas y bamboleó su carne ordinaria con la rapidez de una mano que se abanica inquieta. Comprendí que lo hacía para provocar en cuanto se dio media vuelta y comenzó a girar sus pechos hacia nosotros agresiva y orgullosa. Me reconfortó ver en su cara un inesperado sentimiento de victoria y confianza cuando el cono de luz se la iluminó. ¡Sí, señor! No es tan fácil someternos. Todavía somos capaces de hacer algunas cosas, todavía podemos mantenernos en pie.

Eso es: ahora la danzarina les desafía. Demuestra la ridiculez de las miradas de los turistas, que tragan saliva de vez en cuando, y su observación científica. De hecho, la mayoría de los varones, con sus feces en la cabeza, ya se han entregado: ya no están como para manejar a una mujer objeto, se han relajado y se olvidan de sí mismos tan humildes como ante una mujer respetable.

Siento una extraña alegría: me emociona el cuerpo grueso y enorme pero lleno de movimiento de la danzarina. Parece como si todos nos despertáramos de un sueño. Mirando la carne morena alrededor de su ombligo tostado por el sol pensé que podía agarrarme con uñas y dientes a cualquier cosa. Murmuré: ahora mismo vuelvo a casa y llevo a Nilgün al hospital, luego me entregaré a la historia sin hilar demasiado fino, puedo hacerlo si creo en las historias pasadas y reales, en los hechos vivos, puedo hacerlo ahora mismo, ya.

Luego la danzarina, como si quisiera acentuar el desprecio que sentía hacia los turistas, comenzó a coger de la mano a cualquiera de ellos que le llamara la atención y a sacarlos a bailar, les obligaba a bailar la danza del vientre con ella. ¡Dios mío! Los alemanes primero se movían lentamente abriendo los brazos con pequeños y torpes movimientos, miraban avergonzados a sus amigos pero en sus ojos se veía que creían firmemente tener también su derecho a divertirse. Pero ¡maldita sea!, todo, todo es un teatro; intento convencerme a mí mismo inútilmente.

Cuando poco después la danzarina empezó con lo que yo ya esperaba y temía, decidí que de nuevo había perdido todas mis esperanzas. Eligió magistralmente al que parecía más imbécil pero voluntarioso de todos ellos y comenzó a desnudarle. Cuando el gordo alemán, que sonríe a sus amigos mientras mueve torpemente las caderas, se quita la camisa, ya no puedo aguantarlo más y agacho la cabeza. Quiero que se borre toda mi conciencia, que no quede el menor rastro de mi pasado, que no quede la menor huella de mi futuro ni de mis expectativas. Quiero librarme de las ficciones de mi mente, pasear libremente por un mundo que existe fuera de mi cabeza, pero, maldita sea, sé que no voy a abandonarme por completo, que siempre seguiré siendo dos personas y que me quedaré sentado largo rato en este sitio asqueroso, entre esta horrible música, dando vueltas entre las ficciones y las ilusiones de mi mente.

XXIX

Hace mucho que ha pasado de la medianoche pero sigo oyéndoles y siento curiosidad: ¿qué están haciendo abajo? ¿Por qué no se duermen y me dejan la silenciosa noche para mí? Me levanté de la cama, anduve hasta la ventana y miré hacia abajo. ¡Ah, la luz de Recep todavía se refleja en el jardín! ¿Qué estás haciendo ahí, enano? ¡Tuve miedo! Es muy retorcido: me basta con que me mire para comprender que está observándome con atención, examinando cualquier movimiento de mis manos y planeando algo en aquella enorme cabeza suya. Parece como si quisieran envenenarme también las noches y ensuciarme el pensamiento. Sentí miedo al recordarlo: una noche Selâhattin vino a mi habitación para impedir que purificara mi pensamiento de la suciedad del día enterrándolo en la pureza de mi infancia y para que supiera, como él. Al pensarlo volví a tener miedo, noté un estremecimiento como si tuviera frío: me dijo que había descubierto la muerte. Volví a recordarlo y como sentí aún más miedo me aparté de la oscuridad de la ventana, mi sombra, que caía sobre el jardín, desapareció, regresé a toda prisa a la cama, me metí por debajo del edredón y pensé:

Fue cuatro meses antes de su muerte. Fuera soplaba el viento del nordeste, los huecos de las ventanas silbaban. Por la noche me retiré a mi dormitorio, me tumbé en la cama pero no podía dormirme porque el ruido de los pasos de Selâhattin en su cuarto no cesaba, arriba y abajo, ni la tormenta ni la contraventana que golpeaba en el muro y también, qué extraño, porque tenía la piel de gallina. Luego oí los pasos que se acercaban y tuve miedo. Cuando la puerta se abrió de repente se me puso el corazón en la boca y pensé: ¡es la primera vez en años que viene de noche a mi habitación! Selâhattin entró y durante un momento permaneció de pie allí, en el umbral: «¡No puedo dormir, Fatma!». Como si no estuviera borracho, como si yo no hubiera visto cuánto había bebido durante la cena. No dije nada. Entró tambaleándose. Sus ojos brillaban de fiebre: «No puedo dormir, Fatma, porque he descubierto algo terrible. Esta noche vas a escucharme. No voy a permitirte que cojas tu labor y te vayas a la otra habitación. ¡He descubierto algo terrible y tengo que contárselo a alguien!». El enano está abajo y le encanta escucharte, Selâhattin, pensé, pero no le dije nada porque su cara adquirió una expresión extraña y susurró: «He descubierto la muerte, Fatma, aquí nadie es consciente de la muerte. ¡Yo soy el primero en haberla descubierto en Oriente! Hace nada, esta noche». Se detuvo por un instante, luego pareció como si le diera miedo su descubrimiento pero no hablaba como si estuviera borracho: «¡Escucha, Fatma! Lo sabes. Sabes que he terminado la "l", aunque mucho después de lo que lo había planeado. Ahora estoy escribiendo la "m"; tenía que escribir un artículo sobre la muerte, ¡lo sabes!». Lo sabía porque durante los desayunos no hablaba de otra cosa, y durante los almuerzos, y las cenas. «Pero, no sé por qué, no podía escribirlo, llevaba días paseando arriba y abajo por mi habitación pensando en por qué no podía. De todas formas, lo mismo que los demás artículos, iba a sacarlo de ellos; pensaba que yo no tenía nada que añadir a lo que ellos han pensado y escrito, pero no entendía por qué no podía empezar de ninguna manera con ese artículo...» Se rió. «Quizá porque se me venía a la mente mi propia muerte, quizá porque me acerco a los setenta y todavía no he podido terminar mi enciclopedia. ¿Qué dices?» Yo no decía nada. «No, Fatma, no es por eso.

¡Todavía soy joven y no he terminado con lo que tengo que hacer! Además, después de este descubrimiento me siento increíblemente joven y vivo. ¡Hay tantas cosas que hacer a la luz de este descubrimiento que aunque viviera cien años más, no me bastarían!» De repente gritó: «¡Todo, todo, todos los hechos, los movimientos, la vida, todo ha ganado un nuevo significado! Ahora lo veo todo de manera completamente distinta. Después de pasarme una semana andando arriba y abajo por mi habitación sin escribir una sola palabra, hace dos horas este descubrimiento brilló de repente en mi cerebro. Hace dos horas yo, por primera vez en Oriente, abrí los ojos al miedo a la nada, Fatma. Lo sé, no me entiendes, pero me entenderás, ¡escucha!». Le escuchaba no porque quisiera entenderle, sino porque no tenía otra cosa que hacer. Él caminaba arriba y abajo, como si estuviera en su propia habitación. «Llevo una semana pensando en la muerte mientras paseo arriba y abajo en mi cuarto y me picaba la curiosidad por saber por qué ellos le concedían tanta importancia a la muerte en sus libros y enciclopedias. Dejando de lado las obras de arte, en Occidente hay miles de libros escritos solo sobre la muerte. Pensaba en por qué le darían tanta importancia a una cuestión tan simple y en que mi intención era escribir brevemente sobre ella en mi enciclopedia. Esto iba a escribir: ¡la muerte es la quiebra del organismo! Y así, después de una breve introducción médica, derribaría las ideas sobre la muerte de las leyendas y los libros sagrados, después de haber demostrado con placer que tales libros sagrados no son sino plagios unos de otros y, además, resumiría sucintamente la ridiculez de las ceremonias y tradiciones funerarias de diversos pueblos. Quería mantener el asunto así de breve tal vez porque intento acabar la enciclopedia lo antes posible, pero en realidad no era por eso. Hasta hace dos horas no he comprendido lo que es la muerte, no le daba importancia porque me comportaba como cualquier oriental, Fatma, lo entendí hace dos horas: eso de lo que llevaba tantos años sin darme cuenta lo comprendí hace dos horas viendo los muertos en el periódico. ¡Algo terrible! ¡Escucha! En esta ocasión los alemanes han atacado Kharkov, pero bueno, eso no es lo importante. Hace dos horas, cuando miraba distraído a los muertos del periódico con la misma indiferencia que hace cuarenta años miraba a los cadáveres en la facultad y en los hospitales, de repente estalló un relámpago en mi cerebro, el mismísimo horror, como un martillo pilón que me golpeara la cabeza y pensé: teniendo en cuenta que ni Dios, ni el cielo, ni el infierno existen, después de la muerte solo puede haber una cosa: eso que llamamos la nada. ¡Una nada completamente vacía! Bien, no creo que lo entiendas de inmediato. Hasta hace dos horas, yo tampoco. Pero después de descubrir por fin eso que llaman la nada, lo entendí, Fatma, y al reflexionar y profundizar en la idea, ¡comprendí la nada y el miedo a la muerte! En Oriente nadie se ha dado cuenta. Por esa razón llevamos siglos y milenios arrastrándonos por los suelos, pero no nos demos prisa, te lo voy a explicar bien despacito. ¡Esta noche no puedo soportar solo el peso de este descubrimiento!» Hacía gestos impacientes moviendo los brazos como cuando era joven. «Porque de repente he comprendido por qué todo es así. Por qué nosotros somos así y ellos son asá. Por qué Oriente es Oriente y Occidente es Occidente, te juro que lo he entendido, Fatma, por favor, te lo ruego, ahora escúchame con atención, lo entenderás.» Me lo explicó como si no supiera que no le escuchaba desde hacía cuarenta años. Me lo explicó como en los primeros años, convencido y con cuidado, con una voz que intentaba ser dulce y afectuosa como la del viejo maestro estúpido que pretende convencer a un niño pequeño, pero que solo sonaba excitada y pecadora. «Ahora escúchame con cuidado, Fatma, nada de enfadarse, ¿de acuerdo? Decimos que Dios no existe, cuántas veces no te lo habré repetido, porque su existencia no puede demostrarse experimentalmente, por lo tanto, todas las religiones, que toman como base la existencia de Dios, no son sino palabrería poética. Por lo tanto, el cielo y el infierno que describen tales palabrerías tampoco existen, por supuesto. Y si no hay cielo ni infierno, tampoco hay vida después de la muerte. Me sigues, ¿verdad, Fatma? Si no hay vida después de la muerte, la existencia de los que mueren desaparece por completo con su muerte, como si no quedara nada de ellos. Observemos esta situación también desde el punto de vista del que muere: el muerto, que vivía antes de morir, ¿dónde está después de hacerlo? No hablo de su cuerpo: ¿dónde está ahora como ser consciente, sensible, inteligente? En ningún sitio: no está. ¿Verdad, Fatma? Está en algo que no existe, enterrado en lo que llamo la nada; ya ni ve a nadie ni puede ser visto por nadie. ¿Entiendes ahora, Fatma, lo terrible que es eso a lo que llamo la nada? Cuanto más lo pienso más me envuelve el terror; ¡Dios mío, qué extraña, qué estremecedora idea! Cuando intento representármela se me pone la piel de gallina. Piensa tú también, Fatma, piensa en algo que no tuviera nada: ni sonido, ni color, ni olor, ni tacto, piensa en algo que no tuviera ninguna particularidad ni tampoco un lugar en el vacío, Fatma. No puedes imaginar algo que no ocupe ningún lugar en el espacio y que no se vea y que no pueda sentirse, ¿no? Solo una ciega oscuridad, ¡una ciega oscuridad sin principio ni fin que ni siquiera sabe que lo es! ¡Y esa oscuridad aún más intensa a la que llaman la muerte, la nada, va mucho más allá! ¿Te da miedo, Fatma? Mientras nuestros cadáveres se pudren en el silencio de la tierra, repugnante y frío como el hielo, y las víctimas de la guerra apestan entre escombros de cemento con agujeros del tamaño de un puño en el cuerpo, con los cráneos destrozados y los sesos esparcidos por el suelo, los ojos fuera de sus cuencas y las bocas rasgadas llenas de sangre, sus conciencias, nuestras conciencias, ¡ay!, se entierran en la nada, en esa oscuridad sin principio ni fin; como un ciego que cayera cabeza abajo por un precipicio sin fondo y que ignorara lo que le está ocurriendo, no, mucho peor: como nada. Maldita sea, cuando lo pienso me desespero, no quiero morir, cuando la muerte se me viene a la cabeza quiero rebelarme, Dios mío, qué agobiante es saber que vamos a desaparecer enterrados para siempre en una oscuridad infinita y que nunca, nunca, nunca saldremos de ella y no sentiremos nada. ¡Todos vamos a hundirnos en la nada, Fatma, nos vamos a llenar de nada hasta aquí! ¿No te da miedo? ¿No te gustaría rebelarte? Tienes que tenerlo, tienes que abrir los ojos al miedo, no puedo dejarte esta noche sin despertar en ti ese sentimiento de rebelión a la muerte. Escucha, escucha: el cielo no existe, el infierno no existe, Dios no existe, no existe nadie que te vigile ni te proteja entre sus brazos, ni que te castigue, ni que te perdone. Después de morir te hundirás en esa nada solitaria para no salir más, como quien se hunde hasta el fondo del mar. Te ahogarás en una soledad silenciosa sin retorno posible. Mientras tu cadáver se pudre en el frío suelo, la tierra llenará tu cráneo y tu boca, como si fueran macetas, tu carne se te caerá y se deshará como trozos de estiércol seco, tu esqueleto se convertirá en polvo, se desmenuzará como el carbón, penetrarás en un repugnante pantano que te destruirá y te descompondrá entera, hasta el último de tus cabellos, sabiendo que ni siquiera tienes el derecho a imaginar la esperanza de volver, y desaparecerás para siempre en el fango sin compasión y frío como el hielo de la nada, completamente sola, ¿lo entiendes, Fatma?»

¡Me dio miedo! Levanté la temerosa cabeza de la almohada y miré la habitación. El mundo de antes y el de ahora: pero mi habitación y mis cosas están durmiendo. Había sudado. Quise ver a alguien, hablar con alguien, tocarlo. Luego oí el ruido de abajo y sentí curiosidad. Ya eran las tres. Me levanté de inmediato y corrí a la ventana: la luz de Recep sigue encendida. Pensé: ¡enano asqueroso, bastardo de una criada! Pensé con miedo en aquella fría noche de invierno: las sillas volcadas, los cristales rotos, los platos, las repugnantes telas, la sangre, me estremecí como si algo me inquietara. ¿Dónde está mi bastón? Lo cogí y golpeé el suelo, golpeé una vez más y llamé:

—¡Recep! ¡Recep! ¡Sube! ¡Deprisa!

Salí del dormitorio y fui hasta las escaleras.

—¡Recep, Recep! ¡Te estoy llamando! ¿Dónde estás?

Miré hacia abajo: hay sombras en la luz que viene de allí, se mueven en la pared. Sé que estáis ahí. Grité una vez más y por fin vi una silueta.

—Voy, señora, voy. —Al empequeñecerse la sombra el propio enano salió a la luz—. ¿Qué hay? ¿Qué quiere?

No subía.

—¿Por qué no estás acostado a estas horas? ¿Qué estáis haciendo abajo?

—Nada. Estamos sentados charlando.

—¿A estas horas? No me mientas, me doy cuenta enseguida. ¿Qué les estás contando?

—No les estoy contando nada. ¿Qué le pasa ahora? ¿Otra vez está pensando? ¡Pues no piense! Si no puede dormir, lea el periódico, revuelva el armario, compruebe que la ropa está en su sitio, coma fruta, ¡pero no piense más!

—¡A ti qué te importa lo que yo haga! Llámales, diles que vengan.

—Aquí solo está la señorita Nilgün. Faruk bey y Metin no están.

—¿Que no están? Bájame que yo misma lo vea. ¿Qué les has contado?

—¿Qué quiere que les cuente, señora? ¡No lo entiendo!

Por fin subió las escaleras. Creí que vendría hacia mí, pero entró en mi dormitorio.

—¡No enredes en mi habitación! ¿Qué haces?

Allí estaba parado de pie el enano. Enseguida lo alcancé. De improviso se dio media vuelta, se acercó a mí y me cogió del brazo. Me sorprendió, pero, en fin... Me tocó y me llevó a la cama, me acostó y me cubrió con mi edredón calentito: bueno, soy una niña pequeña, inocente, he olvidado. Estaba acostada en mi cama cuando dijo mientras salía:

—Le da un mordisquito a los melocotones y los deja. Son los mejores que hay y no le gustan. ¿Quiere que le suba unos albaricoques?

Se fue y yo me quedé sola: con el mismo techo por encima y sobre el mismo suelo; la misma agua en la jarra y en la mesa el mismo vaso, el cepillo, la colonia, el peine y el reloj permanecen iguales mientras yo estoy tumbada en la cama pensando en qué extraño es eso que llamamos tiempo cuando sentí un estremecimiento: comprendí que de nuevo pensaría en lo que Selâhattin había descubierto aquella noche y tuve miedo. El demonio me explicaba:

«¿Puedes comprender la grandeza de este descubrimiento, Fatma? ¡Esta noche he descubierto esa frontera invisible que nos separa de ellos! No, no es la ropa, ni las máquinas, ni las casas, ni el mobiliario, ni los profetas, ni los gobiernos, ni las fábricas lo que separa Oriente y Occidente. Eso son solo consecuencias. Lo que nos separa de ellos es esa pequeña y simple realidad: ellos se han dado cuenta de la existencia de ese pozo sin fondo llamado muerte, de la nada, nosotros no tenemos ni idea de esa terrible realidad. ¡Al pensar que la increíblemente enorme diferencia que existe entre nosotros se basa en un descubrimiento tan pequeño, tan simple, se me llevan los demonios! No me cabe en la cabeza cómo en mil años no ha surgido en todo Oriente una sola persona capaz de imaginar algo así. ¡Si nos atenemos a la cantidad de tiempo y vida perdidos, tú misma puedes ver hasta qué punto han llegado la estupidez y la apatía, Fatma! Pero, no obstante, creo en el futuro, porque yo he dado ese primer paso, que, aunque simple, tantos siglos ha costado dar; esta noche, yo, Selâhattin Darvinoglu, ¡he descubierto la muerte en Oriente! ¿Te das cuenta de lo que te estoy diciendo? ¡Me miras como si no me entendieras! Claro, porque solo quien conoce la oscuridad puede comprender la luz, solo quien conoce la nada puede entender lo que significa existir. ¡Pienso en la muerte, luego existo! ¡No! Por desgracia también existen esos adormecidos orientales, y tú y las agujas de hacer punto que tienes en la mano también existís. ¡Pero ninguno de vosotros tiene ni idea de lo que es la muerte! Por lo tanto, en realidad habría que decirlo así: ¡pienso en la muerte, luego soy occidental! Yo soy el primer occidental que surge en Oriente, ¡el primer Oriente que se convierte en Occidente! ¿Lo entiendes, Fatma? —de repente gritó—. ¡Dios mío! Eres como ellos, estás ciega». Luego, con un gemido lloroso dio dos pasos tambaleantes hacia la ventana y por un momento, ¡qué raro!, creí que abriría las hojas de la ventana y que, con el entusiasmo del descubrimiento prestándole alas, se lanzaría afuera, a la tormenta, y volaría un poco, creí que con el entusiasmo volaría dando un par de aletazos con los brazos y que luego comprendería la verdad, caería, se estrellaría y se mataría, pero Selâhattin permaneció en la habitación y miró con odio y desesperación por los cerrados y oscuros cristales como si pudiera ver todo el país y aquello que llamaba Oriente. «¡Pobres ciegos! ¡Están dormidos! Se han metido en sus camas, se han envuelto en sus edredones, se han enterrado en el sueño tranquilo de los estúpidos y duermen a pierna suelta. Todo Oriente está dormido. ¡Esclavos! Les enseñaré lo que es la muerte y los liberaré de su esclavitud. Pero primero te liberaré a ti, Fatma, escúchame, ¡comprende y dime que tienes miedo a la muerte!» Y así me rogó de la misma forma que me imploraba para que dijera que Dios no existía, aunque nunca lo consiguió, y me aterrorizó y quiso engañarme retorciendo las palabras y convencerme contando sus pruebas con los dedos; no le creí. Cuando se cansó y guardó silencio, se sentó en una silla frente a mí y paseó la mirada vacía por la mesa, la contraventana seguía golpeando el muro. Luego, de improviso, vio el reloj que hay a mi cabecera y tuvo miedo como si hubiera visto un escorpión o una serpiente y gritó: «¡Tenemos que alcanzarles, tenemos que alcanzarles! ¡Más rápido, más rápido! —Cogió el reloj y lo lanzó sobre mi cama, aún sin abrir—. Entre nosotros hay una diferencia de quizá mil años, pero podemos alcanzarlos, Fatma, les alcanzaremos, porque ya hemos aprendido todo, ¡incluso sabemos cuál es su realidad más profunda! Enseguida publicaré una separata y le enseñaré a nuestro pobre pueblo la verdad. ¡Estúpidos! Ni siquiera se han dado cuenta de que tienen solo una vida, cuando lo pienso me sublevo. ¡Viven sin sospechar nada, sin darse cuenta de la vida que viven, encontrando el mundo como algo ordinario, tranquilos, callados y felices! ¡Ya les enseñaré! ¡Les doblegaré a todos con el miedo a la muerte! Sabrán quiénes son; ¡aprenderán a tener miedo y asco de sí mismos! ¿Has visto alguna vez a un musulmán que se odiara con razón? ¿Has conocido a algún oriental capaz de sentir asco de sí mismo? No esperan nada de sí mismos, no saben apartarse del rebaño, se someten a unas costumbres que ni siquiera saben lo que son y al que pretende otra cosa lo toman por degenerado o por loco. Les enseñaré a temer, no la soledad, sino la muerte, Fatma. Entonces podrán soportar el quedarse solos, ¡entonces preferirán el profundo dolor de la soledad a la estúpida tranquilidad de la multitud! ¡Entonces comprenderán la necesidad de colocarse en el centro del universo! Ya no se sentirán orgullosos de ser la misma persona a lo largo de toda su vida, entonces se sentirán avergonzados. Se interrogarán a sí mismos. ¡Se pedirán cuentas teniendo que responderse a sí mismos, no a Dios! Todo eso ocurrirá, Fatma, ¡les despertaré de ese estúpido, feliz y pacífico sueño milenario! ¡Introduciré en sus corazones el asfixiante y enloquecedor terror del miedo a la muerte! Lo haré, seguro, lo haré aunque tenga que darles de palos en la cabeza, ¡lo juro!». Luego se calló un rato como si se hubiera agotado con su propia ira y se quedó de pie sin aliento. Parecía algo avergonzado y un poco atemorizado por el pánico que se disponía a desatar, pero luego comenzó de nuevo. «Escucha, Fatma, aunque no sientas ese miedo por ti misma, puedes sentirlo recurriendo a tu lógica. La vida que llevamos no nos permite a los orientales sentir ese terror. Por lo tanto debemos aprenderlo por lógica, lo aprenderemos mejor así y lograremos ser como ellos. Para ser como ellos te basta con prestarme atención y hacer funcionar tu lógica. ¡Escúchame!» Pero ya no le escuchaba. Esperaba que me abandonara a la soledad de la noche y así poder volver al dulce amanecer del sueño.

Pero volví a obsesionarme con los ruidos que llegaban de abajo y levanté la cabeza del calor de mi almohada. Oía al enano pasear por la casa como si lo hiciera dentro de mi cuerpo. ¿Qué haces, enano? ¿Qué les estás contando? Luego oí que se golpeaba la puerta del jardín y tuve miedo y reconocí los pasos que se acercaban por el jardín: ¡Metin! ¿Dónde has estado hasta estas horas? Oí cómo entraba haciendo crujir la puerta de la cocina, pero no subió. Pensé: están abajo, ahora están todos abajo y el enano se lo está contando. Sentí un escalofrío y, ¿dónde está mi bastón? Os atraparé a todos con las manos en la masa, pero no me levanté de la cama. Luego oí que sus pasos subían la escalera y me tranquilicé, pero más tarde comprendí que algo raro les ocurría a aquellos pasos, ¡como si el demonio volviera a su habitación después de beber! Se detuvo ante mi puerta en lugar de desviarse y continuar y cuando llamó quise chillar como si me despertara de una pesadilla, pero no lo hice.

Metin entró en mi dormitorio. «¿Cómo está, abuela?» ¡Qué raro! «¿Está bien?» No le respondí, no le miro. «Se encuentra bien, abuela, a usted nunca le puede pasar nada.» Lo entendí: ¡estaba borracho! ¡Como su abuelo! Cerré los ojos. «¡No se duerma, abuela! Tengo algo que decirle.» ¡No me lo digas! «¡No se duerma ahora!» Duermo y siento que se acerca a mi cama. «Tiremos esta vieja casa, abuela.» Ahora lo entiendo. «Tiremos esta casa y construyamos en su lugar un gran edificio de apartamentos. El constructor nos dará la mitad. Será bueno para todos. Usted no entiende nada.» Sí, ¡no entiendo nada! «¡Todos necesitamos dinero, abuela! Como sigamos así, dentro de nada ni siquiera podremos pagar lo que se gasta en la cocina de esta casa.» Nuestra cocina, pienso. Cuando era pequeña nuestra cocina olía a canela y clavo. «Si no hacemos algo, dentro de poco, Recep y usted pasarán hambre. Los demás no pueden ocuparse de la casa. Faruk se pasa el día borracho y Nilgün es comunista, ¿lo sabía?» Olía el perfume de la canela y no sabía nada, ni siquiera sabía que para ser querida hay que saberlo todo. «¡Respóndame! ¡Por su propio bien! ¿No me oye?» No le oigo porque no estoy aquí, estoy dormida y recuerdo: preparábamos mermelada y tomábamos limonada y sorbetes. «¡Respóndame, abuela!

¡Por favor, respóndame!» Luego iba a visitar a las hijas de Şükrü bajá: ¡Hola, Türkân, Şükran, Nigân, hola! «¿No quiere? ¿Es mejor vivir en esta casa medio deshecha pasando hambre y frío que vivir en un piso bonito y caliente?» Se acercó a la cama, agarró las bolas de latón y comenzó a sacudir el somier para asustarme. «¡Despierte, abuela, vamos, abra los ojos, respóndame!» No los abro y me balanceo. Luego, para ir a su casa nos montábamos en el coche de caballos. Taca-tac, taca-tac. «¡Ellos piensan que usted no quiere derribar la casa! Pero también necesitan dinero. ¿Por qué se cree que a Faruk le abandonó su mujer? ¡Por dinero! ¡La gente ya no piensa más que en el dinero, abuela!» Todavía sigue sacudiendo la cama. Taca-tac, se sacudía el coche de caballos. Las colas de los caballos... «¡Abuela, respóndame!» espantaban las moscas. «¡Si no me contesta no la dejaré dormir!» Lo recuerdo, lo recuerdo, lo recuerdo. «Yo también necesito dinero, sobre todo yo, ¿lo entiende? Porque yo...» Se sentó en el borde de la cama, Dios mío. «Yo no me conformo con poco, como ellos. ¡Me da asco este país de imbéciles! Me iré a América. Pero me hace falta dinero. ¿Lo entiende?» Olí asqueada el hedor a alcohol que me golpeaba en la cara y lo entendí. «Ahora me dirá que sí. Abuela, usted también quiere un edificio de pisos, se lo diremos a los otros. ¡Diga que sí, abuela!» No lo dije. «¿Por qué no? ¿La atan demasiado sus recuerdos?» Mis recuerdos son míos. «Trasladaremos a su piso todas sus cosas. Su armario, sus baúles, su máquina de coser, sus platos. Abuela, usted también será feliz, ¿lo entiende?» Lo que entiendo es lo hermosas que eran aquellas noches solitarias de invierno: ¡el mundo se desplegaba inmóvil mientras el silencio de la noche me pertenecía! «Colgaremos también ese retrato del abuelo que hay en la pared. Su habitación quedará igual que esta. ¡Por favor, respóndame!» ¡No le respondí! «Ay, Dios mío, solo porque el uno es un borracho, la otra comunista y esta está chocha, yo...» ¡No te he oído! «... no puedo pasarme toda la vida en esta prisión de imbéciles, ¡no!» Tuve miedo ¡y sentí su fría mano sobre mi hombro! Su voz llorosa se acercó, me imploraba con su aliento apestando a alcohol, lo recuerdo: no existe el cielo, no existe el infierno, tu cadáver permanecerá solitario en la oscuridad de la tierra, fría como el hielo. Seguía rogándome. Tus ojos se llenarán de tierra, los gusanos te roerán las tripas, la carne se te descompondrá. «¡Abuela, se lo ruego!» Las hormigas corretearán por tu cerebro, por tus pulmones se pasearán babosas, en la tierra tu corazón hervirá de gusanos. Luego se detuvo de repente. «¿Por qué murieron mis padres y usted sigue viva? ¿Es eso justo?» Pensé. Le han engañado. Pensé. ¡El enano se lo está contando allá abajo! Pensé, pero ya no dijo nada más. Lloraba ¡y por un momento creí que su mano se acercaba a mi garganta! Pensé en mi tumba. Seguía llorando tumbado en mi cama. Me dio asco. Me resultó difícil levantarme de la cama pero por fin lo conseguí, me puse las zapatillas, cogí el bastón y salí del dormitorio, llegué hasta las escaleras y llamé:

—¡Recep, Recep, venid, deprisa!

XXX

Estaba sentado abajo con Nilgün. Cuando oí que la señora me llamaba, me levanté de inmediato y subí las escaleras corriendo. Estaba en la puerta de su habitación.

—¡Corre, Recep! —gritaba—. ¿Qué está pasando en esta casa? ¡Dímelo ahora mismo!

—Nada —le respondí sin aliento.

—¡Nada! Pues este se ha vuelto rabioso. ¡Mira!

Señaló al interior de su dormitorio con el extremo del bastón, asqueada como si señalara una rata muerta. Entré: Metin yacía boca abajo en la cama de la señora y temblaba con la cabeza enterrada en la almohada bordada.

—¡Casi me mata! Te estoy preguntando qué es lo que pasa en esta casa, no me ocultéis nada.

—Nada. ¿Le parece bonito, Metin bey? Vamos, levántese.

—Nada. ¿Quién le ha metido esas ideas en la cabeza a este? Ahora mismo me bajas.

—Muy bien —le respondí—. Metin bey ha bebido un poco, señora. Eso es todo. Es joven, ha bebido pero no está acostumbrado, ya lo ve. ¿No eran así su padre y su abuelo?

—¡Cállate! ¡No es eso lo que te preguntaba!

—Vamos, Metin bey. ¡Venga que le ayude a acostarse en su cama!

Se levantó tambaleándose y al salir de la habitación lanzó

344

una extraña mirada al retrato de su abuelo colgado de la pared. Luego, cuando entró en su dormitorio, me preguntó gimoteando:

—¿Por qué se murieron mis padres tan pronto? Dime, Recep, ¿por qué?

Mientras le ayudaba a quitarse la ropa para que se acostara comencé a responderle diciendo «Dios...», pero de repente me empujó:

—¡Así que Dios! ¡Estúpido enano! No te preocupes, ya me desnudo yo. —Pero en lugar de hacerlo cogió algo de su maleta. Cuando iba a salir de la habitación se detuvo y dijo de una forma extraña—: Voy al retrete.

La señora me llamaba y fui a ver.

—Bájame, Recep. Quiero ver por mí misma lo que están haciendo abajo.

—No pasa nada, señora. La señorita Nilgün está leyendo y Faruk bey ha salido.

—¿Adónde ha podido ir a estas horas? ¿Qué les has contado? No mientas.

—No le estoy mintiendo. Venga que la acueste. —Entré en su habitación.

—Algo ocurre en esta casa... ¡No entres en mi dormitorio! ¡No lo revuelvas! —dijo, y entró detrás de mí.

—Vamos, señora. Acuéstese, que luego se cansa. —Entonces oí que Metin gritaba y tuve miedo. Salí de inmediato.

Metin se me acercó tambaleándose y me dijo con voz de borracho:

—¡Mira! ¡Mira lo que ha pasado, Recep!

Observaba alegre la sangre que brotaba de su muñeca. Se había cortado, pero no era un corte profundo, prácticamente solo un arañazo. Luego pareció recordar de repente su miedo, mi presencia y otras cosas vulgares y se arrepintió de lo que había hecho.

—¿Está abierta la farmacia a estas horas?

—Sí. Pero antes voy a darle un poco de algodón, Metin bey.

Bajé rápidamente. Estaba sacando algodón del armario cuando Nilgün preguntó sin levantar la cabeza del libro:

—¿Qué pasa?

—Nada —respondió Metin—. Me he cortado en la mano.

Le entregué el algodón y mientras lo presionaba contra el corte llegó Nilgün.

—No ha sido la mano, sino la muñeca. Pero no es nada. ¿Cómo has conseguido hacértelo?

—¿No es nada? —preguntó Metin.

—¿Qué hay en ese armario, Recep?

—¡No es nada! —continuó Metin—. Pero, de todas formas, voy a ir a la farmacia.

—Cosas sin importancia, señorita.

—¿No queda nada de las cosas viejas de mi padre y mi abuelo? ¿Qué era lo que escribían?

Pensé un momento y le respondí de repente:

—Que Dios no existe.

Nilgün se rió y su cara se puso preciosa.

—¿Cómo lo sabes? ¿Te lo contaron?

No respondí. Cerré el armario. Subí cuando oí que la señora me llamaba, la volví a acostar y le repetí que abajo no ocurría nada. Me pidió que le cambiara el agua de la jarra. Cuando bajé después de subirle el agua, Nilgün leía de nuevo. Luego oí unos ruidos en la cocina. Faruk bey intentaba abrir la puerta pero no podía. Yo se la abrí.

—Pero si no estaba cerrada con llave —le dije.

—Habéis encendido todas las luces. —Exhaló en mi cara un intenso aliento a *rakı*—. ¿Qué ha pasado?

—Le estábamos esperando, Faruk bey.

—¡Por mi culpa! ¡Ah, por mi culpa! Ojalá os hubierais ido en taxi. Y yo viendo la danza del vientre.

—Si pregunta por la señorita Nilgün, no tiene nada.

—¿No? No sé. —Parecía sorprendido—. Está bien, ¿no?

—Sí, está bien. ¿Va a entrar?

Entró. Luego se dio media vuelta y miró a la oscuridad,

como si quisiera ir por última vez a algún lugar cerca de la mortecina farola que había más allá de la puerta del jardín. Entonces abrió la nevera y cogió la botella. De repente retrocedió dos pasos como si hubiera perdido el equilibrio con el peso de la botella y se desplomó sobre mi silla. Jadeaba como un asmático.

—Se está destrozando, Faruk bey —le dije—. Nadie bebe tanto.

—Lo sé —me contestó mucho más tarde. No dijo nada más. Permanecía sentado abrazado a su botella como una niña pequeña con su muñeca preferida en brazos.

—¿Le preparo una sopa? Tengo caldo de carne.

—Sí.

Siguió sentado un rato más y después se fue tambaleándose.

Cuando le llevé la sopa también había regresado Metin. Le habían puesto un pequeño vendaje en la muñeca.

—La farmacéutica ha preguntado por ti, hermana. Le sorprendió saber que no habías ido al hospital.

—Es verdad —dijo Faruk—. Aún no es demasiado tarde. Podemos llegar a tiempo.

—¿Qué dices? —le replicó Nilgün—. Pero si no me va a pasar nada.

—Yo he estado viendo la danza del vientre con unos turistas idiotas con feces en la cabeza.

—¿Y qué tal? —le preguntó alegre Nilgün.

—¿Dónde estará mi cuaderno? Podría sacar algún significado del cuaderno, de la historia.

—Estúpidos... Por vuestra culpa —decía Metin.

—¿Quieres volver a Estambul, Metin? —le preguntó Faruk—. ¡Estambul es igual!

—Los dos estáis borrachos. Ninguno puede conducir —dijo Nilgün.

—¡Yo conduciré! —gritó Metin.

—No, esta noche nos quedaremos aquí sentaditos como buenos hermanos.

—¡Todos son cuentos! —dijo Faruk bey. Se calló un momento y añadió—: Cuentos sin motivo...

—¡No! No dejaré de repetirlo. Siempre tienen un motivo.

—¡Bravo! De veras que no te cansas de repetirlo.

—¡Callaos! ¡Basta ya! —chilló Metin.

—¿Cómo seríamos si hubiéramos nacido en una familia occidental? —continuó Faruk—. Por ejemplo, si fuéramos hijos de una familia francesa, ¿estaría Metin contento por fin?

—No —respondió Nilgün—. Lo que él quiere es América.

—¿De veras, Metin?

—Chiiist —contestó Metin—. Voy a dormirme.

—No se quede dormido ahí, Metin bey —dije yo—. Va a enfriarse.

—Tú no te metas.

—¿Le traigo sopa a usted también?

—¡Ah, Recep! —Faruk bey suspiró—. ¡Ah, Recep, ah!

—¡Tráemela!

Bajé a la cocina y preparé sopa también para él. Cuando subí, Faruk bey se había tumbado en el otro sofá. Hablaba con Nilgün mirando al techo y se reían. Metin observaba el disco que tenía en las manos.

—¡Qué bonito! —comentó Nilgün—. Como los amigos de un dormitorio de internado.

—¿No van a subir a acostarse? —les estaba preguntando cuando oí que la señora me llamaba.

Subí. Me costó largo rato calmarla y conseguir que se acostase. Quería bajar y yo le di melocotones. Cuando cerré la puerta y bajé, Faruk bey se había dormido; lanzaba unos extraños ronquidos muy profundos que recordaban a los de los viejos que han sufrido mucho.

—¿Qué hora es? —susurró Nilgün.

—Ya son las tres y media. ¿También usted va a dormir aquí?

—Sí.

Subí. Pasé por sus habitaciones, una a una, cogí las colchas y las bajé. Nilgün me dio las gracias, tapé también a Faruk bey.

—Yo no la quiero —me dijo Metin. Miraba absorto la portada del disco que tenía en la mano, como quien ve la televisión. Al acercarme lo vi: era el disco de aquella mañana—. Apaga las luces.

Como Nilgün no tuvo nada que objetar, apagué la bombilla desnuda que colgaba del techo; pero, no obstante, podía seguir viéndolos porque la cruda luz de la farola de fuera entraba por las contraventanas y se reflejaba en los cuerpos de los tres hermanos allí acostados como para mostrarme los ronquidos desengañados de todo de Faruk bey pero también para recordarme que el hombre no debe sentir miedo mientras desde algún rincón se filtre aunque solo sea un poco de luz y el mundo no esté sumido en las tinieblas. Luego oí el canto intermitente y decidido de un grillo, no como si viniera de afuera, sino de algún lugar muy cercano. Me sentía como si quisiera tener miedo y no pudiera porque de vez en cuando veía que alguno se movía ligeramente y pensaba que debía de ser bonito que durmieran tres hermanos en la misma habitación, tapados por la oscuridad y por tranquilos y desesperados ronquidos. Porque ni siquiera durmiendo estás solo y aunque se trate de una fría noche de invierno, no duermes solo sintiendo escalofríos. Es como si en la habitación de arriba o en la de al lado estuvieran tu padre o tu madre o ambos escuchando tus ruidos y velando por ti y como si te perdieras en el edredón de plumas de un sueño tranquilo recordándolo. Entonces me acordé de Hasan y por alguna extraña razón supe que en ese momento él sí que estaría sintiendo escalofríos. ¿Por qué lo hiciste? ¿Por qué lo hiciste? Pensé y volví a pensar mientras contemplaba sus cuerpos vivos, que se movían ligeramente, y me propuse quedarme un rato allí repitiéndome las mismas historias, no, un poco no, hasta el amanecer, quería sentir miedo y acostarme en el cálido corazón del miedo, cuando oí la voz de Nilgün:

—Recep, ¿todavía estás ahí?

—Dígame, señorita.

—¿Por qué no te has acostado?

—Ahora iba a hacerlo.

—Vamos, Recep, acuéstate. No me pasa nada.

Me fui y me acosté después de beber un vaso de leche y tomar algo de yogur pero no pude dormirme enseguida. Daba vueltas en la cama pensando en ellos, en los tres hermanos durmiendo en la misma habitación allí arriba, luego pensé en la muerte y después en Selâhattin bey antes de que muriera. «¡Ah, hijo mío! ¡Qué pena no haberme podido ocupar de tu educación ni de la de İsmail! Ese estúpido que os presentaron como vuestro padre cuando os llevaron a la aldea os ha echado a perder. Claro, que también en parte es culpa mía. Cerré los ojos cuando Fatma os envió allí. Fui débil, pero no quise enfadarla. Fatma es la que sigue corriendo con los gastos que la ciencia necesita y el pan que coméis le pertenece, al igual que los sufrimientos que habéis padecido. Lo que más lamento es que esos bobos de la aldea han debido de fosilizar vuestras mentes llenándolas de miedos. Pero, por desgracia, ya no puedo educaros, criaros como hombres libres capaces de tomar sus propias decisiones y de razonar. Es demasiado tarde, no solo porque el árbol únicamente se inclina cuando es joven, es demasiado tarde también porque ya tengo un pie en el hoyo, porque ya no puedo contentarme con ilustrar y salvar a una o dos personas habiendo millones de pobres musulmanes encerrados en las mazmorras del oscurantismo, ¡millones de esclavos adormecidos que esperan la luz de mi libro! ¡Pero, ay, qué poco tiempo! Adiós, mi pobre y silencioso hijo. Por lo menos te daré un último consejo, escúchame bien, Recep: sé libre y no te preocupes demasiado por nada, confía solo en ti y en tu inteligencia, ¿me entiendes?» Yo afirmaba con la cabeza en silencio mientras pensaba: ¡palabras! «Arranca la manzana de la sabiduría del árbol del Paraíso, Recep, no temas, arráncala, entonces quizá te retuerzas entre enormes sufrimientos, pero serás libre y cuando todo el mundo sea libre entonces crearás en esta tierra el auténtico Paraíso, el verdadero, porque entonces no tendrás miedo a nada.» Palabras, pensaba yo, palabras, una serie de sonidos que desaparecen en cuanto se esparcen por el aire, palabras... Me dormí pensando en las palabras.

Me desperté mucho después de que saliera el sol cuando alguien golpeó mi ventana. Era İsmail. Le abrí la puerta de inmediato. Nos miramos entre temerosos y culpables.

—Hasan no ha venido por aquí, ¿no? —me preguntó con voz llorosa.

—No. Pasa, İsmail.

Entró en la cocina y se quedó allí de pie como si temiera romper algo. Nos callamos un rato. Luego pareció perder su miedo.

—¿Por qué lo ha hecho, Recep? ¿Lo sabes?

No respondí. Entré en mi cuarto, me quité el pijama y mientras me ponía la camisa y el pantalón escuchaba lo que me decía.

—Siempre ha hecho lo que quería. —Hablaba como si lo hiciera consigo mismo—. No quería trabajar de aprendiz con el barbero. Muy bien, estudia entonces. Pero tampoco estudiaba. Iba con ellos, me he enterado, hay gente que lo ha visto y que me lo han contado, iba hasta Pendik. ¡Y sacaban dinero a la fuerza a los comerciantes!

Luego guardó silencio un rato. Creí que iba a llorar, pero no lo hacía cuando regresé a la cocina.

—¿Qué comentan? —preguntó temeroso—. Los de arriba. ¿Cómo está la señorita?

—Anoche decía que bien, ahora duerme. Pero no la han llevado al hospital y habrían debido hacerlo.

Me pareció que İsmail se alegraba al oír aquello.

—Tal vez ni siquiera sea tan grave como para ir al hospital. Quizá no la golpeara tanto.

Yo me callé, pero luego le dije:

—Yo lo vi, İsmail. Vi cómo la golpeaba.

Se avergonzó como si el culpable fuera él mismo. Se desplomó en mi diminuta silla y creí de nuevo que iba a llorar, pero solo se quedó sentado.

Poco después, cuando oí ruido arriba, puse agua para el té y subí a la habitación de la señora.

—¡Buenos días! ¿Va a desayunar abajo o aquí? —Abrí las contraventanas.

—Aquí. Llámales, quiero verles.

—Están todos dormidos —le respondí, pero al bajar vi que Nilgün se había despertado.

—¿Cómo te encuentras?

Se había puesto un vestido rojo.

—Muy bien, Recep. No tengo nada.

Pero no era eso lo que decía su cara: tenía un ojo completamente cerrado y las heridas, ya con costra, parecían más hinchadas y moradas.

—¡Vais a ir directamente al hospital!

—¿Se ha despertado mi hermano Faruk?

Bajé. İsmail continuaba sentado tal y como le había dejado. Preparé el té.

—Anoche vinieron los gendarmes a casa —me dijo después—. Nos dijeron que no le ocultáramos y yo les pregunté que por qué iba a hacerlo. Pienso castigarle antes de que lo haga el Estado.

Se calló y esperó a que diera mi opinión, como no le respondí, otra vez pareció que fuera a llorar, pero no lo hizo.

—¿Qué dicen?

Al no obtener respuesta, encendió un cigarrillo.

—¿Dónde podría encontrarle?

Yo cortaba el pan para tostarlo.

—Tiene amigos. Iba con ellos al café. Lo hizo para ser como ellos. ¡Pero si no tiene ni idea de nada!

Sentí que me miraba. Seguí cortando pan.

—¡Pero si no tiene ni idea de nada! —repitió.

Ya había cortado todo el pan.

Cuando subí también se había despertado Faruk bey. Nilgün le escuchaba divertida.

—¡Y así me encontré a mí mismo en brazos de la musa de la historia! —le decía Faruk—. Me abrazaba como la típica tía materna ya madurita y me decía: «Ahora voy a revelarte el secreto de la historia».

Nilgün lanzó una risita y Faruk continuó:

—¡Qué sueño! Me dio miedo y me desperté, pero aquello no era despertarse. Te gustaría despertarte pero te despeñas por el precipicio del sueño. Y, mira, ¡esta cosa tan arrugada salió de mi bolsillo!

—¡Oh! Un fez.

—¡Claro que es un fez! Anoche los turistas los llevaban mientras veían la danza del vientre. No sé lo que hice. Hace un momento salió de mi bolsillo. ¿Cómo me pudo caber ahí?

—¿Les sirvo ya el desayuno? —les pregunté.

—Sí, Recep —me contestaron.

Porque querían volver a Estambul para evitar el tropel de comerciantes y el tráfico. Bajé a la cocina, puse el pan en el fuego, herví los huevos y ya les subía el desayuno cuando İsmail me dijo:

—Quizá tú sepas algo. Te pasas el día aquí sentado, ¡pero te enteras de más cosas que nadie!

Reflexioné un poco.

—¡Sé tanto como tú, İsmail!

Luego le conté que lo había visto fumando. İsmail me miró sorprendido, como decepcionado.

—¿Adónde puede ir? —se preguntó esperanzado—. Algún día aparecerá en cualquier sitio y volverá. Con todo lo que pasa cada día, con toda la gente que muere... Esto lo olvidarán.

Guardó silencio un rato y después me preguntó:

—¿Lo olvidarán, hermano?

Le serví un vaso de té.

—¿Lo olvidarás tú, İsmail?

Subí.

—Ya se han despertado, señora. La esperan abajo. Vamos, baje y desayune con ellos una última vez.

—¡Llámales! Tengo algo que contarles. No quiero que les engañen tus mentiras.

Bajé sin responder. Puse la mesa, Metin también se había despertado. Faruk y Nilgün se reían, Metin estaba sentado en silencio.

—Hace dos noches que Hasan no pasa por casa —me dijo İsmail cuando llegué a la cocina—. ¿Lo sabías?

Me miró con atención.

—No, no lo sabía. ¿Tampoco fue la noche de la tormenta?

—No. El techo chorreaba, había auténticos torrentes alrededor de la casa. Nos pasamos la noche sentados esperándole, pero no vino.

—Quizá se quedara en algún sitio cuando empezó a llover.

Me miró con mayor atención aún.

—¿Vino aquí?

—¡Claro que no, İsmail! —Pero luego pensé y se me vino a la memoria el fuego que se había quedado encendido.

Subí el té, el pan y los huevos, y de repente se me ocurrió:

—¿Quiere leche, señorita Nilgün?

—No.

Ojalá hubiera hervido la leche y se la hubiera servido sin preguntarle. Bajé de nuevo a la cocina.

—Vamos, İsmail, tómate el té.

Le puse de desayunar y corté pan.

—¿Se lo has contado, Recep?

Ni siquiera le contesté. Se avergonzó un poco y comenzó a comer en silencio como para disculparse. Subí la bandeja de la señora.

—¿Por qué no vienen? —me preguntó—. ¿No les has dicho que les llamaba?

—Sí, señora... Ahora están desayunando. Vendrán a besarle la mano antes de irse, por supuesto.

De improviso levantó la cabeza de la almohada con una astuta rapidez.

—¿Qué les contaste anoche? Dímelo, no quiero mentiras.

—¿Qué quiere que les cuente? No lo entiendo.

No me respondió. Me miró con asco. Le dejé la bandeja y bajé.

—Si por lo menos pudiera encontrar mi cuaderno... —decía Faruk bey.

—¿Dónde lo viste por última vez?

—En el coche. Luego Metin se lo llevó pero no vio el cuaderno.

—¿No lo viste? —le preguntó Nilgün.

Ambos miraron a Metin, pero este ni siquiera les respondió. Estaba sentado, derrotado como un niño que ha recibido una paliza: como un niño que ha recibido una paliza pero a quien no se le permite llorar. Tenía una tostada en la mano pero la miraba como si no supiera que era una tostada, con la mirada perdida, como un viejo chocho que debe esforzarse para recordar que es igual que aquellas tostadas que comía en tiempos después de untarles mantequilla y mermelada, y de repente mordió el pan más animado como para recordar los buenos tiempos pasados y para comenzar de nuevo, por un momento pareció entusiasmado pero luego perdió su esperanza de victoria, se olvidó también de masticar y se quedó paralizado como si tuviera un guijarro entre las mandíbulas. Yo le observaba y pensaba.

—¡Metin, que te estamos hablando! —le gritó Nilgün.

—¡No he visto vuestro cuaderno!

Bajé. İsmail había encendido otro cigarrillo. Me senté a desayunar con el pan que había dejado. No hablábamos, mirábamos hacia fuera por la puerta abierta, el jardín, la tierra por la que andurreaban los gorriones. Dentro el sol daba en nuestras manos desesperadas. Quise decir algo porque creí que iba a llorar.

—¿Cuándo es el sorteo, İsmail?

—¡Fue anoche!

Luego oímos un largo rugido: Nevzat pasó con su motocicleta y desapareció.

—Bueno, me voy —dijo İsmail.

—Siéntate. ¿Adónde vas? Podemos hablar cuando se vayan.

Se sentó y yo subí.

Faruk bey había terminado de desayunar y estaba fumándose un cigarrillo.

—¡Ten paciencia con la abuela, Recep! Te llamaremos de vez en cuando. Y seguro que volveremos otra vez antes de que termine el verano.

—Les esperamos.

—Si pasa cualquier cosa, Dios no lo quiera, llámanos enseguida. Y si necesitas algo... Pero tú no has podido acostumbrarte todavía a los teléfonos, ¿no?

—Primero van al hospital, ¿no? Pero no se levanten todavía. Voy a traerles otro té.

—Muy bien.

Bajé. Serví los tés y se los llevé. Nilgün y Faruk habían comenzado otra vez.

—¿Te he hablado de mi teoría de la baraja? —le preguntaba Faruk.

—Sí —le contestó ella—. También me has contado que tu cabeza se parece a una nuez, y que si alguien te la arrancara y la cáscara para examinarla podría ver entre las circunvoluciones los gusanos de la historia. Y yo te respondí que todo eso era una tontería. Pero encuentro divertidas esas historias.

—Es cierto. Todo son historias tontas pero divertidas.

—No, en absoluto. Lo que me ha ocurrido, por ejemplo, no ha sido sin motivo.

—Guerras, saqueos, asesinatos, bajás, violaciones...

—Todo tiene un motivo.

—Estafadores, epidemias de peste, comerciantes, luchas: la vida...

—Tú también sabes que todo tiene una causa.

—¿Sabes? —le preguntó Faruk, luego se calló y suspiró—. ¡Historias tontas pero divertidas, ah!

—Tengo el estómago revuelto —dijo Nilgün.

—Vámonos ya —dijo Metin.

—¿Por qué no te quedas aquí, Metin? —le propuso Faruk—. Puedes bañarte en el mar. ¿Qué vas a hacer en Estambul?

—¡Tengo que ganar el dinero que no he podido ganar porque sois unos atontados! Daré clases todo el verano en casa de la tía a doscientas cincuenta liras la hora, ¿de acuerdo?

—¡Me das miedo! —le respondió Faruk.

Bajé a la cocina. Pensaba en qué le podría sentar bien al estómago de Nilgün. İsmail se levantó de repente.

—Me voy. Hasan andará por ahí pero terminará por regresar a casa, ¿no, Recep?

Pensé en aquello.

—¡Claro que regresará! ¿Adónde puede ir? Volverá. ¡Pero siéntate, İsmail!

No se sentó.

—¿Qué dicen arriba? ¿Subo y me disculpo?

Me quedé sorprendido y reflexioné un momento.

—Siéntate, İsmail, no vayas.

De improviso oí aquel sonido que venía de arriba. El bastón de la señora golpeaba el techo. ¿Lo recuerdas? Nos callamos por un momento, levantamos la cabeza y miramos hacia arriba. Luego İsmail se sentó. El bastón golpeó varias veces como si lo hiciera en la cabeza de İsmail. Después oímos aquella voz, apagada y débil pero siempre incansable.

—¡Recep, Recep! ¿Qué está pasando abajo?

Subí.

—No pasa nada, señora.

Entré en su habitación y la ayudé a acostarse. Le dije que subirían ahora mismo. Pensé en si bajarles las maletas al coche. Por fin cogí la de Nilgün y la bajé despacio. Mientras lo hacía pensaba que Nilgün me preguntaría por qué me molestaba pero en cuanto la vi tumbada en el sillón comprendí que se me había olvidado que tenía náuseas. Era como si hubiera olvidado algo que nunca hubiera querido olvidar. Porque, en ese mismo momento, vi que vomitaba. Me detuve con la maleta en la mano y Metin y Faruk la miraban estupefactos. De repente Nilgün, sin hacer el menor ruido, volvió la cabeza a un lado. Al ver lo que le salía por la boca se me vinieron los huevos del desayuno a la mente, por alguna extraña razón. Mientras Nilgün seguía vomitando bajé corriendo a la cocina, tremendamente inquieto, para buscar algo que le sentara bien. «Todo porque esta mañana no le di leche —pensaba como un bobo—. Por mi culpa.» Pero no cogí la leche. Miré estúpidamente a İsmail, que me estaba diciendo algo. Luego eché a correr al acordarme de nuevo de lo que estaba ocurriendo. Cuando volví a subir, Nilgün ya había muerto No me lo dijeron, pero lo comprendí al verla y yo tampoco pronuncié la palabra muerte. Mirábamos su cara verdosa, su sombría y plácida boca, eran la cara y la boca de una jovencita que descansa y nos sentíamos culpables como si hubiéramos tenido la falta de consideración de haberla cansado en exceso. Fue la mujer de Kemal bey, la farmacéutica, la que pronunció la palabra muerte cuando Metin la trajo con el coche diez minutos más tarde. Un derrame cerebral. No obstante, seguimos mirando largo rato a Nilgün con la esperanza de que quizá se levantara y echara a andar.

XXXI

Levanté la lata de pintura y esperé un rato en silencio a que aquel estúpido erizo sacara su pequeño y tonto hocico de entre sus púas y así poder divertirme un rato. Pero no lo sacó. Probablemente está aprendiendo. Después de entretenerme algo más con él me aburrí y levanté en el aire aquel estúpido erizo cogiéndolo con cuidado por una de sus púas. Ahora te duele, ¿eh? Cuando lo solté cayó al suelo, paf, y se quedó patas arriba. Qué cosa tan miserable este tonto erizo, me das pena, me das asco, me aburres.

Ya son las siete y media, llevo todo un día escondido; desde hace seis horas me entretengo con este erizo que encontré a medianoche. ¡Cuántos había antiguamente por aquí! Abajo, por donde vivimos, se metían de noche en los jardines y mi madre y yo nos dábamos cuenta enseguida por el ruido áspero que hacían, ¡los muy tontos se paraban sorprendidos en cuanto veían una cerilla que se encendía en la oscuridad! Les ponías un cubo encima y los mantenías prisioneros hasta la mañana. Ahora todos han desaparecido y solo queda este. Me he cansado de ti, oh, el más estúpido de los erizos. Mientras encendía un cigarrillo me apeteció prenderle fuego, pero no solo al erizo, sino a todo esto, a los huertos de cerezos, a los últimos olivares, a todo. Sería una buena manera de despedirme de vosotros, pero pensé que no valía la pena. Con el pie volví el erizo boca abajo. Haced lo que os dé la gana. Me voy, con el cigarrillo, que me hace olvidar el hambre, en los labios.

Me decidí a recoger mis cosas: el paquete de tabaco, quedan siete cigarrillos, los dos peines, las cerillas, dejé la lata de pintura junto al estúpido erizo pero me llevé el cuaderno de historia de Faruk bey, ya veremos, aunque no sirva de nada, se sospecha menos de uno que lleva un cuaderno en la mano; por supuesto, si me conceden la suficiente importancia como para perseguirme. Antes de irme quise mirar aquello por última vez, mi antiguo refugio entre el almendro y las higueras, venía de pequeño cuando me hartaba de estar en casa, cuando me hartaba de todo. Lo miré por última vez y ya me voy.

Después de cruzar el sendero quise mirar también por última vez nuestra casa y el barrio de abajo, que ahora se ven a lo lejos. Bueno, padre, adiós, el día que vuelva victorioso, de hecho, quién sabe, quizá lo hayas leído en los periódicos, comprenderás lo equivocado que estabas conmigo, no soy un hombre que se conforme con ser un simple barbero. Adiós, madre, quizá antes que cualquier otra cosa te libre de ese miserable lotero. Luego miré los muros y los techos, ricos y absurdos, de aquellas casas pecadoras. La vuestra no se ve desde aquí, Nilgün, hace mucho que habéis dado aviso a la policía, ¿no? Adiós por ahora.

No me detuve en el cementerio, solo pasé por allí por casualidad, pero mientras leía distraído las otras lápidas, lo vi: Gül y Doğan y Selâhattin Darvinoğlu, ponía, una oración por sus almas. Leí aquello y por alguna extraña razón me sentí muy solo, culpable y desesperado y eché a andar rápidamente temiendo llorar.

No bajé a la carretera por la que van a la carrera los que se dirigen a Estambul el lunes por la mañana para timarse los unos a los otros por si alguien me veía y me reconocía, algún listillo que se hubiera enterado, sino que me metí por los huertos y los campos. Cuando me acercaba, las cornejas que picoteaban las cerezas y las guindas brotaban de los árboles y huían culpables. ¿Sabías, padre, que en tiempos Atatürk y su hermano también cazaban cornejas? Ayer, a medianoche, reuní todo mi valor, fui a casa y miré por la ventana: estaban todas las luces encendidas y nadie decía que las apagaran, que era un pecado tanto gasto, mi padre tenía la cabeza entre las manos pero de lejos no estaba claro si lloraba o si se quejaba de su mala suerte. Entonces pensé que alguien debía de habérselo contado, tal vez hubieran ido los gendarmes. Me dio pena de mi padre cuando recordé el estado en que se encontraba, casi me siento culpable.

No pasé por el barrio de abajo porque allí siempre están reunidos un montón de vagos curiosos sin nada mejor que hacer que mirar a los que pasan y qué hace quién. Me aparté de la carretera en el lugar donde se quedaron la noche anterior Metin y su coche y fui hacia abajo por los huertos. Al llegar a la vía del tren caminé hacia la otra estación siguiendo el muro de la escuela de agricultura. De haber sido por mi padre y si no me hubieran preguntado en el examen de ingreso cosas que no me habían enseñado, me habrían matriculado en esta escuela de agricultura con la excusa de que estaba cerca de casa y el año próximo sería jardinero diplomado. Y cuando tuviera el título mi padre diría: «No es jardinero, es funcionario, sí, es funcionario porque lleva corbata», pero, en mi opinión, solo sería un jardinero con corbata. Aquí tienen clases incluso en verano. Si te esperas, dentro de poco sonará el timbre y saldrán todos corriendo pegados a las faldas del profesor para que te enseñe en el laboratorio que los tomates tienen pepitas. ¡Pobres salidos llenos de granos! La verdad es que cuando veo todo esto me alegro de haberme encontrado con ella. Sí, si ella no me hubiera metido de cabeza en este lío quizá yo tendría que resignarme a pasarme la vida siendo un jardinero encorbatado o un barbero con el establecimiento en propiedad. Claro, que para pasar de aprendiz a maestro barbero tendría que aguantar diez años no solo a mi padre, sino también el aliento apestoso del jefe. ¡Ya podéis esperar sentados!

Hay unos obreros esperando delante de la fábrica de cables ante la valla pintada en rojo y blanco y que sube y baja como la de un paso a nivel para que no crucen los coches mientras pasa el tren, pero no entran por ahí, sino por la pequeña puerta lateral, muy dóciles, y cuando pasan por el puesto de vigilancia meten y sacan en algún sitio las tarjetas que llevan en la mano y los vigilantes observan a los obreros como si fueran guardianes de una prisión. Además, la fábrica está rodeada por todas partes con alambre de espino. Sí, eso que llaman fábrica no deja de ser una moderna prisión y los pobres esclavos consumen sus vidas allí de ocho a cinco para placer de las máquinas. Si mi padre hubiera podido encontrarme un enchufe, habría decidido que dejara de estudiar y me habría metido entre estos obreros y cuando pensara que iba a pasarme la vida junto a una máquina en esta prisión se alegraría porque habría asegurado la vida de su hijo. Y aquí está el depósito de la prisión a la que llaman fábrica, los nuestros han escrito en los barriles vacíos lo que les van a hacer a los comunistas.

Luego contemplé cómo una grúa levantaba una carga de un barco que había en el muelle de la fábrica. ¡Qué carga tan enorme! ¡Qué extraño verla moverse en el aire! ¡Quién sabe adónde irá el barco después de descargar! Me detuve a contemplar un rato más el barco pero luego, cuando de repente vi que se acercaban unos obreros, no quise que creyeran que era un vago que andaba merodeando. Que no se crean superiores a mí porque han conseguido un enchufe y tienen trabajo. Les miré al pasar: no hay demasiada diferencia entre nosotros, son algo mayores que yo y llevan la ropa limpia. De no ser por el barro de mis zapatillas nadie podría saber que ando por ahí sin trabajo.

Se me había olvidado la fuente que hay aquí. Primero bebí hasta hartarme, me sentó mal con el estómago vacío, pero de todas formas me vino bien. Luego me limpié el barro de las zapatillas. Mientras me estaba quitando aquel maldito barro rojo del suelo, toda la asquerosa suciedad del pasado, llegó uno.

—¡Espera que beba un poco de agua, compadre! —me dijo.

Me aparté. Debía de ser un obrero. Con el calor que hace y lleva chaqueta. Se la quitó, la dobló con cuidado y la dejó a un lado. Luego, en lugar de beber, comenzó a sonarse. Así que eres un tipo listo, y además has encontrado trabajo, y si además quieres colarte y quitarle el turno a otro, a sonarse se le llama beber un poco de agua. ¿Tendría este tipo el certificado de la escuela secundaria? Lleva la cartera en el bolsillo de la chaqueta, se la puede ver. Seguía sonándose, me enfadé y de repente cogí la cartera del bolsillo de la chaqueta y me la metí rápidamente en el bolsillo de atrás. No miraba, no lo ha visto porque todavía sigue sonándose. Poco después, mientras bebía de mentirijillas para que no quedara demasiado feo, le dije:

—Vamos, compadre, ya está bien. Yo también tengo que hacer.

Se apartó y me dio las gracias jadeando. Cogió la chaqueta, se la puso y no se dio cuenta. Mientras yo me limpiaba tranquilamente las zapatillas, se encaminó hacia la fábrica. Ni siquiera le miré. Había desaparecido de la vista cuando terminé de limpiarme el barro. Caminé rápidamente en la dirección opuesta, hacia la estación. Con el calor habían comenzado a cantar las cigarras. Un tren se aproximó a la estación a mis espaldas y los que se apresuraban para llegar al trabajo aquel lunes por la mañana, todos como sardinas en lata, me miraron al pasar. Aquel tren lo perdí, tendré que esperar al siguiente.

Subí al andén de la estación y caminé distraído con el cuaderno en la mano como cualquiera, como cualquiera con algo que hacer, sin ni siquiera mirar a los gendarmes. Fui directamente al puesto de bocadillos.

—¡Tres sándwiches de queso! —pedí.

Una mano se alargó hacia el mostrador y metió entre las rebanadas de pan el queso que hasta entonces colgaba fuera de ellas. Dejan que el queso se vea y ponen los bocadillos en el mostrador para que te creas que rebosan queso. Sois todos unos listillos y como os creéis más listos que yo ya pensáis que sois alguien. Bueno, ¿y si yo no fuera ese imbécil que creéis, y si fuera más listo que vosotros, y si desbaratara todos vuestros jueguecitos? De repente me acordé:

—Dame una cuchilla de afeitar y un bote de pegamento.
—Y dejé cien liras sobre el mármol.

Recogí lo que le había pedido y la vuelta y me alejé. Tampoco entonces miré a los gendarmes. En estas estaciones los retretes están al extremo del andén. Dentro huele a perros muertos. Después de echar el pestillo, me saqué la cartera del bolsillo de atrás, eché una mirada y vi que el listillo de nuestro obrero llevaba un billete de mil liras y dos de quinientas que con el suelto sumaban un total de dos mil ciento veinticinco liras. Tal y como había supuesto, en el otro hueco de la cartera encontré una tarjeta de identidad. Era un carnet de la Seguridad Social. Nombre, İbrahim; apellido, Şener; nombre del padre, Fevzi; nombre de la madre, Kamer; lugar de nacimiento, Sürmene, Trabzon, y tal. Bien. Lo leí todo varias veces hasta aprendérmelo de memoria. Luego me saqué el carnet de estudiante del bolsillo, lo apoyé contra la pared, corté cuidadosamente mi fotografía con la cuchilla de afeitar y la arranqué: rasqué con la uña el cartón que tenía pegado detrás. Luego quité la fotografía de İbrahim Şener de su tarjeta de la Seguridad Social y cuando pegué la mía en su lugar, me he convertido en İbrahim Şener. Así de fácil. Metí el carnet de İbrahim Şener en mi cartera y esta en mi bolsillo. Luego salí del retrete y volví al puesto de bocadillos.

Los sándwiches ya estaban listos. Me los comí con placer porque durante todo un día no me había entrado nada en el estómago aparte de cerezas y tomates verdes de la huerta. Me tomé también un *ayran*[10] y miré qué más podía comer. Tengo mucho dinero en el bolsillo. Había galletas y chocolatinas pero nada me apetecía. Luego pedí otro sándwich de queso y

---

10. Yogur líquido con sal. *(N. del T.)*

le dije al vendedor que me lo tostara bien pero no me contestó. Me siento muy tranquilo Con el hombro apoyado en el mostrador, vuelto ligeramente de lado hacia la estación, nada me preocupa. Solo por un momento me volví a mirar hacia la fuente por si alguien venía por la vía, pero no. Se creía muy inteligente el listo de nuestro obrero pero todavía no se ha dado cuenta de que le han levantado la cartera. O quizá sí se haya dado cuenta pero no se le haya ocurrido que me la llevé yo. Cuando el vendedor me dio el sándwich le pedí también un periódico.

—*Hürriyet*.

Lo cogí y me aparté, habían puesto un banco allí y me senté sin prestar atención a nadie, leo mientras me como el sándwich.

Primero miré a cuántos habían matado ayer. En Kars, en Esmirna, en Antalya, en Ankara, en el barrio de Balgat... Me salté Estambul y lo dejé para el final. Habían caído doce de los nuestros y dieciséis de los suyos. Luego miré los de Estambul, nada, ni siquiera aparecía el nombre de İzmit. Luego, nervioso, miré donde realmente temía pero tampoco entre los nombres de los heridos estaba el de Nilgün Darvinoğlu. Lo leí otra vez, no, en efecto. Pensé que quizá no estuviera en ese periódico y se me ocurrió comprar el *Milliyet*. Allí tampoco estaba entre los heridos. De todas maneras, escriben los nombres de los heridos, pero no los de los sospechosos. No importa, si me interesara que mi nombre apareciera en los periódicos sería puta o futbolista.

Doblé distraído los periódicos, entré en la estación, fui hasta la taquilla y rápidamente supe adónde quería ir:

—Un billete a Üsküdar.

—El tren no va a Üsküdar —me respondió el listillo del taquillero—. La última estación es Haydarpaşa.

—Ya lo sé, ya lo sé. Dame uno a Haydarpaşa.

Pero tampoco entonces me lo dio. Maldito seas.

—¿Normal o de estudiante? —me preguntó.

—¡Ya no soy estudiante! Me llamo İbrahim Şener.

—¡Y a mí qué me importa cómo te llamas! —Pero debió de asustarse al verme la cara porque se calló y me dio el billete.

Estaba muy cabreado. Yo no le tengo miedo a nadie. Salí y vi que ni un alma iba ni venía por la vía. En el banco donde me había sentado poco antes había ahora otros listillos. Pensé en ir a levantarlos diciéndoles que allí estaba sentado yo, pero en ese momento no valía la pena, cuando quieras darte cuenta toda la multitud que espera el tren se ha unido y se ha puesto en tu contra. Mientras buscaba otro sitio en el que sentarme, me asusté de repente: los gendarmes me estaban mirando.

—Compadre, ¿tienes hora? —me preguntó uno de ellos.

—¿Yo? Sí, claro que sí.

—¿Y qué hora es?

—¿La hora? Las ocho y cinco.

No dijeron nada y se alejaron hablando entre ellos. Yo seguí mi camino, pero ¿adónde podía ir? En fin, allí había un banco vacío, así que me senté. Luego, como hace la gente que va a trabajar cada mañana, encendí un cigarrillo, abrí el periódico y lo leí absorto. Después de leer las noticias nacionales, pasé atentamente a las internacionales, con aquellos hombres importantes con mujer, hijos y responsabilidades; pensé que si Breznev y Carter se habían puesto de acuerdo en secreto para repartirse Turquía, podía ocurrir cualquier cosa. Luego, mientras me decía que bien podían haber sido ellos quienes habían enviado al Papa a Turquía, alguien se sentó a mi lado y me asusté.

Le miré de reojo sin bajar el periódico. Tiene unas manos enormes y arrugadísimas, con gruesos dedos, y las apoya cansadas sobre su pantalón, más gastado aún que el mío. Le miré también a la cara y comprendí: un viejo obrero al que le han estrujado bien, molido de tanto trabajar. Me dio pena. Si no te mueres joven, te conviertes en jubilado y se te ha pasado la vida sin haber hecho nada de interés. Pero no le importaba, no parecía tener la menor queja, miraba con ojos vacíos a los que esperaban en el otro andén, casi feliz. Entonces pensé en si tendría algo en la cabeza, quizá hubiera llegado a un acuerdo con los otros y todos, todos los que esperaban en la estación, me estuvieran preparando una jugarreta. Sentí un escalofrío. Pero de improviso el viejo bostezó de tal manera que me di cuenta de que solo era un imbécil. ¿De qué tengo miedo? ¡Ellos son los que deberían tenérmelo! Pensando aquello me sentí más tranquilo.

Entonces se me ocurrió que podría contárselo todo, tal vez incluso conozca a mi padre de algún sitio, mi padre andurrea mucho, sí, soy el hijo de ese lotero cojo y ahora voy por fin a Estambul, a Üsküdar; podría incluso hablarle de Nilgün y de los compañeros y de lo que piensan de mí, pero mira, en el periódico no lo pone por ahora. ¿Sabes? A veces me da la impresión de que todo esto ocurre por culpa de algunos que quieren gastarnos una mala jugada, pero algún día haré algo que desbaratará sus planes, sí, por ahora no sé qué es lo que haré, pero sé que voy a sorprenderlos a todos, ¿me entiendes? Y entonces eso sí que lo escribirán en este periódico que tengo en la mano y entonces todos esos tontos que esperan el tren, que se sienten tan felices porque tienen un trabajo al que ir cada mañana y que no saben lo que pasa en el mundo entonces se quedarán boquiabiertos y hasta me tendrán miedo y pensarán: «Así que no lo sabíamos. Así que todo esto era en vano. Así que no nos habíamos dado cuenta». Y cuando llegue ese día no solo hablarán de mí los periódicos, sino también la televisión y comprenderán, todos comprenderéis.

Me había distraído. El tren se acercaba, doblé el periódico sin prisas y me puse tranquilamente en pie. Luego le eché una mirada al cuaderno de historia lleno con la letra de Faruk. Leí un poco. ¡Tonterías! La historia es para los esclavos, cuentos para sonámbulos, leyendas para niños tontos, ¡la historia es para los bobos, los miserables, los cobardes! Ni siquiera me molesté en romper el cuaderno. Lo tiré a la papelera que había junto al banco. Luego, como cualquiera, como la gente que actúa de manera automática, tiré la colilla al suelo distraídamente y la aplasté con el pie sin pensar, como vosotros. Se abrieron las puertas de los vagones. Cientos de cabezas que me miran. Por la mañana van a trabajar, por la tarde vuelven de trabajar. ¡No saben, pobrecillos, no saben! ¡Ya aprenderán! Yo les enseñaré, pero no ahora, por ahora miradme, yo también subo al atestado tren y me mezclo entre vosotros, como vosotros, que tenéis empleo y vais a trabajar cada mañana, como todos vosotros.

El vagón está cálido y húmedo con el calor de los cuerpos que se agitan en su interior. ¡Temedme, temedme!

XXXII

Les espero acostada en mi cama. Les aguardo con la cabeza apoyada en la almohada porque dentro de poco vendrán a besarme la mano antes de regresar a Estambul y mientras lo hacen me hablarán y me escucharán. Y cuando de repente algo me sorprendió: ¡todo el alboroto del piso de abajo cesó como si lo hubieran cortado con un cuchillo! No oigo los pasos que van de habitación en habitación, no oigo los chasquidos de puertas que se cierran y ventanas que se abren, no oigo sus conversaciones resonando en las escaleras y los techos y tengo miedo.

Me levanté, cogí el bastón y golpeé el suelo varias veces pero el maldito enano no hizo el menor caso. Golpeé varias veces más esperando que quizá le diera vergüenza no atenderme delante de los otros, salí lentamente de la habitación, me detuve ante la escalera y empecé de nuevo:

—Recep, Recep, sube, deprisa.

Ni un ruido abajo.

—Recep, Recep, te estoy llamando.

Qué cosa tan extraña y horrible este silencio. Volví rápidamente a mi dormitorio, notaba frío en las piernas, fui a la ventana, empujé los postigos y miré hacia abajo: en el jardín alguien corría muy preocupado hacia el coche, lo reconocí, era Metin, se subió en el coche y, Dios mío, me dejó abandonada a mi mente confusa. Con auténtico pavor me había sumergido en malos pensamientos mientras miraba hacia abajo, pero aquello no duró demasiado porque poco después Metin regresó con la misma rapidez con la que se había ido y volví a sorprenderme. Con Metin salió del coche una mujer y entraron juntos en la casa. Reconocí a la mujer al ver su maletín y el largo echarpe que llevaba: la farmacéutica. Cuando le decían que estaba enferma venía con ese enorme maletín, que quedaría mucho mejor en manos de un hombre, y me adulaba sonriente para hacerse querer y poder clavar tranquilamente en mi cuerpo sus agujas envenenadas. «Mire, señora Fatma, tiene usted fiebre, agota sin razón su corazón, voy a ponerle una inyección de penicilina y se sentirá mejor. ¿A qué vienen esos reparos? Es usted esposa de un médico, mire, aquí todos queremos lo mejor para usted.» Sobre todo me hacía sospechar esa última frase y por fin, cuando lloraba un poquito, se largaban y me dejaban tranquila con mi fiebre y entonces podía pensar: «Fatma, cuidado,. como no pueden envenenarte el pensamiento, quieren envenenarte el cuerpo».

Tengo cuidado, aguardo con temor, pero no ocurre nada. Los pasos que espero no suben las escaleras, el silencio de abajo no se interrumpe. Después de esperar un rato, oí ruidos ante la puerta de la cocina y de nuevo corrí a la ventana. La farmacéutica se va de vuelta con el maletín en la mano, esta vez sola. Esa hermosa mujer tiene una extraña forma de caminar por el jardín, joven y llena de vitalidad. Estaba absorta observándola cuando de repente hizo algo que me picó la curiosidad: cuando solo le quedaban unos pocos pasos hasta la puerta del jardín, se detuvo de repente, dejó el maletín en el suelo y sacó apresurada algo de su interior, un pañuelo enorme, y comenzó a sonarse y a llorar. De improviso sentí lástima por esa hermosa mujer, dime qué te han hecho, cuéntame, pero rápidamente se rehízo y después de secarse los ojos con el pañuelo por última vez, cogió de nuevo el maletín y se fue. Cuando cruzaba la puerta del jardín se volvió y miró la casa por un momento, pero no me vio.

Yo continuaba de pie ante la ventana, sintiendo curiosidad. Luego, cuando la curiosidad se volvió insoportable, me irrité con ellos. Marchaos, marchaos ya, salid de mi mente, ¡dejadme sola! Pero seguían sin venir y seguía sin haber el menor ruido abajo. Caminé hasta mi cama. No te preocupes, Fatma, dentro de nada comenzarán otra vez con su horrible alboroto, dentro de nada comenzarán de nuevo los ruidos y la alegría desvergonzada. Me acosté y pensé: dentro de poco vendrán, dentro de poco Faruk, Nilgün y Metin estarán en mi dormitorio después de subir escandalosamente las escaleras, se inclinarán hacia mi mano y yo pensaré con tranquilidad, furia y celos en lo raro que es el pelo de las cabezas que se inclinan hacia mi mano. Entonces me dirán: «Nos vamos, abuela, nos vamos, pero regresaremos pronto. Abuela, la hemos encontrado muy bien, está usted muy bien, cuídese un poco más, no se preocupe por nosotros, nos vamos». Luego se producirá un silencio y veré que por un momento me observan con atención, con atención, cariño, lástima y también con una extraña alegría. Entonces comprenderé que piensan en mi muerte y en que eso es lo que me correspondería y en ese momento quizá intente gastarles una broma porque temo darles lástima. Quizá deje la broma para cuando me pidan que sea comprensiva con Recep, si es que no me enfado. Quizá les pregunte si no han probado el sabor de mi bastón, o quizá les pregunte por qué no se han puesto los pantalones cortos, o quizá les diga que voy a clavarlos en la pared de las orejas, pero sé que esas palabras no les harán sonreír ni siquiera un poco, que solo servirán para recordarles las eternas frases de despedida estúpidas y sin alma que ya se han aprendido de memoria.

—Nos vamos, abuela. ¿A quién quiere que le demos recuerdos de su parte en Estambul?

Me preguntarán, y yo me sorprenderé y me emocionaré de repente como si no me esperara en absoluto esa pregunta. Después pensaré en Estambul, en lo que dejé en Estambul setenta años atrás. Pero, ¡ah, qué pena!, no me engañaré porque lo sé: sé que ahí vivís hundidos en el pecado hasta el cuello tal y como Selâhattin quiso y escribió en su enciclopedia. Pero a veces siento curiosidad. En las frías noches de invierno, si mis recuerdos y la estufa que el enano no ha encendido bien no me calientan lo suficiente, me gustaría estar entre ellos por un momento, en una habitación bien iluminada, cálida y alegre, me sumerjo en mis fantasías, pero, no, ¡no quiero el pecado! Y si no consigo quitarme de la cabeza la alegría de esa habitación cálida e iluminada, finalmente me levanto de la cama en medio de la noche invernal, abro el armario y saco la caja donde guardo las agujas rotas de la máquina de coser y las facturas de la electricidad, que está debajo de las bobinas vacías y junto a mi joyero, para mirarlas: ¡Ah, qué pena! Todos habéis muerto, lo anunciaron a todo el mundo y yo recorté las esquelas de los periódicos y las guardé, miradlas, miradlas; «Necrológica: Semiha Esen, hija del difunto Halit Cemil bey, director general de la administración de Azucareras». «Necrológica: la señora Mürüvvet, miembro de nuestro consejo de administración», ¡caramba! Y era la más tonta de todas. «Necrológica: Nihal, hija única del difunto Adnan bey, uno de nuestros antiguos magnates», claro que me acuerdo, te habías casado con un comerciante de tabaco, tuviste tres hijos y, Dios los bendiga, once nietos, pero siempre estuviste enamorada de Behlül y él de esa desvergonzada de Bihter, no pienses más en eso, Fatma, mira, una más, y esta es la última, de hace diez años, creo: «Necrológica: la señora Nigân Işikçi, hija del difunto Şükrü bajá, ministro de Fundaciones Religiosas y embajador en París y hermana de las difuntas Türkân y Şükran», ¡ah, Nigân! Leo que tú también has encontrado la paz del Señor y de pie, allí, en medio de la fría habitación, con las esquelas en la mano, comprendo que en Estambul no me queda nadie conocido y pienso: todas os metisteis de cabeza en ese infierno que Selâhattin tanto rogaba que descendiera sobre la tierra y que descubrió en su enciclopedia, todas os hundisteis en los repugnantes pecados de Estambul y habéis muerto y habéis sido enterradas entre edificios de cemento, chimeneas de fábricas, hedor de plástico y alcantarillas. ¡Qué horrible! Cuando pienso en eso siento la extraña paz del miedo y vuelvo a mi cama porque me apetece sentir la calidez de mi edredón en esa fría noche de invierno y quiero dormir y olvidar porque mis pensamientos me agotan: sí, no me queda nadie a quien enviar recuerdos en Estambul.

Espero que vengan, que me pregunten, esta vez les daré de inmediato esa respuesta sin sorprenderme ni emocionarme, pero sigue sin haber él menor ruido abajo. Me levanté de la cama, miré el reloj de la mesa: ¡son las diez de la mañana! ¿Dónde se habrán metido? Asomé la cabeza por la ventana, ahí sigue el coche, donde lo dejó Metin. Luego me di cuenta de algo: tampoco oigo cantar a la cigarra que llevaba semanas sin moverse cerca de la puerta de la cocina. ¡Siento miedo del silencio! Luego pensé un rato en la farmacéutica que poco antes había venido pero no pude relacionarla con nada y de nuevo pensé que el enano se lo estaría contando, los tendría reunidos a su alrededor y les estaría hablando entre susurros de la culpa y el pecado. Salí de inmediato de mi dormitorio, fui hasta las escaleras y le llamé golpeando el suelo con mi bastón.

—¡Recep, Recep, sube enseguida!

Pero por alguna extraña razón sabía que en esta ocasión no vendría, sabía que mi bastón golpeaba el suelo en vano y que estaba esforzando mi anciana voz inútilmente. No obstante, le llamé una vez más, y al hacerlo me dejé llevar por una rara sensación y noté un estremecimiento: ¡era como si todos se hubieran ido sin avisarme para no volver nunca más y yo me hubiera quedado completamente sola en casa! Tuve miedo y para olvidarlo volví a llamar, pero entonces ese extraño sentimiento me envolvió con más fuerza aún. Era como si en todo el mundo no quedara nadie, ni una persona, ni un pájaro, ni un perro sinvergüenza, ni siquiera un insecto que me recordara el calor y el tiempo con su canto. El tiempo se había detenido y solo quedábamos mi voz desesperada y yo, llevada por el pánico, seguía llamando en vano al piso de abajo, en vano, y mi bastón golpeaba inútilmente el suelo y es como si nadie me oyera: solo sillones y sillas abandonados, mesas sobre las que se deposita lentamente el polvo, puertas cerradas, muebles desesperados que crujen por sí solos: ¡esa muerte tuya, Selâhattin! Dios mío, tuve miedo y creí que el pensamiento se me petrificaría como aquellos muebles, sin color ni olor, como un trozo de hielo, y que yo permanecería de pie allí para siempre sin sentir nada. Entonces se me vino algo a la cabeza de repente: quise bajar y encontrar el tiempo y el movimiento y bajé con esfuerzo cuatro escalones, pero me asusté cuando empecé a marearme. Aún quedan quince, no podrás bajar, Fatma. ¡Vas a caerte! Me di media vuelta lentamente en el escalón, preocupada, y mientras subía, mientras daba la espalda al estremecedor silencio, quise alegrarme y olvidar. Ahora vendrán a besarte la mano, Fatma, no tengas miedo.

No lo tenía cuando llegué a la puerta de mi dormitorio, pero tampoco había encontrado la alegría que buscaba. Selâhattin me miraba desde su retrato en la pared para asustarme, pero ya no sentía nada, como si hubiera perdido el olfato, el oído, el gusto y el tacto. Di siete pasitos más, llegué a la cama, me senté y me dejé ir. Mi cuerpo se apoyó en el cabezal y observando la alfombra del suelo me di cuenta de lo vacío y lo repetitivo de mis pensamientos y aquello me irritó. Mis razonamientos sin sentido y yo, inmóviles en el vacío. Luego me tumbé y cuando mi cabeza caía en la almohada me pregunté si había llegado el momento, si venían, si entraban para besarme la mano. «Adiós, abuela, adiós, abuela, ¿estás preparada?» En las escaleras seguía sin oírse una voz y abajo ni un ruido, y como temo la angustia pensé que todavía no estaba preparada, que tenía que esperar, que como en las solitarias y silenciosas noches de invierno tenía que dividir el tiempo desgajándolo como una naranja. Me tapé con el edredón y esperé.

Sabía que alguna idea se me clavaría en la mente mientras esperaba. ¿Cuál? Quiero que mi conciencia se me muestre por dentro como un guante al que se haya dado la vuelta: «Así que esto eres tú, Fatma —me diré por fin—. ¡Así que mi conciencia era como mi apariencia exterior solo que al revés, como reflejada en un espejo!». Me sorprenderé, olvidaré, sentiré curiosidad: si lo que vienen a ver de vez en cuando, si lo que ayudan a bajar las escaleras para la cena, si a lo que dentro de poco van a besar la mano es mi exterior, a veces siento curiosidad por cuál será mi interior. ¿Mi corazón que late, tic-tac, mis pensamientos deslizándose como un barco de papel por un arroyo? ¿Y qué más? ¡Qué raro! A veces, entre el sueño y la vigilia, los confundo en la oscuridad y me inquieto con una dulce preocupación. Como si mi interior fuera mi exterior y mi exterior mi interior y yo no pudiera descubrir cuál soy en la oscuridad. Alargo mi mano silenciosa como un gato y enciendo la luz. Intento descubrirlo tocando el frío metal de la cama, pero el metal me arrastra y me abandona en el frío de una noche de invierno. ¿Dónde estoy? A veces pienso que ni siquiera eso puede saberse. Y si eso le ocurre a una persona que lleva setenta años viviendo en la misma casa, pienso de nuevo, sí, y decido que esa cosa a la que llamamos vida, y que creíamos haber agotado, es algo extraño e incomprensible y nadie puede saber por qué su vida es como es. Esperas sin cesar y ella va de un lado a otro sin que nadie sepa por qué, mientras tú meditas una serie de cuestiones relativas a adónde vas y de dónde vienes sumergida en tu propia vida; y mientras sigues pensando en todas esas ideas extrañas en las que no existe ni verdad ni mentira, ni siquiera una conclusión, de repente, aquí se acabó el viaje, Fatma. ¡Vamos, bájate! Me bajo del faetón, primero aquel pie y luego este. Doy dos pasos y entonces me vuelvo a mirarlo. ¿Esto era lo que nos llevaba de paseo balanceándose? Esto era. Así que eso pensaré cuando llegue el final: esto era. No he entendido nada pero me gustaría comenzar de nuevo. ¡Pero si no te lo permiten! «Vamos, vamos —te dicen—, ya estamos aquí, en el otro lado, ahora no puedes volver a montarte, ya no puedes volver a empezar.» Y el cochero hace restallar el látigo y mientras se aleja con sus caballos yo miro el faetón desde atrás y me gustaría llorar: así que no puedo volver a empezar,

mamá, ¡así que no hay otra oportunidad! Pero luego me re-
belo y pienso que la gente debería poder empezar de nuevo,
de la misma manera que creo que una niña pequeña debería
permanecer siendo durante toda su vida una niña pequeña e
inocente si así lo quisiera, me repito que una debería poder
tener otra oportunidad y entonces me acuerdo de los libros
que me leían Nigân, Türkân y Şükran y aquel viaje de vuelta
en coche que hicimos mi madre y yo y me siento feliz con
una extraña tristeza.

Aquella mañana mi madre me llevó a casa de Şükrü bajá
y, antes de dejarme allí, me dijo en el coche lo que siempre me
repetía: «Mira, Fatma, cuando venga a recogerte esta tarde,
que no se te ocurra ponerte a llorar, ¿de acuerdo? Si no, es la
última vez que venimos». Pero se me olvidó rápidamente lo
que me había advertido mi madre y mientras durante todo el
día jugaba con Nigân, Türkân y Şükran y las contemplaba
admirada porque eran mucho más listas y guapas que yo, se
me olvidó lo que me había advertido mi madre porque tocaban tan bien el piano e imitaban tan bien al cochero cojo y al
lacayo y luego imitaron incluso a su padre y yo me quedé bo-
quiabierta y apenas tuve el valor de reírme como ellas y por la
tarde recitaron poesías, habían ido a Francia, sabían francés,
y entonces, como hacían siempre, sacaron un libro en turco y
leyeron aquella traducción pasándose el libro de mano en
mano y era tan hermoso oírlo que se me olvidó lo que me había advertido mi madre y cuando la vi aparecer de repente y
comprendí que había llegado el momento de volver a casa comencé a llorar y entonces mi madre me miró con severidad
pero yo seguía sin recordar lo que me había advertido aquella
mañana en el coche, además no solo lloraba porque hubiera
llegado la hora de regresar a casa, sino también por cómo me
miraba mi madre, y la madre de Şükran, Nigân y Türkân sintió lástima de mí y les sugirió que me trajeran unos caramelos
y mientras mi madre se disculpaba diciendo que estaba muy
avergonzada y la de ellas le respondía que no tenía importancia, Nigân trajo los caramelos en la bombonera de plata y to-

das me miraban esperando que me callara yo no cogí ninguno y repliqué: «No, no quiero esto sino eso», y ellas me preguntaron qué era lo que quería y mi madre: «¡Basta ya, Fatma!», de repente reuní todo mi valor y dije: «Ese libro», pero como no podía aclarar cuál porque seguía llorando, Şükran le pidió permiso a su madre para traerlos todos y mi madre le explicó: «Señora, no creo que estos libros sean adecuados para la niña; además, no le gusta leer», y yo miraba de reojo las portadas de los libros: estaban Monte Cristo, Xavier de Montepin y Paul de Kock, pero el que yo quería era el que me habían leído aquella tarde, *Las aventuras de Robinson*, y pregunté si podía llevármelo y mi madre repitió que se sentía muy avergonzada y su madre me contestó: «Muy bien, hija, puedes quedártelo, pero no lo pierdas porque es de Şükrü bajá», y entonces me callé y me fui muy buenecita y me senté en el coche con el libro entre las manos.

En el camino de vuelta a casa me daba miedo mirar a mi madre a la cara, sentada frente a mí. Mis ojos, enrojecidos de tanto llorar, estaban fijos en el camino que dejábamos atrás y en las ventanas del caserón de Şükrü bajá, que aún se veía, y entonces mi madre me riñó a gritos diciéndome que era una niña caprichosa. Probablemente porque no podía contener su irritación, después de reprenderme un buen rato, añadió que la semana siguiente no me dejaría ir a casa de Şükrü bajá. Entonces, cuando miré a mi madre a la cara, pensé que me lo decía para hacerme llorar porque en otras ocasiones lo conseguía con cosas así, pero no lloré. Sentía una alegría y una calma extrañas, me envolvía una serenidad cuya razón descubrí mucho después a fuerza de pensar, aquí, acostada en mi cama. Mucho después descubrí que se debía al libro que tenía entre las manos, miraba la portada del libro y meditaba. Aquel día Nigân, Türkân y Şükran me habían leído por turnos parte de su contenido, no lo había entendido todo, me pareció un libro complicado, pero, no obstante, pude extraer algunos hechos: un inglés había vivido completamente solo durante años en una isla desierta porque su barco se había hundido, no, completamente solo no, porque tenía un criado que encontró años después. De todas formas, era muy raro. Era muy raro pensar en aquel hombre que había vivido solitario durante años, sin ver a nadie, y en su criado, pero no era aquello lo que me iba haciendo sentir una paz cada vez mayor mientras el coche se balanceaba a un lado y a otro, lo sabía, había algo más. Sí, mi madre no me fruncía más el ceño y, además, yo miraba por la ventana hacia atrás, como me gustaba, y no hacia delante, pero no hacia el caserón de Şükrü bajá, que ya no se veía, sino hacia el camino que íbamos dejando detrás, al pasado en el que era tan hermoso pensar, pero lo que resultaba verdaderamente agradable era sentir que gracias al libro que tenía entre las manos quizá pudiera vivir de nuevo ese confuso pasado en casa. Quizá mi mirada, impaciente y con poco aguante, paseara inútilmente por las páginas del libro, pero mientras lo hojeara recordaría la casa de Şükrü bajá, a la que no iría la semana siguiente, y todos los detalles de lo que habíamos hecho. Como razoné mucho después, aquí acostada en mi cama: una vez terminada la vida, ese viaje en coche de caballos en un solo sentido, no puedes volver a empezar de nuevo; pero si tienes un libro entre las manos, por confuso e incomprensible que sea, cuando lo terminas puedes, si quieres, volver al principio para leerlo otra vez y comprender lo incomprensible, para comprender la vida, ¿verdad, Fatma?

1980-1983

La Casa del Silencio
de Orhan Pamuk
se terminó de imprimir en **Octubre** 2006 en
Comercializadora y Maquiladora Tucef, S.A. de C.V.
Venado N° 104, Col. Los Olivos
C.P. 13210, México, D. F.